エリア・スタディーズ
183
インドを旅する
55章
宮本久義
小西公大
（編著）
明石書店

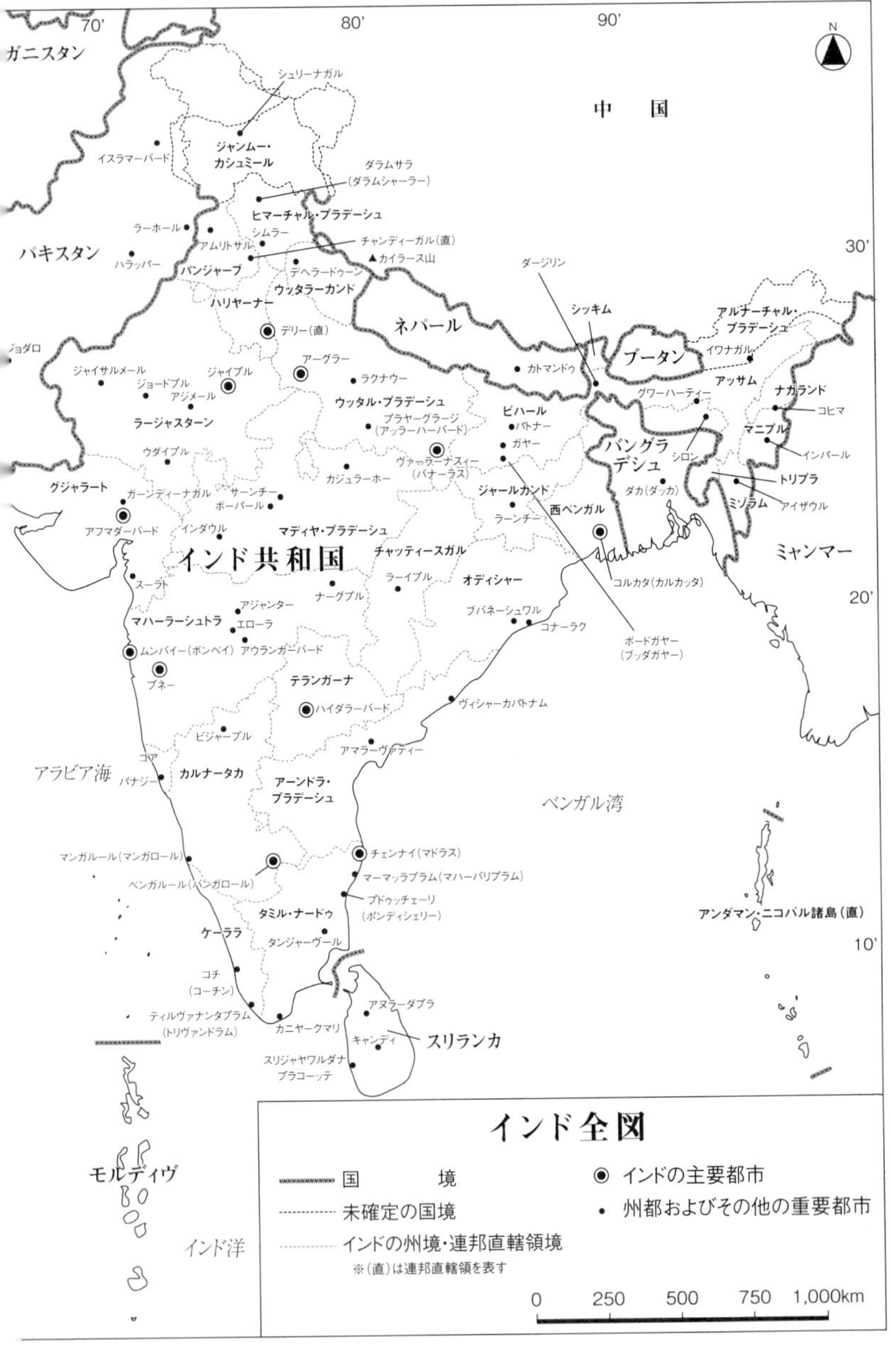

70'
80'
90'
30'
20'
10'
N
ガニスタン
中　国
パキスタン
ネパール
ブータン
バングラデシュ
ミャンマー
インド共和国
スリランカ
モルディヴ
アラビア海
ベンガル湾
インド洋
シュリーナガル
ジャンムー・カシュミール
イスラマーバード
ダラムサラ（ダラムシャーラー）
ヒマーチャル・プラデーシュ
ラーホール
アムリトサル
シムラー
チャンディーガル（直）
カイラース山
ハラッパー
パンジャーブ
デヘラードゥーン
ウッタラーカンド
ハリヤーナー
デリー（直）
ダージリン
シッキム
アルナーチャル・プラデーシュ
イワナガル
アーグラー
ラクナウー
カトマンドゥ
ジャイサルメール
ジャイプル
ジョードプル
アジメール
ラージャスターン
ウッタル・プラデーシュ
アッサム
ナガランド
グワーハーティー
コヒマ
ビハール
パトナー
プラヤーグラージ（アッラーハーバード）
マニプル
インパール
ガヤー
ウダイプル
ヴァーラーナスィー（バナーラス）
シロン
トリプラ
カジュラーホー
グジャラート
ガーンディーナガル
サーンチー
ボーパール
ジャールカンド
ダカ（ダッカ）
ミゾラム
アイザウル
西ベンガル
ラーンチー
アフマダーバード
インダウル
マディヤ・プラデーシュ
チャッティースガル
ラーイプル
オディシャー
スーラト
ナーグプル
コルカタ（カルカッタ）
アジャンター
マハーラーシュトラ
エローラ
ブバネーシュワル
コナーラク
ボードガヤー（ブッダガヤー）
ムンバイー（ボンベイ）
アウランガーバード
プネー
テランガーナ
ハイダラーバード
ヴィシャーカパトナム
ビジャープル
アマラーヴァティー
ゴア
パナジー
カルナータカ
アーンドラ・プラデーシュ
マンガルール（マンガロール）
チェンナイ（マドラス）
マーマッラプラム（マハーバリプラム）
ベンガルール（バンガロール）
プドゥッチェーリ（ポンディシェリー）
アンダマン・ニコバル諸島（直）
タミル・ナードゥ
ケーララ
タンジャーヴール
コチ（コーチン）
ティルヴァナンタプラム（トリヴァンドラム）
カニヤークマリ
アヌラーダプラ
キャンディ
スリジャヤワルダナプラコーッテ

インド全図

国　境
未確定の国境
インドの州境・連邦直轄領境
※（直）は連邦直轄領を表す
インドの主要都市
州都およびその他の重要都市
0　250　500　750　1,000km

旅のはじめに

　インドは日本の約9倍の広さを持ち、悠久の歴史が流れる国です。白亜のタージ・マハルやガンジス川の沐浴場など多くの観光地を持つインドは、今まで世界の旅行者を魅了してきました。しかし、本書を企画した目的は観光用のガイドブックではなく、これまでほとんど紹介されなかった「ディープ・インディア」ともいうべき、多様で深遠なインド世界に読者をお連れしようというものです。それゆえ、本書の執筆者には、長年インドでフィールドワークや研究を積み重ねてきた人びとを中心に、旅のスペシャリスト、インドに行って人生が変わってしまうほど深く関わってきた人など、みな長い時間をかけてインドとディープに接してきた人ばかりに集まっていただきました。

　全体は55の独立した章と11本のコラムからなりますが、いくつかテーマごとにまとめて、「旅に出よう」、「インドの不思議都市を歩く」、「多様な宗教を旅する」、「さまざまな人に出会う」、「乗り物を楽しむ」、「インドを泊まり歩く」、「インドを食べ歩く」、「世界遺産を旅する」、「インドの伝統文化を旅する」、「インドの現代文化を旅する」、「旅のおみやげ」という11のパートで構成しました。これらのなかに、今まで知らなかったインドの見どころや新たな発見が必ずみつけられると信じています。

　本書では旅を「観る」ものではなく「出会う」ものとして捉えています。インドに魅せられてきた人たちが、どのようなインドと出会い、そこでどのような関係を築いてきたのか。これからインド旅行を計画している方、もっとインドに深く入りたい方は、そうした執筆者たちの十人十色のインドとの関わり方を知ることで、自己流の旅を模索してほしいと考えています。誰も持っていない、世界で一つのインド像を読者の方々に構築していただければ、編者としては望外の喜びです。

本書は企画がスタートしてから刊行まで予想外の時間が経ってしまいました。それについては共編者である私の時間観念のなさによるもので、この場をお借りしてお詫び申し上げます。また、執筆者の一人、小西正捷氏が本書の刊行を待たずにご逝去されたことは痛恨の極みでした。今回、御子息の小西公大氏と一緒に仕事をすることで、少しでも恩返しができたらと願うばかりです。

最後になりますが、編集の遅れと追い打ちをかけるような新型コロナウイルスの蔓延のため、執筆者のなかには原稿提出後にインドに行く機会が得られず、内容の確認が難しいケースもあることをご了承ください。現在では状況が変わっていることもありえますので、訪れるときには必ず確認してから出発することをお願いします。

それでは、さっそく深遠な森に向けて旅立ちましょう！

2021年4月

共編者　宮本　久義

インドを旅する55章　目次

第Ⅰ部　旅に出よう

第Ⅱ部　インドの不思議都市を歩く

第Ⅲ部 多様な宗教を旅する

第Ⅳ部　さまざまな人に出会う

第Ⅴ部　乗り物を楽しむ

第Ⅵ部　インドを泊まり歩く

第Ⅶ部　インドを食べ歩く

第Ⅷ部　世界遺産を旅する

第Ⅸ部　インドの伝統文化を旅する

第Ⅹ部　インドの現代文化を旅する

第Ⅺ部　旅のおみやげ

※本文中、とくに出所の記載のない写真については、原則として執筆者の撮影・提供による。
※目次・各部の扉のイラストは、小西公大氏の筆によるものである。

第Ⅰ部

旅に出よう

1 夢のインド・現実のインド

——私の入印・退印歴

私にとっての海外への旅は、数日であろうが数か月であろうが、一回一回が完結したかけがえのない記憶として残っている。とくにインドへの旅は、まるで異次元の世界に行くような感じが今でもする。日本とはまったく磁場が違うのだ。最初の旅では、コップのふちに口をつけないで水を流し込む人を見てはびっくりし、吸い終わったタバコをはだしの足裏でもみ消す人を見ては仰天した。インドへの出入国を病院の入退院にたとえるのは、インドに対して恐縮ではあるが、インドは訪れるたびに私の心身をはげしく揺さぶり、そして最後には癒してくれる特別な場所なのだ。そのような私の旅と、一部は兄の体験も交えながら、この50年間、旅の仕方がどのように変わってきたかをたどっ

01 西インド・ゴアのコールヴァー海岸で野宿する筆者。地引網を手伝って漁師さんにいただいたイカで朝食。

てみたい。

1964年4月1日に海外観光渡航が解禁された。これは「第二の開国」とも言われ、晴れて一般の日本人も外国に行けるようになった。翌1965年の2月に、私の兄が仕事の関係でインドの仏跡旅行に行くことになった。当時は外貨の持ち出しが500ドル（1ドル＝360円）までという制限があり*1、飛行機はまだ長距離を飛ぶことができず、羽田から、那覇、台北、香港、バンコクで給油あるいは滞在しながらカルカッタ（現コルカタ）に到着した。カルカッタの飛行場では炎天下の滑走路で荷物が開かされ税関のチェックが行われたそうである。兄とは年齢が離れていて、当時私は中学生だったが、出発前に親戚一同が集まって壮行会を開いたのを記憶している。叔父が本来は祝い歌である「さんさ時雨」を泣きながら歌い、水杯（みずさかずき）を交わしたあと、全員連れだって羽田まで見送りに行ったが、今考えると出征兵士を送るやり方と同じであったと思う。兄が45日間の旅を終えて帰国したときには、心なしか逞（たくま）しくなっていたような気がする。

私の最初の海外への旅は1970年の夏、インドではなくて中国だった。まだ中国と

*1　外貨持ち出し制限額は日本の高度経済成長期の歩みに連動して、700、1000、3000ドルと増額され、1978年に制限枠は完全に撤廃された。

の国交がない時代であったが、学生の参観団に入って約一か月間、文化大革命のさなかの大陸を駆け巡った。もちろん直行便はなく、香港まで行ってから国境の珠江（しゅこう）にかかる橋を徒歩で渡った。ヴィザの代わりに紙片が挟まれただけなので、パスポートには中国に行ったという記録は残っていない。

翌1971年、いよいよインドに行くことになった。出発前には必ず予防接種を受けなければならなかったが、コレラ、マラリア、腸チフス、痘瘡（とうそう）（天然痘）など数が多かったので、一か月以上前から準備しておく必要があった。7月下旬に日本を立って、まずはマレーシアとシンガポールからの華僑留学生の里帰りに同行して、合わせて一か月半居候した。華僑の友人たちは私にいっさいお金を使わせてくれなかった。まるで富豪の商人か侠客に養われる大陸浪人にでもなったかのようだったが、いつまでも居座るわけにもいかず、インド行きの船の切符を買った。

マレーシアのクアラルンプール郊外のポート・スウェッテンハム[*2]（現在のクラン港）で、ラジュラ号という全長約145メートル、約8700トンの客船に乗船した。[*3]この船には3等が2種類あって、甲板クラスは白線で示された通路以外はどこでも寝具を敷いて良いというもの、私のチケットは蚕棚が並ぶ船倉クラスで、一週間の航海中ずっと蛍光灯がつけっぱなしであった。合わせて3000人をはるかに超える3等客は、甲板のあちこちで勝手に調理したり子供にトイレをさせたりで、一挙にインドの日常生活に放りこまれた感じがした。ベンガル湾を横断して夜明けに西のかなた、碧い空と青い海のあいだに緑の糸のような線が見えはじめたが、やがてそれがヤシの群生だとわかったとき

＊2　イギリス領マラヤ連邦の初代統監を務めたフランク・スウェッテンハムの名が冠された港。私が利用した1年後に、港名が変わり、イギリス植民地時代の名残を消し去った。

＊3　ラジュラ（Rajula）は1926年にイギリスのグラスゴーで建造された客船。シンガポールと南インドの東海岸を結んで、タミル人の出稼ぎ労働者を運ぶ航路についた。1974年、長い役目を終えて廃船になった。

02 南インド・タンジャーヴール駅。このような蒸気機関車でインドをまわった。

には本当に感激した。ナーガパッティナムの港からさらに一晩かけて北上し、マドラス（現チェンナイ）港に上陸した。インド国内の移動はほとんど汽車の3等座席で、半額になる学割が利用できたので大いに助かったが、常にノミとシラミと南京虫と同行しなければならなかったのは辛かった。

インド最南端のカニヤークマリから北のカシュミール地方まで縦断し、パンジャーブ地方の国境の街フィローズプルからパキスタンに入国した。午後遅くラーホール市に到着したとき、インド・パキスタンの国境が閉鎖されたことを知った。これはもちろん想定外である。その夜から灯火管制が始まった。映画でしか見たことのなかったことが現実に起こっていた。もうインドには戻れない。そこで予定を変更して、当時はまだ王政国家であったアフガニスタンに向かった。12月1日、ハイバル峠を越えてカーブルに逃れたが、3日に第三次印パ戦争が勃発し、一週間前に私が移動してきた印パ双方の街が爆撃された。[*4] パキスタン・アフガニスタン国境も閉鎖されると、カーブルはヨーロッパからアジア・ハイウェイ[*5]を旅してきた旅行者であふれかえった。私はインドから日本に帰国する予定でチケットも持っていたが、もう仕方がない。覚悟

＊4　インドが東パキスタン独立運動（バングラデシュ独立戦争）に介入するかたちで、東西の印パ国境で熾烈な戦闘を繰り広げた。12月16日にダッカが陥落し、同日東パキスタンはバングラデシュとして独立した。

＊5　1959年に国際連合により提唱された、アジアの32か国を既存の幹線道路で結ぶ計画。1960年代後半の世界的な学生紛争が下火になると、多くの若者が世界に飛び出し、アジア・ハイウェイを往来した。

を決めて、行き所を失った若者を募ってソヴィエト大使館に交渉に行き、タシュケント（現在はウズベキスタンの首都）行きの特別便を出してもらうことに成功した。この旅は、結局、飛行機でモスクワ、ハバロフスクをまわり、シベリア鉄道でナホトカまで下り、客船で横浜の大桟橋に12月25日に到着するという時計回りの大巡礼になった。

二回目のインドへの旅は大学院時代の１９７５年の春、修士論文の資料集めのためであった。そのころちょうど格安航空チケットが入手できるようになり、タイのバンコクでビルマ航空（現ミャンマー・ナショナル航空）に乗り換えて、首都のラングーン（現ヤンゴン）を経てカルカッタに行くのが一番安いコースだった。専門にしようと思っていたインド哲学関係の書籍を探しつつ、ガンジス川を遡るかたちで西に移動していった。この旅で一番の経験は、ガンジス川上流の街リシケーシュでヨーガ行者に手ほどきを受けたことである。日本に行ったことがあるというので、一瞬聞き間違いかと思ったが、なんと１９７０年の大阪万博の太陽の塔の前で撮られた記念写真を見せられた。インド政府からヨーガのエグジビション講師として世界各地に派遣されていた行者で、普段はリシケーシュの山奥で孤高の修行生活を送っていた。

リシケーシュを離れる前に、あるヨーガ道場に出版物を買うために立ち寄ったら、何を誤解されたか老師がお会いになるからしばらくお待ちをと言われた。小一時間待っていたら、両脇を弟子に支えられた老師が目の前の虎皮が敷かれた椅子に座った。「どこから来ましたか」という定番の質問のあと、「何か悩み事はありますか？」と尋ねられた。この質問も今考えればお決まりのものだったのだろうが、そのときの私は1分ぐらい真剣に考えこんでしまった。そして、「私にはなにも悩みはありません」と答えた。すると老師は笑顔で祝福してくださった。まだ外国人もまばらで、ヒマーラヤ山麓の桃源郷のような雰囲気がただよっていた。

第三回目のインドは、留学という長期の入印生活になった。[*6] インド北部のヒンドゥー教の聖地バナーラスにある大学に所属し、ガンジス川の岸辺の下宿で7年暮らした。この期間のことを書いたらきりがないが、一つだけほかの旅と違う点を挙げるなら、4月半ばから6月半ばころまでの酷暑期を体験したことである。エアコンも冷蔵庫もガスも、おまけにテレビもない生活で、毎日何時間もつづく停電のあいまに動いてくれる扇風機が唯一の頼りだった。大学は夏季休暇に入り、新聞では連日、暑さで何人死亡したという記事がでる。バーザールは夜明けから9時ころまで買い物客がいるが、そのあとそそくさと店を閉め、夕方までゴーストタウンになる。例年の最高気温は43度くらいだが、ある年48度になったときにはさすがに消耗した。それでもなぜか私はあの暑さが好きで、留学中のほとんどの夏を避暑に行かずに過ごした。蚊も死に絶える。暑さが好きというより、アラビアのロレンスが砂漠に惹かれる理由を「清潔だからだ（イッツ　クリーン）」と答えたのと同じ理由かも知れない。[*7] 最近のバナーラスの夏は50度を超える日もあるのでかなり危険だが、私にとっては精神的にハイになれるインドで一番好きな季節であることは間違いない。

留学後、いったい何回インドに行ったのかは数えていないが、ヒンドゥー聖地のフィールドワークや、学会参加や、第二の故郷になったバナーラスへの里帰りなど、相

＊6　このときのチケットは、西新宿の小さな旅行代理店ヒデ・インターナショナル（現在のエイチ・アイ・エス）で購入した。70年代にはインド格安旅行キャンペーンに力を入れていて、私も説明会の講師としてお手伝いした。

＊7　映画『アラビアのロレンス』中の、アメリカ人の新聞記者に対する答え。

03 デリーのインド門のポスターを見つめる男性。タミル・ナードゥ州タンジャーヴール駅にて。

変わらず入退印を繰り返している。最初のインド旅行は、夢のような「神秘の国」に分け入る感じがしたが、生活の仕方がわかるようになり、言葉が少しずつ通じるようになると、現実のインドはますます面白くなってくる。「平均的」なインド人は存在しないし、「普通」という言葉もインドではまったく意味を持たない。自分自身の価値基準が常に試される国なのである。インド人は古代よりいかに生きるべきか、いかに死ぬべきかについて、輪廻や解脱など多くの重要な価値観を生み出してきた。私もそろそろ、もう一度入印してそれらのことをじっくり考えてみる時期がきたようだ。

（宮本久義）

2 「ありがとう」を言わない世界
——濃密な人間関係のなかへ

インドの魅力とは何か、という質問を受けることが少なくない。なぜそんなに足繁く通うのか、と。18歳で初めてインドの地を踏み、20代のころは、何かに憑かれたようにお金をためてはインドに向かっていた。いまだに毎年かの地を訪れている。これほどまでにインドと人生を共にしていくことになるとは、当初考えもしなかった。むしろ最初に触れたインドには拒絶反応すら感じていたのだから。

今だって、心から「インドが大好き」といえるか、正直心もとない。しかし私にとってインドは、世界を捉える際の軸、考えるための核であり、なくてはならない存在となっている。インドから教わったことははかり知れない。それが自分の人生を豊かなものにしてくれたとも実感している。やはり自分は、インドに魅了されてきた、ということになるのだろう。

では、なぜ自分は最初に感じた嫌悪感に従ってインドを拒絶せず、その世界にもっと深く分け入ろうとしてきたのか。この疑問に立ち向かうことが、自分にとっての「インドの魅力」に対する解答への最短距離になるかもしれない。

インドでの経験を思い返すとき、人びとの顔ばかりが浮かぶ。これまで接したことのないような極悪人がいたと思えば、聖人のように素晴らしい人格者もたくさんいる。人びとの感情表現も豊かだ。喜怒哀楽を全身で表す人が多い。肩を組んだり、手をつないだりと、身体接触も多い。私が包み隠すべきだと教わってきたさまざまな「欲望」に対する感情も、インドではストレートに表現される。日本で生まれ育った私が教わってきた、隠しなさい、距離をとりなさい、プライバシーに踏み込むのはやめなさい、といった多くの禁忌が共有されていない。日本では親密な関係でないと発することができない質問を、会って数分のインド人にまくしたてられる、そんな経験を持つ人も多いだろう。一般化することの危険を承知であえて言うのなら、インドで出会う人びとはすごく「むき出し」でストレート、極めて刺激的な人びとに感じられたのだ。

この刺激が強すぎたのだろう、前述の通り最初のインド訪問の際に拒絶反応を起こしてしまった。また、言語能力や土地勘もなかった当初は、ちょくちょく騙されることもあった。「いろいろあったけど、いい経験になったな、でも、もう行かないな」というのが率直な感想だった。しかし半年後、私はまたデリー行きのチケットを手にしていたのである。なぜなのだろう。

それは、インドの人びとと接したあとに残る、なにか強烈なインパクトと関係している。帰国後しばらくすると、ふれあった人びとの満面の笑顔が焼き付いて離れなくなるのだ。ぴったりと身を寄せて人生の厳しさを滔々と語り続けた老人の表情も忘れられない。またあの人に会いたいと思い出すと、もう止まらない。私にとっては、有名な世界遺産や豪奢なマハーラージャーの宮殿の美しさは再訪する理由とはならなかった。どうやら「人」にやられてしまったようだ。

そんなインドで最も不可解にして不快だったのが、お礼の言葉をかけられたことがない、ということだ。日本で生まれ育った私は、「ありがとう」と言える人間になれと教わってきた。しかし、インドにはそれがない。もちろん、言語としては存在する（ヒンディー語のダンニャワードやウルドゥー語のシュクリヤーあたりが有名だろう）が、実際に用いられる機会は極めて少ない。このことは、しばらく通い続けてもなかなか慣れない、ストレスフルな経験であり続けた。さらに問題は、自分も感謝の意を伝えられないということだった。何かをしてもらったとき、親しくなった人びとは、私がお礼を口にすることを拒んだ。言いたくないし、言われたくもない、というのが本音のようだ。

例えば、こんなことがあった。とあるラージャスターン州の田舎町のゲストハウスでしばらく生活をしていたとき、そこで働いていた清掃員の少年（12歳、イスラーム教徒だった）と仲良くなった。あるとき彼は、来月結婚することになった、と告げた。インドの田舎では、まだこうした早期の婚姻関係が親類縁者の話し合いによって決められてしまうことが多い。彼は、結婚式の様子を記録したいのでカメラが欲しいと言う。日頃の彼の働きに対する感謝の気持ちもあって、私は町にある電気屋を一日かけめぐり、少々値の張るコンパクトカメラを購入した。私はきっと、彼の喜ぶ顔と感謝の言葉を想像しながら宿に戻ったのだと思う。しかし、彼は何も言わず、カメラの入った袋を手に、サッと部屋を出て行ってしまった。失礼だと思った。お礼も言えないなんて。実はこのような経験はまだまだたくさんある。なかなか慣れない日々だった。

　この話には、重要な後日談がある。結婚式後しばらく実家に帰っていた彼は2か月ほどたったある日、ひょっこり宿に戻ってきた。外出していた私は、部屋に戻ると机の上にコカコーラの瓶がおいてあるのに気がついた。少年が置いていったものだと後にわかった。また、それがカメラに対する返礼だとわかるまでずいぶんと時間がかかった。

　お礼の言葉がなくて悔しい思いをしたほかの出来事を思い起こしてみると、時間はかかるがひっそりと返礼がされていたことに思い当たった。彼らは、その場でお礼を言わないものの、してもらったことはずっと覚えていて、いつかその返礼をするのである。これに気がついたときに、心から気持ちが晴れ

01「甥っ子」になったキショール君。子供の笑顔は旅の喜び。

た。

　思えば、親切にする／返礼するという関係は、深い信頼関係によって成り立っている。だから、その場で言葉による感謝を易々としてはいけない。必ず形になって返ってくるのだから、その関係性を信じて日々を過ごす。「親切にする／される」の関係のあいだには、神が媒介しているという説明もインドではよく聞かれる。他者に何かをしたことはすべて超越的存在である神が把握しており、いつか回り回って返ってくるという考え方だ。「ありがとう」がないことも、返礼の時間がかかることも、つまるところ「人と人／神と人」の関係性の密度を表しているのだ。

　インドの人びとは、単に「むき出し」なだけではない。そこには独特の世界観に基づく関係の様式があって、それはとても密度の濃いものなのだろう。距離を置きつつ、傷つけ合わない関係を築くより、直接的にぶつかり合い、濃密な関係を築いていくことを人びとは望んでいるのかもしれない。そのように納得した時から、私の彼らとのつきあい方が変わり、少しだけインドでうまくやっていけるようになった、と感じた。

　最後に解答を述べなければならない。インドの魅力とは、少なくとも私にとっては、そこに生き続ける人びとであり、彼らと築くことになった関係性にある。時にはその濃密さに辟易とすることもある。でも、その親密さに救われることはとても多い。ここでは、ひっそりと心の中で彼らに「ありがとう」とつぶやいておこう。

（小西公大）

02

02ホーリー祭（色水や粉をかけ合う春祭り）のあとでの一枚。

3 インドの多様性に分け入る

――カースト、言語、宗教

インドは多様性の国だ、などと言われることが多い。人びとが属している社会集団や宗教などを数え上げると膨大な数になるし、またそれぞれの所属する地域や集団に応じて、言語や衣食住にまつわる文化形態が異なる傾向がある。道ゆく人びとが纏っている衣装や挨拶の仕方、また彼らが名乗る名前だけで、それぞれが生まれ育った世界の一端を垣間みることができるのである。

しかし、「インドは多様だ」というのは、そもそもヘンな話なのかもしれない。古来、それぞれの場所でそれぞれの生き方や価値観、社会を構成してきた人びとが織りなす複雑な世界を、無理やり一つにまとめあげて「国民国家」に仕立て上げたのだから、多様なのは当たり前なのである。つまり、「インドは多様だ」という言葉の背景には、「国民国家」なのだから、ある程度同質な文化を共有しているはずだ、という近代国家観によるバイアスがかかっているのだ。おもしろいもので、一度「インド」という国家ができあがると、まるでそこに単一の特質があるかのように錯覚させられてしまう。とくにインドはステレオタイプが語られやすい、独特のイメージが流通してきた。

そのため、インドを周遊してきたのちに、「インド、どうだった？」と聞かれて閉口してしまう旅人があとをたたないのだ。一言で語ることなんて、できない。また、「カースト制度が残っているんでしょう？」などと物知り顔で聞かれてしまう。これにも困ってしまう。インドはカースト社会（階層社会）で、牛がウロウロしている不衛生な世界で、毎日カレーを食べていて、みんなターバンを巻いてコンピューターに向かっている、などなど。このステレオタイプからフリーにならないと、自分の感覚に合致する「インド」を見つけては喜ぶという、「インド消費」の力学から逃れられなくなってしまう。インドを旅する（楽しむ）コツは、出来るだけ感覚をフリーにして、「なんでも見てやろう、受け入れ

01 ストリートは多様性が際立つ。さまざまな属性を持つ人びとと動物たちが入り混ざる世界。

てやろう」という貪欲な気持ちを持ち続けて歩くことなのかもしれない。

一方で、上記と逆のことをいうようだが、インドを歩いていると、「差異（違い）」に敏感すぎる社会なのではないかと感じてしまう。社会を構成する集団をとにかく細かく分節して差異を作り出し、どうやってそれを結びつけるかを考え続けてきた世界なのだな、と。集団はそれぞれ「伝統的職業」を保持してきたし、「内婚制度」、つまり集団内部での婚姻規制を持っているし、名前（氏族名）も統一しようとする。支持する政党もそれに伴って細分化されていく。衣服や装飾、挨拶の仕方まで集団ごとに分けようとする。このように、自身の職業や結婚相手の選定、文化的な様式が、ある程度生まれた集団によって決められてしまうことが多いのだ。

こうした所属集団のことを、インドではジャーティと呼び、研究者たちはこれまでそれを「カースト」として分析を進めてきた。これらの研究の中心的な課題は、この多様なカースト集団が、どうやって結びつきながら社会を構成してきたのか、ということだった。しかし、その結合理念や方法論は複数存在していて、かつ複雑に絡み合っているので、一筋縄にいかない。日本では、なぜか士農工商のような理念上の身分制度であるヴァルナ（四種姓）制度が、カースト制度として固定的に教えられてきた。バラモン、クシャトリヤ、などと暗記をした人も少なくないだろう。しかし、先に述べたカースト（ジャーティ）は、一説には2000～3000あると言われ、彼らの地域社会での生活の基盤となっているのである。

ではインドの社会は、カースト集団からのみ構成されているのかというと、そうではない。インド社会には、職業や婚姻規制によって規定される集団（カースト）だけではなく、宗教や独自のライフスタイルによって区分されてきた集団もある。他の章でも扱うことになるスィク教徒やジャイナ教徒、パールスィー（ゾロアスター教徒）やキリスト教徒などの宗教集団も、独自の社会を構成する人びととしてカースト社会の外部とみなされることが多い。しかし、最大の宗教的マイノリティであるイスラーム教徒は、マジョリティであるヒンドゥー教徒と同様に、その内部に「カースト構造」を見出すことができるという研究もある。また、インドには「指定トライブ Scheduled Tribe」と認定された人びとも存在しており、2011年の国勢調査ではその人口が1億人を超えたことを伝えている（それでも全人口の8・6％なのだ）。彼らは、文化的独自性、社会経済的後進性、隔絶度の高い地域での居住形態などを基準に認定され、さまざまな保護措置がとられているが、その基準は曖昧だとされている。

ところで、インドの多様性の話になると必ず話題になるのが、言語の問題だ。インドを旅していると、州境を超えた瞬間から書かれている文字や話されている言語が違っているのに気づくことがある。インドは現在（2020年時点）、28の州と8つの連邦直轄領によって成り立っているが、この政治単位の基礎となっている州の編成は、1956年になされたいわゆる「言語州」の設定である。基本的に文字伝統を持つメジャーな言語を軸として編成された州たちであるが、現在でも州ごとに公用語を持つなど、

02

02 指定トライブであるビールの人びと。写真撮影を始めると、大人も子どももファインダーに収まろうと並び始める。

03ケーララ州のカタカリ芸能。陸と海の交流が、さまざまな文化や芸能を生み出し続ける。

大きな影響力を持っている。インドの連邦公用語はデーヴァナーガリー文字で表記されるヒンディー語で、加えて副次的な公的言語（準公用語）として英語が指定されている。そのほかに、憲法によって認定された主要言語は18を数える。こうしたメジャーな言語を含めたうえで、一説によると国内では179の言語と544の方言があるともいわれている。気の遠くなる話だ。

私はラージャスターン州の北西部、タール沙漠の指定トライブの人びととともに生活をする時期が長かったが、言語の問題には常に悩まされてきた。沙漠には城塞を中心とした市街地のほか、多くのジャーティ集団から構成される村落がそちらこちらに散らばって存在しているが、それらの村落の内部にしか通用しない語彙や慣用句があったりして、コミュニケーションがうまく成り立たないことが多々あった。逆に、自らが生活の基盤としていた村落や集団にのみ通じる言葉を習得することによって、独特な共感を生み出したり、その集団への所属意識を醸成することにつながったりした。まるで暗号を口にしているかのようなスリリングな体験である。これも、差異化の力学のなせる技なのだろう。

以上みてきたように、多民族、多宗教、多言語状況など、確かにインドは一枚岩で理解することのできない複雑な差異を抱え込みながら躍動している。単一民族神話がいまだに力を持ち、同質性や均質性を強要されることの多い日本社会で生まれ育ってきた私は、まずもってその異種混交で込み入った社会の構成にたじろいでしまった。しかし、「多様だよね」で終わってしまってもいけないし、「インドどうだった?」と聞かれて消費の言葉で回答し続けるのも、ダメだろう。それぞれが「たまたま」切り取ったインドを、その個別の言葉から自由に紡ぎ出していく、その作業こそが「旅する」ことなのだろう。「どうだった?」への回答は、「君も行ってみれば?」ということに尽きるのかもしれない。

(小西公大)

4

死ぬか生きるかを分けるインド旅行の基礎知識

——ビザ、病気・怪我、通貨、渡航先情報

私が初めてインドを訪れたのは2004年である。ほんの十数年ほどのあいだでインドをめぐる状況はめまぐるしく変化してきて、インドへの旅行はずいぶん身近になったように感じる。それでも、インドへの旅はさまざまな発見、驚きの連続になるだろう。それと同時に危険なところが少なからずあることは否めない。そこで、インド旅行に際して、私の失敗談とその経験から重要と思われることをいくつかピックアップして紹介したいと思う。私は決して旅のエキスパートという訳ではないので、当たり前と思うかもしれないが、だからこそ、改めて確認したいと思う。素晴らしい旅行には旅の安全がかかせないから。

ビザの取得――形式主義のインド人

まず、海外旅行の準備で忘れてはいけないのはパスポートとビザだが、インドビザの取得は驚くほど手間がかかった。以前、申請と受け取りはインドビザ申請センターで行った。申請の流れは、ホームページ上で情報を入力し、それを印刷して、ビザセンターに提出、数日後に完成し、受け取りとなる。[*1] 申請書には自身の住所、本籍、職業、加えて両親の出身地や職業等、事細かに入力せねばならず、少しでも不備があると受け付けてもらえない。私が実際に申請したとき、一か所だけ記入ミス（記入例が申請書と違ったのだ）があったために、その場で返却されてしまい、その足で近場のネットカフェに行き、再度一から入力し直した。また、申請の際には、ビザ専用に写真を用意しなければならないが、注意するのはそのサイズだ。一般の証明写真にはないサイズなので、調整に苦労する。

ビザ申請はたびたび仕様が変わるので注意してほしい。数年のあいだに、申請センターが移転したり、大使館での受付に戻ったり、アライバルビザやe-VISAが拡充されたりと目まぐるしい。[*2] とにかく、時間や手間がかかるので、十分に余裕をもって取り掛かりたい。便利な申請方法も増えたが、過去の体験からかスムーズに進むか疑ってしまう。不安であれば、旅行会社などでの代行サービスを利用するのも一つの手だと思う。

＊1　何も不備がなければ5営業日で完成する。ただし、日本だけでなく、インドの祝日でも閉館となるため注意が必要である。2021年現在では、e-VISA（オンラインで取得）が可能となっている。

＊2　インドのビザ申請にあたっては、インド大使館のホームページで詳しい情報が入手できる。最新情報のチェックも忘れずに行いたい。

病気・怪我――何よりも予防が大事

　旅行中に一番気をつけたいことは、病気や怪我である。そのため、予防策と万が一病気にかかってしまったり、怪我をしてしまったときのことを考えて、しっかり準備を行いたい。海外旅行保険の加入は必須で、可能ならば予防接種も行った方がよい。

　旅行中、十分な休息をとることが大事だが、無理のない旅程を組んでおくことも同じくらい大事だ。せっかく行くのだからと予定を詰め込みすぎて、あとで疲労困憊なんて失敗を私もよくしてしまった。

　生水は飲んではいけないというのはよく知られているが、レストランなどで注文するときも油断してはならない。銀色のコップに入れられて生水が運ばれてきてしまうことがあるからだ。必ずボトルの水を頼もう（パックド・ウォーターやミネラル・ウォーターなどでも通じる）。ちなみに、私はライム・ウォーターでお腹を壊したことがある。どうも使用していた水が良くなかったようだ[*3]。

　また、インドの食事は脂っこいものが多いので、羽目を外しすぎて食べ過ぎるとあとがたいへんである。私は、インドに行く際は、胃腸薬と整腸剤は欠かせない。とくに整腸剤は必ず飲むようにしている。脂っこい料理と旅の疲れが重なってお腹の調子が悪くなり、そこから体調を崩すことがよくあるためである。そのほかに、携帯食やインスタント味噌汁、スポーツドリンクの粉、緑茶のティーバッグなども持って行く。下痢止めも持って行くが、下痢になった際には出し切った方が良いので、あくまでも緊急用である。

＊3　もし注文するときは生水が使われないように注意してほしい。似たものでライム・ソーダがある。瓶入りの炭酸水を使うので、不安ならばこちらを頼むと良いだろう。

インドでは、未だに狂犬病が蔓延している。発病したら、確実に死に至る恐ろしい病である。街のいたるところにいる犬に近づいてはならない。決してしっぽなどを踏まないように。また、猿も怖い。私は昔、ホテルの屋上に行ったとき、間近まで迫ってきた猿に威嚇され、たいへん怖い思いをしたことがある。従業員が棒で追い払ってくれたので無事に逃げることができた。インドは街中でもたくさんの生き物にあふれている。だからといって、むやみやたらに近づかないのは鉄則である。

01 寺院近くにいた犬と猿。犬と猿はインドのいたるところにいる。また、リスも狂犬病やペスト感染の媒介となる（アッサム州グワーハーティー、2011年3月）。

熱中症にも十分に注意してほしい。こまめな水分補給と帽子、日焼け止めなどを準備し、日中外に出るときは長袖が望ましい。

どんなに気をつけていても病気にかかってしまうことがある。その際は迷わず医者にかかろう。やはり、インドの病気はインドの医者に診てもらうのが一番だ。病院が分からなくても、ホテルで呼んでもらえばよい。薬の説明が分からなくても、インターネットで調べれば、すぐに効能も分かるだろう。私は夜中にトイレに入ったら、全身が痙攣してその場で倒れ込んでしまったことがある。同行者に助けを求めたり、翌日ホテルから医者を呼んでもらったりと大変な思いをした。情けない姿で倒れている私に同行者の方がタオルをかけてくださったのはありがたかった。今思えば熱中症だったのであろう。水分も十分にとらず、人ごみのなかを撮影して回り、大分無理をしてしまった。ちなみに、費用はその場で支払って領収書をもらい、帰国後に保険会社に申請したら、すぐにお金が支払われた。

お金――大都市と地方の差は大きい

インドの通貨の単位はルピーである[*4]。その下に、パイサーという単位（1ルピー＝100パイサー）もあるが、現在街中ではほとんど使われていない。

両替は銀行や両替所、ホテルなどで行え、大都市では日本円から直接両替ができる。しかし、長期間の滞在や大都市にいかない場合はドルを用意した方が良い。円の両替ができない可能性があるからだ。ドルならばほとんどのところで両替が可能である。クレジットカードなども各地で使えるので、持って行くと安心だ。

なお、ルピーは原則国外持ち出し禁止なので、日本で両替はできない。

渡航先情報の入手――身内の者には優しく、外の者には手厳しい

最近、何かと物騒な話題が多い。渡航先の情報を手に入れるのを忘れずに行おう。まだまだ、危険な地域はたくさんある。まっさきに確認したいのが、外務省の渡航情報[*5]である。ホームページから簡単に見られるので、かかさずチェックして、行き先の安全を確認しよう。その他、スラム街には近づかない、路地裏は避ける、夜は外出しないなど、

＊4　2021年現在1ルピーは約1・5円。変動もあるので注意。

＊5　外務省 海外安全ホームページ　http://www.anzen.mofa.go.jp/

02 踏切での交通渋滞（タミル・ナードゥ州、2013年9月）。
　インドでは交通渋滞がひどい。ちょっとでも隙間があろうものならグイグイと割り込んでくる。サイレンを鳴らしている救急車が渋滞にはまっているのを見たときは目を疑った。横断歩道でも車は止まってくれないので、道路を横断するタイミングが難しい。そういう時、私は現地の人のあとに付いて渡ったりする。道を歩く際には十分に注意を。

危険回避を心がけてほしい。ここは日本ではないという意識を常に持とう。危険な犯罪とまではいかなくても、法外な値段をふっかけたり、セクハラをしたりなど、そういったことを外国人旅行者に対して行っても構わないと平気で思っている輩もいる。その一方で、親切な人も多く、本当に親身になって助けてくれる。ヘンテコな国である。いずれにせよ、「危ないところには近づかない」、この原則を忘れてはならない。

　以上、甚だ簡単ではあるが、注意事項を述べさせていただいた。ガイドブックやインターネットなど、インドの情報はたくさんあふれている。便利に使いこなし、旅の安全を確保してもらいたい。準備にやり過ぎはないのだから。楽しい旅になったなら幸いである。

（三澤祐嗣）

コラム
01

人びととの出会い方、付き合い方

旅にはいろいろなスタイルがある。弾丸ツアーで世界遺産巡りをする人もいれば、カメラを手に撮影旅行する人もいる。バックパックを背に、あてもなくさまよう人びともいるだろう。しかし、どんな旅であれ、インドでの人びととの出会いは強烈に映るだろうし、印象深いものであり、メインとしなくても旅の極めて重要なスパイスになるだろう。以前デリー空港の出発ロビーで出会った、団体ツアーに参加された年配の男性にお話をうかがったことがある。5日間のツアーのなかで、インドの方と話をしたのは日本語を話すガイドさんと、ホテルで給仕してくれたボーイさんの二人だけだった、という。それでも、彼らの笑顔と聡明さが極めて印象的であったと話していただいた。筆者は2章でも述べたように、インドの魅力は人との出会いだ！　を標榜する人間なので、このお話を聞いたときは少しがっかりしながらも、小さいながら素敵な出会いがあったのだな、と納得したものである。

タイトルでは「出会い方、付き合い方」と書いたが、実はそのような法則はない。13億を超える人びとがひしめき合うインドは、出会いにあふれた世界であることに間違いはない。またインドの人びとは、人懐こいというか、距離感が近く感じられるため、二度目に会ったときには「オー！　フレンド‼」となってしまう訳である。出会った人の持つ特質や、関係性のあり方によって、訪れた街の印象が決まってしまう、などということもありえる。今日はどんな出会いがあるかな、などと想像すると、いてもたってもいられなくなって街を徘徊してしまうのである。

しかし一方で、良くない出会いもあることは確かだ。つまり、良からぬことを企んでいる人たちとの出会いだ。とくに有名な観光地に多い人びとだ。短期間でインドを巡りたいと考えている旅人たちは、えてしてこのような人びとが集まる観光スポットのみを訪問地とする傾向があるし、彼らもそこを狙ってくる。嫌な思いばかりをして帰国、などということもありうるのだ。これは本当に残念なことに感じる。もちろん観光地にだって素敵な出会いがあふれているが、最初はなかなかその分別がつかない。かくいう私も、これまでにたくさん騙され、否定的な言葉をぶつけられてきた。その経験から、これからインドに旅立つという人には、「話しかけてくる人には疑ってかかれ」と伝えている。突如として現れるこうした人びとは、満面の笑みでやってくる。とてもわかりやすい人びとなのだ。もちろん話しかけてくる人びとが全て「悪い人」なわけではないが、私の経験上、あまりいい思いをしたことがない。最初は慎重にいって欲しいと願っている。

サイクル・リクシャーで登校する子供たち。街には子供があふれている。

一方で、観光客との関係に慣れ親しんでいる人びとだけでなく、インドで日常生活を黙々と営んでいる市井や村の人びととの出会いも素晴らしい経験になるだろう。ホスト／ゲストの関係を超えた、フラットな関係を築けるのもうれしい。こうした「普通」の人びとと出会うために、筆者がとる作戦がある。名付けて「子ども作戦」。街中の狭い路地や、村の広場などでぼんやり座っていると、大抵最初に集まってくるのは子どもたちだ。危ない人ではないことを分かってもらうために、一緒になって笑ったり、遊んだりすればいい。旅人は、子どもたちにとって格好の暇つぶしになるものだ。ここまできたら、こっちのもの。子どもたちのはしゃぐ声を聞いて、興味を持った大人や老人たちが寄ってくる。「どっから来たんだい？」などと対話が始まる。お、なかなか面白い奴だな、などと思ってくれるなら、インドの方々の持ち前のオープンさで「ちょっとうちにチャーイでも飲みに来ないか？」と誘ってくれることうけあいである。ぜひ一度お試しあれ。

（小西公大）

第Ⅱ部

インドの不思議都市を歩く

5 デリー
——皇帝の野望、聖者の慈愛

デリーは支配者の街だ。ラージャー（王）、スルターン（皇帝）、バードシャー（皇帝）、ヴァイスロイ（総督）、大統領または首相……。神話時代から現代に至るまで、デリーを支配する者がインドの支配者であった。逆に言えば、デリーを支配しない者はインドの支配者として認められなかった。当初カルカッタ（現コルカタ）に拠点を置いた英国東インド会社がのちにデリーに遷都したのも、インドの数ある都市の中でデリーのみが持つ首都としての「ブランド力」と決して無関係ではない。

デリーは政治都市としての性格が強いため、デリーに残る遺跡や建築物も、支配者の絶大な権力を誇示する種類のものが多い。デリーが誇る三つのユネスコ世界遺産——クトゥブ・ミーナールと建築物群[*1]、フマーユーン廟[*2]、ラール・キラー[*3]――や、英領時代の遺産である大統領官邸やインド門は、どれも時の権力者が莫大な財力を投じ、最新技術を駆使して建設したものばかりである。

だが、デリーの本当の魅力は、政治都市としてではなく、宗教都市と捉えることで浮彫になる。いくつかのヒンドゥー教聖地もデリーは擁しているのだが、デリーが首都としての地位を完全に確立したのはイスラーム教徒の為政者による支配が始まった13世紀以降であり、イスラーム都市としての性格が非常に重要である。13世紀にサマルカンドやバクダードなどがモンゴル人の襲撃によって陥落した後、高名な学者や聖者などが難を逃れてデリーに集ったことで、デリーはイスラーム世界の政治・経済・宗教・教育の中心都市となった。

デリーはスーフィーと呼ばれるイスラーム教聖者たちの街だ。デリー各地には、皇帝や貴族たちの壮大な墓廟建築に加えて、イスラーム教聖者たちのダルガー（墓）が数多く残っている。支配者の墓廟は、観光地として整備され、物見遊山の観光客に土足で蹂躙されるか、ほとんど顧みられず、捨て置かれているか、どちらかだ。それらに対し、ダルガーの多くは信仰対象となっており、聖地・巡礼地として今でも多くの熱心な信者・参拝客を集め、昼夜賑わっている。

フマーユーン廟の近くにニザームッディーンという地区がある。デリーメトロではSarai Kale Khan-Nizamuddin駅（ピンクライン）が最寄り駅だ。この地区にはインド鉄道のニザームッディーン駅もあり、緑豊かな高級住宅地と、バスティーと呼ばれる古い住宅

＊1　煉瓦造りの塔としては世界一となる72・5メートルの高さを誇るクトゥブ・ミーナールを中心にした遺跡群。13世紀建造の塔は北インドにイスラーム政権が樹立したことを祝う「勝利の塔」とされる。周辺には墓廟やモスクなどが残る。

＊2　ムガル朝第2代皇帝フマーユーンの墓廟。1571年完成。赤砂岩と大理石を組み合わせた壮麗なドーム建築で、「田」の字型の庭園の中心に建つ。タージ・マハルなど後世の建築に多大な影響を与えた。

＊3　ムガル朝第5代皇帝シャー・ジャハーン建造の城塞。1648年完成。ムガル朝滅亡まで政治の中心だった。内部にはいくつもの宮殿や建物が残る。「ラール・キラー」とは「赤い城」の意。城壁が赤砂岩で造られているため。

街に分かれている。このバスティーにどの方角からでも入って行って欲しい。常にトルコ帽をかぶって髭を生やした人びとでごった返しているが、勇気を出して、人の多い方へ多い方へと進んで行くと、自然にその中心にある聖者ニザームッディーン・アウリヤー（1238〜1325年）のダルガーに辿り着く。

ニザームッディーン・アウリヤーは、今で言えば慈善活動家に当たり、貧しい人びとを助け、庶民のあいだに博愛のメッセージを広めた人物。弟子のなかにも優れた人物が多く、例えば詩人・音楽家・歴史家として知られる才人アミール・クスロー（1253〜1325年）は彼の一番弟子であり、師匠と同じ境内に葬られている。「メヘブーベ・イラーヒー（神から愛されし者）」の異名を持つニザームッディーンの墓は、デリーで最も有名な聖者廟かつ南アジアを代表するイスラーム教聖地になっているだけでなく、ヒンドゥー教徒やキリスト教徒など、宗教の別なく参拝客を受け容れている。デリーが今まで何度も侵略者によって破壊されながらもその都度見事に再生して来たのは、聖者ニザームッディーンの加護があるからだとされている。願い事が必ず叶うと信じられているニザームッディーン廟は、現代風の言葉で表現するならば、デリー随一のパワースポットだ。

ニザームッディーンは決して権力に媚びへつらわなかった。彼の存命中、デリーの政

01 ニザームッディーン廟（2012年3月）。

権は奴隷王朝、キルジー朝、トゥグラク朝と移行したが、歴代の皇帝とは距離を保ち続けた。権力と癒着せず、常に庶民の味方であったニザームッディーンは、いつしか人びとから「スルターンジー（皇帝様）」として慕われるようになり、その絶大な人気は、実の皇帝すらも恐れるほどであった。

とくにニザームッディーンと真っ向から衝突したのが、トゥグラク朝初代皇帝ギヤースッディーン・トゥグラク（在位1320～25年）であった。

ギヤースッディーンは前王朝末期の混乱を収めて政権を奪取した後、デリー南郊の山岳地帯に城塞を建造し始めたため、大量の労働者を必要としていた。ちょうどそのころ、ニザームッディーンは人びとに飲料水を提供するために井戸を掘っており、彼も労働力を必要とした。ギヤースッディーンは人びとを強制的に城塞建築のために働かせたが、信心深い彼らは、日中皇帝のために働いたあと、夜に灯りを灯して聖者のために働いた。皇帝は労働者たちの夜間労働を妨害するため、油の販売を差し止めた。しかし、ニザームッディーンは怯まなかった。伝えられるところでは、彼は奇跡を起こした。なんと、掘った井戸から湧き出る水に火を灯すと、煌々と燃え出したのである。この奇跡の水を使って灯りを灯すことで、井戸の工事は無事に完了した。ニザームッディーンは奇跡だけでは飽きたらず、皇帝の城塞に呪いをかけた——盗賊の住処となるべし、さもなくば廃墟となるべし！

現在、ニザームッディーンが掘った井戸と、ギヤースッディーンが建造した城塞は、どちらも残っている。井戸はニザームッディーン廟のすぐ隣にある。階段井戸と呼ばれ

【関連文献】

- 荒松雄、1993、『多重都市デリー——民族、宗教と政治権力』中央公論社。
- ウィリアム・ダルリンプル、1996、『精霊の街デリー——北インド十二か月』柴田裕之訳、凱風社。
- クシュワント・シン、2008、『首都デリー』結城雅秀訳、勉誠出版。

る、水面まで階段が連なる乾燥地帯特有の建築様式だ。この井戸の水には聖なる力があると信じられており、水を汲んで行く熱心な信者もいる。ニザームッディーン廟は常に参拝客でごった返しており、とくに木曜の夜にはカッワール（楽師）たちの演奏会が開かれる。

一方、デリー南郊、デリーメトロTughlakabad駅（ヴァイオレット・ライン）の近くにトゥグラカーバードという壮大な城塞がある。これが皇帝ギヤースッディーンの呪いの通り、今ではトゥグラカーバードの城塞だ。果たしてトゥグラカーバード城塞は廃墟となっている。立派な城壁は残っているものの、内部にまともな建築物はひとつも残っていない。観光地として管理されているのでさすがに盗賊はいないが、僻地にあるため、わざわざ訪れる旅行者はほとんどいない。かつての王宮跡と思われる高台からの見晴らしと、ギヤースッディーンの墓とされる墓廟だけは見応えがある。

ギヤースッディーンとニザームッディーン、「皇帝」を自ら称した男と、皆から「皇帝」と呼ばれた男。二人の戦いにおいて一体どちらが勝ったのか。今日、両者所縁の土地を訪ねてみることで、その答えははっきりと見えて来ることだろう。

（高倉嘉男）

02

02トゥグラーカーバード城塞（2012年3月）。

6 コルカタ
――宮殿と世間話の街

ガンジス川がベンガル湾に注ぐ河口地帯の村であったコルカタは、17世紀末から18世紀以降フーグリー川の東側を中心に発展していった。ハウラー橋やヴィディヤーサーガル橋に近いガート（沐浴場）では、橋を背後に美しい夕日を望める。これらの橋に近い北部から中部コルカタには古い建築物が建ち並ぶ。とはいえイギリス東インド会社に建設された都市なので、ガイドブックの見所の多くは東インド会社の主導で築かれたものが多い。市内に残るベンガルの旧地主邸宅（ラージ・バリ）にも、当時ヨーロッパで流行った建築様式の影響があるといわれるほどだ。「宮殿の都」と称された旧白人街の行政施設は、当時のイギリスでも屈指の建築技術で造られ、高官の邸宅は本国で同等の階級の人たちの住居と比べても大きかったので、本国からかなりの批判を招いたそうである。しかし彼らが批判された理由には、彼らが英国紳士としての素養を身に付けないまま現地を搾取して成り上がり、「現地の価値観に染まっていた」という背景があった。

そうなると、彼らが染まっていったという「現地の価値観」が、彼らがコルカタに残した建築や制度のなかに反映されているのかどうかも気になるところだ。英領期の施設は今も使われているが、当初の街並みからは大きく変わっている。そのような変化は、街の一角や川沿いへ移り住み、小さな店を開き、露店を出し、あるいは路上で生活の一部を送ろうとする人びとによってもたらされた。このような都市景観は、「バーザール・コルカタ」と呼ばれ、現地人街にはある程度ありふれていた。旅行者はそこに、嫌悪感や同情だけでなく、好奇心やエキゾチックな眼差しを投げかけてきた。そのことは、前からこの都市に住む富裕なベンガル人には悩みの種だった。川沿いに家々の密集する沐浴場などでカメラを構えていると、こぎれいな身なりの人から「昔のコルカタは美しかった」「コルカタを侮辱しないでほしい」という声が聞かれることもある。

その上で、コルカタのもう一つの魅力は人だと思う。とくに道に佇んでいると、日本では見られないさまざまな仕事に勤しむ人びとを見ることができる。廣津秋義の『カルカッタ』（平河出版社）に載っている20年以上前の写真と比べると、種類はだいぶ減った

01 チャーイ屋の風景。

らしいが、日本の都市とはだいぶ異なる社会の成り立ちをしていることに気がつくだろう。

夕方から夜になると、あちこちのチャーイ屋[*1]の前に人だかりができる。2、3時間世間話をしている人も珍しくない。とくにスラム居住者は長時間の重労働と貧困に喘いでいるイメージがあるかもしれないが、よく見てほしい。チャーイ屋の前に広がる縁には地元の人や常連客も多く見うけられるが、大通り沿いでは通りがかりの人も頻繁に加わってくる。このような状況のなか、見知らぬ街を彷徨うだけで知人ができることは珍しくない。孤独を愛する人には厄介、でも無縁に悩む人には心強い。観光客の多い所では、日本語を話す客引きや、短期旅行者目当てに親切で気の利く甘い言葉の上手なナンパ師も寄ってくるので気をつけてほしいが、観光地外れのチャーイ屋にはぜひ立ち寄ってほしい。また夕方以降の歩道には、どこからかテーブルと電球を引っ張り出してボードゲームをしている人を見かけるかもしれない。指で弾くビリヤードみたいなゲーム「キャロムボード」だ。参加者は子どもから仕事帰りのおじさんまで幅広く、幹線沿

02 歩道でキャロムボードを楽しむ人びと。

*1 ベンガル語で「チャ」といえばミルクティーが出てくるが、「ラル・チャ（紅茶）」「チニ・チャラ（砂糖抜き）」など、注文に応えてくれる露店にはとくに人だかりができやすい。

いでは乱入ありで強豪が集う。ルールはちょっとながめていれば分かるので参加してみよう。

市内を移動するときは、地図を買うなり印刷するなりした上で、「南北に延びる地下鉄の各駅の交差点から、東西を往復するオート・リクシャーが出ている」と覚えておくと便利だ。安宿街で有名なサダル・ストリートから約1キロのドルモトラは、地下鉄エスプラネード駅の上に広がる市最大のバス停留所。国際空港の施設を出て右に2～3分歩くと、空港西に隣接するバス停からエスプラネード（ドルモトラ）を往復するＡＣ（エアコンディション）バスも出ている（片道55～75ルピー、8時ころ～20時まで）。エスプラネードからは、長距離列車の止まるハウラー駅やシアルダー駅へのバスや、市西部のムスリム街キッデールプルとを結ぶトラム等が出ていて、長距離バスも発着する。コルカタのオート・リクシャーは値段交渉がなく、5～14ルピーくらいで決められた場所を往復する。市内の出先から乗り物で地下鉄に向かいたい時は「メトロ？」と尋ねてみよう。

地図はあるけれど迷った時、もっと知らない場所へ出歩きたい時は、ヒンドゥーの建築規則を参考にすると役立つかもしれない。町のいたる所にシヴァ神の男根の象徴リンガが祀られている。リンガの土台は、注がれた水が溜まる水差しのような形の女陰の象徴ヨーニだ。このヨーニから水が落ちる方角は十中八九、カイラース山の方角、コルカタから見て「北」を向いているのだ。実は、人里離れた村の寺院ほどこの規則に従う。さすが現世放棄者の代表神だ。これを参考にぜひあちこち出歩いてほしいが、私のオススメの散歩ルートも書いておこう。

フーグリー川沿いは朝日も夕日も美しく映える。早朝に地下鉄MG（マハートマー・ガーンディー）ロード駅からハウラー橋の方へ向かうと、上限ギリギリまで荷物を積み上げて運ぶ人びとや、通勤ラッシュのバスに圧倒されるだろう。橋の南のアルメニアン・ガートでは、活気溢れる市場や、沐浴の様子が見られる。川沿いを北上するとニムトラ火葬場が見えてくる。今やコルカタでは数少ない薪の火葬場が多く残るのがこのニムトラだ。さらに北上するとクモルトゥリ・ガートに出る。沐浴場の前の踏切を東に渡れば、市最大のヒンドゥー神像造師街クモルトゥリがある。ここからは地下鉄ショーバ・バーザール駅が最寄りだ。

地下鉄カーリーガート駅から西に向かうと、水路を跨ぐ橋の左手にケオラトラ火葬場がある。独立運動家の記念碑を祀る手入れされた公園の隣に、きれいに改装された薪の焼場が残されている。インド初の電気火葬場が作られたのもケオラトラで、今や薪で焼く人は少ない。どちらも中に入って様子を見ることができる。火葬場は現世放棄者の停留所だ。薪焼場の川沿いには火葬を担当する人びとが管理するアーシュラム（道場）があって、遠方からもつれ髪を巻いたサードゥー（修行者）が訪ねてくることもある。火葬場の水路に沿って北上すると、右手に有名なカーリーガート寺院が見えてくる。腰巻を着けた寺院案内たちが我先に案内しようと寄ってくるが、そこで寺院とは逆に先の水路のある左に曲がると、沐浴場の手前の集落で、寺院形式のヒンドゥーの結婚式を覗けることがある。この水路（アディゴンガ）は昔ガンジス川の本流だったので、市から南東に延びる水路沿いには今も古い寺院が点在している。

（澁谷俊樹）

【参考文献】
▪丹羽京子、2011、『ニューエクスプレス ベンガル語』白水社。

7 バナーラス

――ヒンドゥー教のテーマパーク

数十年前に私はガンジス川中流域のウッタル・プラデーシュ州バナーラスにある大学に留学したが、その理由はインド哲学の中心地として研究者のあいだでよく知られていたからであった。しかし住み始めてすぐに、ここがヒンドゥー教最大の聖地であることを知った。ガンジス川の岸辺の家に住み、聖地独特の雰囲気に包まれていたら、日本に戻る気も起らず、気付いたら7年が経っていた。本当はもっと長く暮らしたかったが、ヴィザのこともあって引き上げざるを得なかった。以来、第二の故郷として、毎年のようにここに足を運んでいる。

この聖地は可哀そうだ。いろいろな名前を持っているうえに、どれも日本人には発音しづらいものなので、正しく呼んでもらえないのだ。というわけで、最初に名前の説明をさせていただきたい。古代から使われているサンスクリット語の「カーシー」あるいは「カーシ」（ともに国名）や「ヴァーラーナスィー」（ヴァラナー川とアスィ川の中間域）という名前は、今でも歴史的、宗教的な事柄を語るときに用いられている。中世以来ヒンディー語の「バナーラス」が使われはじめ、またイギリス植民地下では英語の「ベナレス」も用いられるようになった。現在の行政用語として正しいのは「ヴァーラーナスィー」だが、「ヴァ」は現代のヒンディー語では「ワ」と交替するので、「ワーラーナスィー」と発音される。しかし、日本人の多くは長母音や「ヴァ」や「スィ」の発音をあまりしないので、「バラナシ」と発音する人も多い。本章では、それらのなかで市民に一番良く使われている「バナーラス」という地名を用いる。01

数多くの聖地のなかで、バナーラスがほかのどの聖地より重要視される理由は、シヴァ神に愛され護られているこの聖地で死ねば、そのまま解脱が得られるという信仰に支えられているからである。シヴァ神の恩恵に包まれ、さらにあらゆる罪障を浄めてくれる女神ガンジスが、現身（うつしみ）の川として南北6キロメートルにわたって岸辺を洗いながら流れている。このような宗教的背景に支えられたバナーラスは、古来、死ぬまでに一度はここを訪れたいと願う多くの巡礼者をひきつけてき

01 ガンジス川の岸辺には多くの藩王が滞在するために建立した館が並ぶ。

た。

巡礼者はガンジス川で沐浴し、街の中心に位置するヴィシュヴァナート（世界の主宰神＝シヴァ神）寺院やその周辺の寺院や祠に詣でる。篤信の巡礼者はさらにガンジス川の岸辺から市の郊外を回って戻ってくる約90キロメートルのパンチャクローシー（パンチコーシー）という名の巡礼路をまわる。円環状の巡礼路には五つの主要な寺院をはじめ、多くのガネーシャ神（シヴァ神の息子）やバイラヴァ神（シヴァ神の怒りの相）の祠が結界を守護するように配置され、シヴァ神を中心にしたコスモロジーを形作っている。ヒンドゥー教の聖典によれば、この巡礼路こそが聖域の結界をなし、その内側にはいっている者は、たとえ罪を犯した者でも死ぬとそのまま解脱が得られるという。悪人でも解脱できるというのは、いくらヒンドゥー教の大聖地でもかなりサービス過剰だと思うが、生きているあいだにこの聖地にたどり着くこと自体が功徳を積む行為で、死んだときには、シヴァ神が耳元で解脱に導いてくれるマントラ（真言）を囁いてくれるのだという。

結界の内側に住んでいる者はいいが、少しでも外側にいる者はその恩恵にあずかれない。私の知り合いの家族は、村から死にそうな一家の主を車に乗せて、バナーラスの聖域の手前まで来たが、事切れてしまったそうである。そういう場合でも、家族はそのままバナーラスに向かい、火葬をする。それが皆の願いなのである。

なかには死ぬときにどうしても結界の中にいたいと願う人たちがいる。そのような人のために、死を待つ人を無料で滞在させてくれる館がいくつかある。そのうちの一つはムクティ・バワン（解脱の館）という名で、二階建てで十数室の個室があり、月に65～

70人が家族に連れられてやってくる。[*1] 私は何回かここを訪れ、本人や家族にインタビューをしたが、一度も断られたことがない。そのうち数人は小康を得て帰っていくそうだが、残りの人たちはここで家族に温かく見守られながら、人生の最期を迎える。死と正面から向き合い淡々と受け入れる姿は、尊厳を感じさせるとともに、何かこれが解脱の在り方そのもののようにも思えてくる。

バナーラスには数千の寺院があり、それらを巡り歩く何通りもの巡礼路が用意されている。祖先供養に来る者もいれば、祭りを見にくる者もいる。しかし何といっても、彼らの目指すのはガンジス川である。インドの叙事詩『マハーバーラタ』（紀元後5世紀ころ編纂）によれば、北インドのアヨーディヤー国の国王が、祖先のなした罪を浄めるにはどうしたらよいか神に尋ねたところ、天界に住む女神であり川であるガンジスを地上にもたらせば、その聖水で浄められるとの言葉をいただいた。国王が過酷な苦行をしてガンジス女神に祈りを捧げた結果、ようやく女神は地上に降りることに同意した。ガンジスが生きとし生けるもののあらゆる罪や穢れを浄化してくれるという信仰は、この神話によるのである。

約3000年の歴史を誇り、吉祥を授けてくれる神シヴァと、罪障を浄めてくれる女神ガンジスに護られたバナーラスは、解脱を約束してくれる聖地だという。それならば、ここを訪れたら少なくとも人生観くらいは変わるのだろうか。いやいや、バナーラスに行けばヒンドゥー教の崇高なエッセンスに触れられるとか、人間観、世界観が変わるかもしれないなどと、過度な期待を持つのは禁物である。実際のバナーラスの猥雑さに

*1 映画『ガンジスに還る』（原題Hotel Salvation、2016年、シュバーシーシュ・ブーティアーニ監督）は、死期を悟った父と仕事を休んで付き添う息子が、このような施設にやってきて感じたことが丁寧に描写されている。松本栄一（写真・文）、1999、『死を待つ家』（メディアファクトリー）は、人生の最期をどう過ごすかを考えさせる重い写文集。

ショックを受けて、もう二度と行きたくないと思ってしまう人もいるかもしれない。しかしそのショックこそがバナーラスの本当の面白さなのだ。

バナーラスには次のようなことわざがある。

「寡婦と牛の角と階段と修行者を避けられれば、バナーラスに住めるようになる。」すなわち、これら四つのものからうまく逃れることができれば、宗教三昧にしろ浮世三昧にしろ、ここで楽しく暮らすことができるというのである。

まずは寡婦。ここには年間多くの巡礼者がやってくるが、ここで死ねば解脱が得られると信じて長期滞在するものもいる。しかし人間そうすぐに死ねるものではない。なかには寡婦もいて、家から持ってきた路銀も底をつくと、いやでも他人にすがらなくては生きていけない。こうして物乞いになったり、なかにはうら若い体を持て余して男を誘ったりすることもあるという。それで寡婦には気を付けろといわれるのである。

次の牛の角は、ガンジス川沿いは建物が密集していて路地が縦横に走っているが、そのあちこちで牛が行く手を阻んでいる。そろりと横を通り抜けようとしても、牛が顔の周りのハエを振り払おうとして角を振り立てたりしようものなら大怪我につながる。慣れてくると、瞬間的にパッとよけられるようになる。それでもよけた拍子に牛糞を踏むようではまだまだ修行が足りない。

三番目の階段とは、ガンジスの岸辺に連なるガート（沐浴場）の石段のことである。酷暑の季節に白昼に無防備でガートに出ると、頭上からじりじりと照らす太陽と石段に照り返された熱気で、すぐに熱射病にかかってしまう。雨季になれば石段は危険そのもの。つるっと滑って打ちどころが悪ければ、骨折して病院に担ぎ込まれる。

最後に避けるべきは苦行者である。バナーラスには正統・異端を問わずあらゆる種類の宗教的人間、すなわちヴェーダーンタ哲学を信奉する修行者をはじめとして、ヨーガ行者、タントラ行者、呪術師、魔術師などが集まっている。なかには大分いかがわしい者もいて、修行をする気もないのに、苦行者の衣を身にまとい、ちょっとしたマジックや見世物的なヨーガを見せて金を巻き上げる者もいる。もっと恐ろしいのは、麻薬や催眠術を利用して弟子にしてしまう輩(やから)である。それゆえ苦行者は敬して遠ざけるべし、といわれている。以上の四つを念頭に置けば、バナーラスで快適に過ごせることは間違いない。

4000を超える寺院がひしめくバナーラスに来て、寺院に詣でて願い事をし、ガンジス川で沐浴し、巡礼路をめぐり、祭りがあったら参加し、最後にインド中で有名なバナーラス産の絹のサーリーをお土産に買って帰る。バナーラスは現世では信徒を幸せにし、死後は解脱に導くあらゆる宗教的な背景が揃っているヒンドゥー教の一大テーマパークなのだ。

(宮本久義)

02 ガンジス川での沐浴は本当に清々しい［撮影：岡田征彦］。

8

シムラー
――大英帝国の残映

デリーから北上する特急列車は、びっしりと薄紫色の花をつけたジャカランダの咲き誇るパンジャーブ平原のチャンディーガルを抜け、やがてシワーリク山塊南麓のカールカーにいたる。ここまででも延々5時間半の道のりだが、ここで狭軌の登山鉄道に乗り換え、さらにのんびりとした5時間。亜熱帯から亜高山帯へと樹相は変わり、マツやモミ、ヒマラヤスギの茂る森をさらにコトコトと、トイ・トレインがすり抜けていく。

手の届きそうなところに咲く花はどう見てもシャクナゲだが、その高さは7～8メートルもあり、ネパールの山奥を思い出させる。そう、ここは１８１４～16年のグルカ戦争にイギリスが勝つまではネパール領で、その名残は、この地のことばや衣食住文化の端々にまで残っている。

イギリス植民地政府は、1819年以降、標高2000メートルを超すこの地を保養・避暑地のヒルステーションとして開発、1865〜1939年には夏季には耐えがたい暑さとなるカルカッタ（現コルカタ）やデリーを避けて、イギリス領「インド帝国」の夏の首都とした。そのさい、総督以下、使用人にいたるまでの1万人にも及ぶ人口が毎年この夏だけの仮の首都に移動したので、総督邸をはじめ、各省庁、市庁舎や郵便・電報局、教会や図書館、ホテルやレストランなどが軒を連ねて、山の背やそこにいたる急斜面を埋めた。100年以上の歴史を持つこれらの建物の多くは、いまでも高級ホテルやクラブ、役所などとして新たな役割を果たしているが、廃墟にもならずに、かつての姿のままになお深い森や木立の中に聳え立っている。

19世紀末から20世紀初頭のその建築様式は、イスラームの影響を受けた「インド・サラセン様式」の確立以前のイギリスの建築様式（主としてエリザベス朝様式を引く）に倣ったものであるから、そこにはインド的な匂いよりも、やや陰鬱な中世イギリスの古城を思わせる雰囲気がある。その典型が、宗主国の「インド女王」（在イギリス）に代わってインドを統治した歴代のインド総督官邸（現インド国立高等学術研究所）であり、観光スポットにもなっているが見学できるのはほんのその一部で、ビルマ産のチーク材による吹き抜け3階の正面の

01 標高2000メートルを超す山の背から谷間をびっしりと埋めた建物群。

02 一段と高い丘の上に立つ旧総督邸。今は国立研究機関となっている。

ホールだけでも息をのむ素晴らしさだが、かつて総督夫妻の住んだ豪華なスイートルームをはじめ、もと宴会場や舞踏会室であった豪華なホール（今は11万冊にも及ぶ研究書を集めた書庫となっている）は、天井から下がる巨大なシャンデリアを遠くからのぞむばかりで、一般人の入室はできない。

幸い私は、もと高官の執務室であった3階の大きな一室を研究室としてあてがわれ、館内外はどこでも出入り自由であったのに、1年以上ここに暮らしていても、見て歩けたのはその2割にも満たなかっただろう。それほどこの建物の規模は大きく、イギリスから招かれた建築家ヘンリー・アーウィン（1841～1922年）が1888年に建てた本館は増改築を重ね、その全体図を簡単に見ることもできないので、建物のほとんどどともいえる普段使っていない部分はまるで迷路のようであり、最も奥まった暗い一角は、半ば廃墟ともいえる様子である。ことに階段を深く下りていくと、実は斜面に立っているこの建物は南側の正面が1階であっても、その下にさらに3～4層にわたる部屋がつくられているので、反対の北側の斜面から見上げると全体が6～7階建てで、そのさらに上に塔屋が付いたかたちとなっている。斜面に建つ建物の多いシムラーでは、こうして1階から入ったはずのレベルが実は12階だったりして、エレベーターや長い階段を降りた終着階が、「地下」ではない真の1階（地上階）、ということもある。

ある日、探検心をおこしてひと気もなく静まり返った「地下」に下りてみた。意外にも突然そこに、巨大な調理場が出現した。今でも数百人を集めるイベントをまかないうる中枢であるが、食肉を吊すための太い鉄の鉤が天井からずらりと下がり、食器棚の奥には、ここ数十年は使ったこともないような洋食器が数百枚も積み重なっていて、しかもそのかなりの数が割れている。そこからさらに壊れかけた階段を下りていくと、闇ではないが薄暗い部屋が並ぶ一角には鉄格子がはまっていて、かつては政治犯などを収容した牢獄だったのでは、などと考えてしまう（証拠はない）。

逆に、南側から見ると正面の頂には塔屋の小部屋が見えるが、不思議なことに、直下の3階に暮らしていながら、この塔にのぼる階段がついぞわからない。研究所の主のような常住のヒゲの博士に聞くと、秘密の方法があるという。3階のとある一角から危なっかしい螺旋階段を経て屋根にのぼり、高みにおびえながら屋根を伝われば塔にはたどりつくが、窓は開かず入口はなく、やはり中には入れなかった。まあ、謎は謎のままでいい。

むしろここでの暮らしで驚いたことは、いつもはピクニック気分で人の集まる広大な芝生の前庭の下が、実は真っ暗闇の底知れぬ巨大な貯水槽だったということだ。また、たまたま水槽の点検中だったところに行き当たったのでわかったのだが、同様になにかの点検で開いていた、いつもは鍵のかかった温室のような建物が実はかつての室内プールで、入ってみると中には壊れた家具などが積み重なっている。片隅には写真や絵の額

【参考文献】

■ Philips Davies, 1985, *Splendours of the Raj*, Penguin Books.

■ Pamela Kanwar, 1990, *Imperial Simla – The Political Culture of the Raj*, Oxford University Press.

■ 神谷武夫、1996、『インド建築案内』TOTO出版。

■ 小西正捷、2007、「シムラーとその周辺のコロニアル建築」ほか、『インド考古研究』28：125〜132、135〜140頁。

が山積みとなっていて、正装のイギリス高官や藩王たちの集う舞踏会の様子、またガーンディー、ジンナーを含めたインド独立の志士たちやタゴールなどの姿も見える。おそらくはチベットの自治をめぐって印・英・中国が協議したシムラー会議（1913～14年）をはじめ、インド独立をめぐる印英間の交渉、またその後の要人の行き来のかけがえのない記録であることに間違いはない。埃まみれ、ガラスも割れたままの今の状態ではいけないと再三善処を所長に提言したが、少なくとも、私の滞在中に改善は見られなかった。

旧総督邸のほかにも、一つ一つが魅力と不思議に満ちた建物がシムラーには山ほどある。それを想うとき、心はたちまち彼の地に飛ぶが、今はそれを紹介する紙幅はない。ただ一つだけ、今なお強く心に残る建物を挙げるならば、それは中心街に立つ市庁舎の一角を占める、ゲイエティー劇場である。ここで人びとは、故郷から遠くにある淋しさを音楽や演劇でまぎらわせたのだろう。1888年に開いたこの劇場は、私が訪れた時には改装中で、薄暗いなかに重苦しくかび臭い緞帳が下がるばかりであったが、劇場にはビリヤード室や葉巻をくゆらす喫煙室もあり、ブリッジに興ずる人の姿が今もあった。そこに漂うのは、イギリス植民地時代以来浸みついた歴史の匂いである。外に出て、これも100年の歴史を持つという古いコーヒーハウスに腰をおろすと、かつてここで詩や革命を語りあった青年たちの息吹がよみがえってくるようであった。

（小西正捷）

03 コーヒーハウスは、100年の歴史が流れる激論とくつろぎの場所。

9

ゴア

――「インドの中の西洋」の現在

ゴアは、実は町の名前ではない。コンカン海岸沿いに延びた、2011年の国勢調査（センサス）によれば、人口1400万人あまり、面積3702平方キロメートル（奈良県とほぼ同じ）の小さな州であり、1510年から1961年までの451年間ポルトガルの支配を受けた。美しい海岸部の景色が有名で、インド内外から多くの観光客を集める。英国やロシアからはチャーター便が直行でゴアに飛んでいる。外国人がゴアにやって来るようになったのは1970年代で、その多くはヒッピーだった。現在、ゴア北部の海岸部では、フリー・マーケット、夜を徹して踊るレイヴ・パーティ、有名DJが出演するクラブなどが、外国人、インド人を問わず若者の人気を集めている。

私がゴアを初めて訪れたのは1996年のことだが、本格的な調査を開始したのが2000年4月で、2001年9月までの一年半の間滞在した。レイヴ・パーティやクラブに興味はあったのだが、下宿していた家主のご夫婦が「若い女性が夜に一人歩きをするなんてとんでもない！」という姿勢だったため、結局、どちらも経験することなく現在に至っている。結局、私がゴアの中で一番よく知っているのは、下宿した村と、その村から2キロメートルしか離れていない州都パナジー（パンジーム）市だ。そこで、ここではパナジー市の情景を紹介しよう。西洋的たたずまいを残すこの町には、ゴアの現在が凝縮されている。

さまざまな建物を写真入りで紹介した『パンジーム市周辺を歩く（Walking In and Around Panjim）』の冒頭で、パナジー市は以下のように紹介されている。インドの町で唯一、通りに階段があり、海岸の遊歩道が7キロメートルにも及ぶ。碁盤の目のように計画されたインドで最初の町である。独自の排水システムを持つ。ポルトガルが当初拠点を置いていたオールド・ゴアが伝染病で荒廃したため、1759年にポルトガル総督が拠点をパナジーに移した。

町はずれにあるバス・ターミナル（カダンバ）から、マーンドヴィー川沿いに広がる遊歩道までの道のりは、以下のように描写できるだろうか。カダンバは、いつも人で賑わっている。パナジー市内バス、北のマプサ市や南のマルガオ市に向かう直行バス、それに村に向かうバスがカダンバのあちこちに停まっている。車掌たちは「マプシャー（マプサ）・ダイレクト！」など、行先を連呼し、乗客がある程度集まった時点でバスは出発する。ぎゅうぎゅう詰めのようにみえても、まだ五人ぐらいは乗れるとばかりに「フデン・ワツ（前に行け）！」と現地語のコーンカニー語で乗客に対して叫ぶ。湾岸アラブ諸国で働いているゴア人からの送金で比較的裕福なゴアには、隣州カルナータカ州からの出稼ぎ者が多く、カダンバではカンナダ語も飛び交っている。

バス・ターミナルから少し歩くと、マーンドヴィー川に注ぎ込むオーレム川に出る。橋を渡ると、ポルトガル風の街並みを残したフォンテーニャス地区に出る。聖セバスチャン・チャペルや私が最近の定宿にしているヘリテージ・ホテルのパンジーム・インがある。フォンテーニャス地区と隣接するサン・トメ地区の方に歩き、エミディオ・グレイシャス・ロードの坂を上って下りると、パナジー市を見下ろす無原罪の御宿り[*1]の聖母教会の白く輝く姿が見えてくる。

聖母教会を右手に見ながら左手に延びる坂道を行くと、カトリック教会のゴア大司教館やゴア州首相邸のあるアルティーニョ地区の中心部に出る。ここにはポルトガル領事館もある。1961年以前、ゴアがポルトガル支配下だった

01 フォンテーニャス地区。

＊1　アダムとイブが神に禁止された善悪の木の実を食べたことで生じた原罪の汚れから、聖母マリアは生誕の瞬間より守られていたこと（『岩波キリスト教事典』を参照のこと）。

時期にゴア市民だった、あるいはその子孫であることが証明できれば、ポルトガル国籍を取得することが可能である。実際に、ポルトガルのパスポートで以前は同じEU域内のイギリスに働きに行くゴアの人びとが多かったが、ブレグジット後はどうなるか、先行きは不透明である。アルティーニョ地区は、フォンテーニャス地区と同様にポルトガル風の建築物が多く、歩くととても面白い。

　聖母教会前広場に戻ろう。広場の一角には、シンバル書店があり、その並びには私が数えきれないほど通ったヴェジタリアン食堂のカーマト・ホテルがある。ここのプーリー・バジ（揚げパンと野菜カレー）は最高だ。ゴアは北インドと南インドのちょうど境目に位置するので、ドーサやイドリーなど、南インドのスナックも食べることができる。

　聖母教会前に広がる市の公園をマーンドヴィー川に向かって歩くと、以前はゴア政府の各部局が入っていた建物、セクレタリアートに出る。その横には、ゴア出身の神父で、のちにパリにわたり、催眠術の専門家になったアッベ・ファリアの像がある。セクレタリアート前の道、M・G・ロードをマーンドヴィー川沿いに歩いていくと、対岸のベティム村に向かうフェリー乗り場がある。ランドマークは、かつての名門ホテル、マーンドヴィー・ホテルだ。フェリー乗り場前を少し入ったところには、解放広場がある。現在は町はずれに移動してしまったが、私がよくお世話になったゴア州立図書館は、広場を囲む建物群の一角に

02 無原罪の御宿りの聖母教会。

あった。暑いなか、汗をタオルでぬぐいながらゴア関係の文献を読み漁った日々が懐かしい。そして、近くには私の行きつけの小さな本屋、ヴァルシャ・ストールがある。

マーンドヴィー川沿いにずっと歩いていくと、パナジー市にはそぐわない外観の映画館アイノックスがある。その隣には、ポルトガル時代に建てられたゴア医学校の建物が修繕されて残っている。更に歩いていくと、市場に出る。10年ほど前までは昔ながらの雑然とした雰囲気を残していたが、新しい建物ができてから、何だか整然とした感じになり、以前の活気が失われたような気がする。この周辺はカンパル地区と呼ばれており、公園が広がっている。ちょうどマーンドヴィー川がアラビア海に注ぎ込むところを見ることができる。公園の一角には、文化施設のカラー・アカデミーが建つ。この建物は、ル・コルビュジエに影響を受けたチャールズ・コレアが設計したものだ。カンパル地区を抜けたところで、パナジー市の端まで来たことになる。そこから更に行くと、パナジー市の住民がよく訪れるミラマール・ビーチに出る。夕暮れ時に、家族連れがビーチを楽しげに散策する姿は、観光客にあふれる北部のビーチと少し様相が異なる。

ポルトガル人は、海に面し、高台が広がるリスボンと似た地形の場所に惹かれたようだ。パナジー市も、そういえば長崎もそうだ。パナジー市には、ポルトガルとインドの食文化が混ざり合ったゴア料理を楽しめる店も多い。教会だけでなくヒンドゥー寺院もイスラームのモスクもある。ポルトガルが持ち込んだものが現在、どのように展開しているのか、「インドの中の西洋」の現在について町を散策しながら考えてみると面白いと思う。

（松川恭子）

ガヤー
――死者の冥福を願う人びとが集う街

「息子が家からガヤーに向かって歩みだすだけで、祖先たちは天界へ続く階段を一歩一歩上っていく」（『ヴァーユ・プラーナ』[*1] 2・43・28）

デリーから急行列車で約15時間、あるいは東のコルカタから約8時間、ビハール州南部のヒンドゥー教の聖地、ガヤーに到着する。ガヤー・ジャンクション駅に降り立った外国人たちは、ガヤーには目もくれず、すぐにタクシーに乗り込み南16キロメートルほどに位置する仏教聖地ボードガヤー（ブッダガヤー）に向かう。事実、『地球の歩き方』にガヤーの項目はなく、ボードガヤーの最寄り駅として触れられているだけだ。

＊1　ヒンドゥー教の教義、儀礼、巡礼、祭礼などを説く聖典の一つ。核となる部分は4～5世紀ころに成立したとされるが、ガヤーに関する記述は後代の挿入で、10～11世紀ころとみられる。

対して、ヒンドゥー教徒にとってガヤーは、両親の死後に必ず訪れなければならない特別な場所である。両親が亡くなる前にはガヤーに行くことを忌避する人もいる。現代において、ガヤーは祖先祭祀（シュラーッダ儀礼）の執行に最も適した場所であると考えられている。ガヤーで供養をすると祖先は解脱を得られる、この世で彷徨い苦しむ魂に平静を与えられる、ガヤーは最後の供養の場所で、両親の死後、数年後にここに来るのは息子の義務である、などと巡礼者は語る。毎年9月中旬から10月中旬までの二週間の「祖先のための半月（ピトリパクシュ）」すなわちヒンドゥー教のお盆の期間には、何十万もの人がこの小さな街を訪れ、大変に混雑する。地域や家ごとの慣習によって巡礼の形態に相違はあるが、ガヤーを訪れる者たちの目的はただ一つ——死者の魂に安らぎ（シャーンティ）を与えることだ。

「ガヤーの聖域は5クローシャ（1クローシャは約3・2キロメートル）の広さである。ガヤーの頭は1クローシャである。そのあいだに三界に存在するすべての聖地がある」（『ヴァーユ・プラーナ』2・43・26〜27）

現在の聖地ガヤーの中心は、まぎれもなくヴィシュヌパド寺院だ。その名の通り、岩肌に浮かび上がるヴィシュヌ神の足跡（パド）を本

01 ヴィシュヌパド寺院。遠方にファルグ川が流れる。

尊とする。その昔、神々よりも神聖な身体を得たガヤースル（ガヤースラ、ガヤという名前のアスラすなわち魔神）の上で、ブラフマー神が供犠を行った。ガヤの身体が震え出したので、ヤマ神が彼の頭に岩を置いた。その上に神々が乗ってもなおガヤの震えは止まらなかった。そこにヴィシュヌ神が登場し、岩の上に立つとガヤは不動になった。ヴィシュヌ神に促されたガヤは、自身の身体の上に神々が永遠にとどまること、自分の名前でこの場所が知られるようになること、ここで祖先祭祀をした者が千世代の祖先たちを救うことを求めた。『ヴァーユ・プラーナ』2・44章で説かれるこの神話は、聖地ガヤーの起源を伝える話として現在でも多くの人が口にする。

ヴィシュヌパド寺院の東には、ガヤーを訪れた者が最初に行き、沐浴や献水儀礼、祖先祭祀を執行するファルグ川が流れる。その向かい、ファルグ川の東岸にはナーガクート山がそびえ、麓にはスィーター・クンド（スィーターの池）と呼ばれる寺院がある。この場所でスィーターが、叙事詩『ラーマーヤナ』の主人公で夫のラーマに代わって義父のダシャラタ王に砂の団子を捧げたと信じられている。祖先への供物である団子は、通常は炊いた米か大麦粉に、水、牛乳、黒ゴマ、精製バター、蜂蜜を混ぜて作られる。ラーマとその弟ラクシュマナが儀礼の材料を調達しに出かけているあいだにダシャラタが姿を現し団子を要求したため、スィーターがファルグ川の砂で作った団子を捧げたという

02 祖先祭祀で聖水をささげる施主夫妻。

話もまた、ガヤーで最も有名な神話の一つである。スィーターによる団子供えの証人となったのが、アクシャヤバト（不滅のバニヤン樹）だ。ヴィシュヌパド寺院から南西約1・2キロメートルに位置するアクシャヤバトは、巡礼者が最後に訪れる聖所である。

「ガヤーの聖域」の北端は、プレータシラー（死霊の岩）と呼ばれる山である。676段の階段の脇や頂上の寺院には、自殺や事故などで亡くなった者たちの写真が置かれる。ここは、非業の死を遂げた人の供養のための場所なのだ。南端のダルマーラニヤ（ダルマの森）[*2]にも成仏していない死霊の供養のために多くの人が訪れる。ガヤーは、山に囲まれた聖地である。ラーマが祖先祭祀をしたというラーマシラー山、仏教文献ではそここそが「ガヤーの頭」として言及されるブラフマヨーニ山。身体を刻まれたサティー女神の乳房を本尊とするマンガラーガウリー寺院が建つのはバスマクート山だ。ブラフマー、ラーマ、ルクミニーといった神々の名を冠された池も至るところにある。ヴァイタラニーと名付けられた池では、牝牛の布施が行われる。

＊2 『ヴァーユ・プラーナ』によれば、ダルマーラニヤはダルマが供犠を行った森である（2・44・77）。ダルマが誰を指すのかは諸説あるが、ガヤーで流通しているガイドブックや、現在ダルマーラニヤを管理するブラーフマンたちは、叙事詩『マハーバーラタ』に登場する英雄五兄弟の長男ユディシュティラがそこに来て供犠を行った場所であると説明する。なお『マハーバーラタ』は、ダルマーラニヤはそこに足を踏み入れるだけで罪から解放される場所であるとしている（3・80・65）。

03 プレータシラー（死霊の岩）山の頂上へと続く階段の脇。非業の死を遂げた者の写真が飾られている。

死者がヴァイタラニーいわゆる三途の川を渡るのを、牝牛が助けると考えられているからだ。

プラーナ聖典は、「ガヤーの聖域」の内側に存在する２５０ほどの聖所を、そこで行うべき儀礼と果報とともに伝えている。そのうち現在でも場所を特定させられるのは半数くらいだろう。現在では45の聖所（54とする場合もある）を17日間で回り、それぞれで指定された儀礼を行うプログラムが「完全なガヤー巡礼」とされている。しかし実際には、ファルグ川、ヴィシュヌパド寺院、アクシャヤバトの三か所のみを訪れる人も多い。

「ブラフマー神により指定されたブラーフマンたちを、神と祖先に捧げられる供物で敬うべし。彼らが満足することによって、すべての神々は祖先たちとともに満足する」（『ヴァーユ・プラーナ』2・43・21など）

何日かけて何か所の聖所で儀礼を執行するのかが巡礼者しだいである一方で、遵守しなければならない決まりごとがある。それは、巡礼開始の許可と完遂の承認を、地元の世襲聖職者集団であるガヤーワールから必ず得ることだ。さもなければそのガヤー巡礼は無効になるとされている。ガヤーワールはヴィシュヌパド寺院および聖地ガヤー全体

04 アクシャヤバト（不滅のバニヤン樹）の下で儀礼を行うブラーフマン祭司と施主。

の所有者である。族内婚の習慣を厳格に守り、四つの門で境界が定められた「アンタル・ガヤー（ガヤーの中心部）」という地区に居住している。ガヤースルの身体の上で行われた供犠の際にブラフマー神が創造したのが彼らの祖先であり、その後、ガヤーのブラーフマンとしての地位をブラフマー神に保証されたと主張する。

巡礼者たちに、儀礼を行うための祭司や材料から宿や食事まで、滞在中に必要なすべてを手配するのも彼らの仕事である。ガヤーワールのあいだではそれぞれの担当地域が決められ、その地域の、古くは19世紀からの巡礼記録が残されている。現在ではホテルに宿泊する巡礼者も増え、旅行代理店が仲介する場合もあるなど、ガヤーワールと巡礼者の関係は希薄になりつつあるが、今後も完全に消滅することはないだろう。代々世話になっているガヤーワールのところで祖先の記録を見つけ、歓喜した巡礼者に筆者は何度も出会った。

ヴィシュヌパド寺院は、ヒンドゥー教徒以外は原則入場禁止である。しかし、祖先祭祀の執行に来たと言えば快く迎え入れてもらえるだろう。いや、ガヤーワールの方から近づいてくるだろう。「どこから来た？ 祖先の供養に来たのか？」と。

（虫賀幹華）

【参考文献】
- Tagare, G. V., 1988, *The Vāyu Purāṇa, Part II*, Delhi: Motilal Banarsidass, pp. 910-972.
- Vidyarthi, L. P., 1961, *The Sacred Complex in Hindu Gaya*, Bombay: Asia Publishing House.

11

境界の果てのナガランド

――天空の街コヒマに想う幻の国

ホォー…ホッ！　ホォー…ホッ！

輪になった男たちの、たくましい体軀が躍動する。紺碧の空に跳ねては返す、鮮紅のあしらい。毛皮の頭飾りが、牙や爪の首飾りが、高地の乾いた風をはらむ。毎年12月第1週開催の、ホーンビル（サイチョウ）・フェスティバル。かざされた山刀は鈍くきらめき、踏みしめられた大地が歓喜の土ぼこりをあげる。そして訪れた者は、誰もが決まって目眩（めまい）を覚えるのだ――ここは本当に、インドなのだろうか。

寝台特急で、インド亜大陸の北東部へ。ネパールやブータンを横目に、ヒマーラヤ山脈南端の細い回廊を抜けると、そこには民族と文化のるつぼが広がる。その最奥部、

アルナーチャル・プラデーシュ州
アッサム州
ナガランド州
ディマプル
コヒマ
ミャンマー（ビルマ）
サガイン管区
マニプル州
インパール

▶ナガの居住地（網掛け部分）はインド4州とミャンマーによって分断されている。インドが認定するナガランド州は、本来のナガランドの3分の1にすぎない。

＊1　民族国家としての独立を訴えるナガは、30以上のエスニック・グループから成る。このため本章では、ナガを「民族」、構成グループを「部族」「～族」と表記する。

ミャンマー（ビルマ）にまでまたがる、最高峰4000メートル近くの山岳地帯。インド建国以来2011年まで、外国人の立ち入りが厳しく制限されてきたこの地が、ナガ民族[*1]の故郷、ナガランドである。玄関都市ディマプルこそ、平地でインド臭が立ちこめてはいるものの、アジア・ハイウェイ（国道29号線）で標高差1400メートルを一気に駆け上がれば、山の頂に広がる天空の街、コヒマが迎えてくれる。

それにしても、どこか懐かしい思いにさえとらわれるのは、なぜだろうか。いわゆるインド人とは明らかに異なる、モンゴロイド系の微笑み。どこからともなく漂う発酵食品の匂いは、ここが日本と共通する照葉樹林帯に属することを思い出させる。人びとが纏う、赤や黒を基調とした厚手のショールは、ナガ民族を構成する30以上のエスニック・グループごとに異なる意匠を楽しませてくれる。

部族ごとに言語も異なるため、通用語としてクレオール言語の一種であるナガミーズか、英語でのやりとりとなる。雨季（6～9月）には世界最多級の降水量を記録するが、乾季（10～5月）なら射るような日差しの一方で、ひんやりと澄んだ空気が頬に心地よい。何よりここでは、灰汁の強いヒンディー語の応酬に苛まれることもない。

急斜面にへばり付くような坂道をどこまでも登っていけば、市街の原型であるコヒマ村へと迷い込む。ナガ民族のひとつ、アンガミ族が

01 民族衣装で戦士の踊りを披露するキャムンガン族の男たち。頭頂の飾りはサイチョウの尾羽。

拓いた村である。かつて首狩りの風習があったナガは、外敵による侵略を阻むため、競って山頂に村を築いてきた。アンガミ語の優雅な声調に誘われて歩を進めると、女性たちがショールを手織っている。家々の軒先には、動物の頭蓋骨。残念ながら、丁重に彩色され陳列されたという人間の頭蓋骨は、もはや見ることはできない。

それでも、村への出入りを固めたヴィレッジ・ゲート（村門）には彫刻が施され、かつての面影が偲ばれる。そこには、マスケット銃を手にしたイギリス軍に対し、槍や山刀で果敢に闘いを挑んだ、ナガ戦士たちの矜持が刻み込まれている。〝インド〟などという国家が存在するよりも、はるか以前の話である。

「ご飯は食べたのかい？」

おばさんの優しい微笑みには、子どものころ日本のどこかで出会ったような気さえする。ここでは「お元気ですか」とほぼ同義のあいさつだが、社交辞令ではない。客人は、借金をしてでももてなすのが、ナガの流儀である。それは、多言語・多文化社会に育まれた知恵なのかもしれない。「まだ」と応じれば、素材を存分に生かした奥深い味わいのナガ料理が、水稲や陸稲など40種以上の米とともに楽しめる。

ただ、人間としての業も思い知らされる。禁忌の多いインドとは異なり、市場には牛や豚はもちろん、芋虫やタガメなどの昆虫まで、あらゆる食材が並ぶ。「車とバイク以外、動くものは何でも食べる」。近年、狩猟は規制されているものの、家庭料理の皿には、いまも猿やムササビ、ヤマアラシといった野生動物の肉が盛られる。かつて世界一辛いと認定されたトウガラシや、多種多様なハーブ類とともに、発酵タケノコや納豆などが調味料として幅をきかせる一方で、インドで重宝されるスパイス類は肩身が狭い。

ヒンドゥーでも、イスラームでもない。現在こそバプティスト系の教会が各地にそびえるものの、彼らの暮らしには精霊信仰に育まれた豊穣な文化が息づいている。それはキリスト教を巧妙に絡め取り、いまなお自然への畏敬と、大地への帰属意識を強くしている。

「この世に最も純粋な民主主義が存在するとすれば、それはここにある」

19世紀にこの地を訪れたイギリス人をして、そう言わしめたナガ独自の共生社会。藩王もカーストもない。1947年8月14日、インド独立よりも1日早く宣言されたナガランド独立。それが世界に承認されていれば、ここには希有な国家が誕生していたはずだった。

だからこそ、彼らは胸を張ってこう言うのだ。

「私たちの、いったいどこが『インド人』だというのか」

しかし、その素朴な訴えに対するインド政府の回答は、60年以上におよぶ軍事弾圧と、700もの村々への焼き討ち、そして20万人ともいわれる戦争犠牲者だった。そしてそのすべては、歴史の闇へと葬られてきた。

ナガランドには、悪名高い「国軍特別権限法」という法律がある。士官以上のインド軍兵士は、治安維持上「疑わしい」ナガ人をその場で殺害しても、罪に問われることはない。「世界最大の民主主義国家」の裏の顔を、ここでは目の当たりにすることになる。

02 コミュニティに学び、伝統を受け継ぐ子どもたち。大地に根ざすアイデンティティーは、他国による侵略を決して認めない。

外国人の立ち入り制限緩和から、10年余り。インド政府は紛争終結に自信を深め、確かにコヒマも表向きは平和になったように見える。街中にあふれていたインド兵も、いまは息を潜めている。しかし、市街を取り囲んで延々と続く鉄条網の向こう側は、すべてインド軍の駐屯地である。そしてナガランド各地では、数千人ものナガ軍兵士たちが、いまも自動小銃を抱えたまま、和平交渉の行方を見守っている。

「シロジニアカク……、ヒノマルソメテ……」

ナガのお年寄りは、日本の歌をいまも驚くほど鮮明に記憶している。コヒマ中心部の広々とした丘にどこまでも整然と並ぶ、1420もの英字の墓標。林の中には、朽ちたイギリス軍戦車。州立博物館に並んだ残骸には、白い殴り書きがこう読める――「日本はコヒマを侵略した」。

アジア太平洋戦争末期に強行された、通称「インパール作戦」。当時コヒマは、日英軍の戦闘で完全に禿げ山と化した。日本側だけで5万ともいわれる死者を出した愚挙、と記録される。しかし、その激戦地がナガ民族の居住地であったことは、ほとんど知られていない。事実は日本兵の骸(むくろ)とともに、いまも印緬国境地帯の密林で草むしている。

半世紀以上にわたり、世界の目から隠されてきた幻の国。そこには未だ見ぬ魅力があふれている一方で、戦争の影もまた透けて見える。国家とは何か、国境とは、民主主義とは――。大地を踏みしめるナガの歌声にひととき酔いしれながらも、ふと考え込まずにはいられない現実が、ここにはある。

（南風島渉）

【参考文献】

■多良俊照、1998、『入門ナガランド』社会評論社。

■見えないアジアを歩く編集委員会編著、2008、『見えないアジアを歩く』三一書房。

■カカ・イラル、2011、『血と涙のナガランド』木村真希子・南風島渉訳、コモンズ。

コラム 02

階段井戸──地下迷宮への誘い

階段井戸（ヴァーヴ、バーオリー）は、年間降雨量600ミリメートル以下の乾燥地帯が広がるインド西部、今日のグジャラート州とラージャスターン州を中心に6～19世紀にかけて建立された。一部は、北はデリー、東はオリッサ州やアーンドラ・プラデーシュ州、南はカルナータカ州、西はパキスタンにまで分布し、その数は全体で大小少なくとも3000か所以上に及ぶという。この「地表から底の水面にまで下りるための階段が併設された井戸」の姿形を、日本人であればどのように想像するであろうか。

グジャラート州北部のパータンにあるラーニー・キー・ヴァーヴ「王妃の階段井戸」（2014年・世界遺産登録）は、そうしたいかなる想像をも遥かに凌駕することになる。11世紀、ソーランキー王朝の王妃が先立った夫君を偲ぶために建設したこの井戸は、地表部分には目印になるような建物は何もない。しかし井戸に近づきその縁に立った瞬間、突如眼下に地面に埋め込まれたかのような巨大な建造物が出現する。井戸は、直径11メートル、深さ27メートル。その東側に、幅20メートル、長さ64メートルに及ぶ石造りの大階段が遥か地底の水面へと誘う。そして階段を横切るように4か所設けられた数階建ての柱廊が、幾重にも重なり地下世界のラビリンス（迷宮）を覗きこむかのような奥行きを演出する。

訪れた者の心に生涯忘れ難いさらなる印象を刻みこむのは、この柱廊を初め、階段の壁面や井戸の内壁のすべてを隙間なく覆う、神々や天人たち（総数およそ800体のうち半数が現存）と流麗な幾何学文様の精緻な浮き彫りにほかならない。天から降り注

王妃の階段井戸の彫刻。

ぐ強い日差しが複雑な陰影を生み、それは石に永遠に刻み込まれためくるめく奏楽のように目に映る。

アフマダーバード近郊のアダーラジにある、ルダーバーイー・ニ・ヴァーヴも美しい。15世紀に建立されたこの井戸は、やや規模が小さく彫刻も少ないものの全体の構造がより完全な姿で残されている。

階段井戸には、さらに別の形状のものがある。地面を逆ピラミッド形に掘り下げ、その4面に水面に降りる細い階段がジグザグ状に作られた井戸である。とくにラージャスターン州東部のアーバーネリーにあるチャンド・バーオリー（9～10世紀）では、地表部分の方形の穴は1辺30メートルにも及び、三つの壁面には（残り1面は王の夏の離宮となっている）人ひとりがようやく降りることができるせまい階段が、20メートル下の水面まで幾重にも合計3500段設置されている。エッシャーのだまし絵のように、覗きこんでいると上下間隔があやふやになっていく感覚にとらわれてしまう。

そもそも、地下へと掘り下げたこうした巨大建造物を、階段井戸という素気ない言葉で表現すること に違和感をもつ（あの古代エジプトの三角錐形墓所は、ピラミッドと呼ばれているではないか）。乾燥した風土ゆえの、水に対する深く切なる想いがその建立の動機であったに違いない。完成式の際には、雌牛に底の水を触れさせることで水と井戸を浄化したという。

水を汲み、涼を取り、キャラバン隊らも休息に訪れた壮麗な憩いの場。そして、井戸辺に設置された祠には水神ヴァルナや原初の海で瞑想するヴィシュヌ、ガネーシャ、あるいは地母神などが祀られ、豊饒や多産、子孫繁栄を祈念する聖所でもあった。イスラーム教徒らによっても好まれ、モスクや聖者廟と組み合わせて建立されたものもある。

地上より5～6度気温が低く凛とした空気が漂う底の水辺から、上を見上げてみよう。円形ないし方形に切り取られた空が見える。宗教の枠を超えて、井戸が命の水を湛えた地下世界と雨をもたらす天上世界とを結ぶ回廊でもあったことに気づかされることだろう。

（小磯　学）

階段井戸の柱廊（アダーラジ）。

第Ⅲ部

多様な宗教を旅する

12 ヒンドゥー聖地を巡礼する

――日常を離れ神々の宿る世界軸へ

インドの人口の8割を占めるヒンドゥー教徒は、祖先供養や自身の信仰を堅固にするために、近くの、あるいは何日もかかる聖地に巡礼する。聖地とはそこに人々が超自然的な感情や神威などを抱き、崇拝や禁忌の対象とされる場所である。聖地とされる範囲は広く、山岳、森林、河川、湖沼、瀑布、源泉、奇岩、巨樹など自然崇拝の対象から、神が顕現したり奇蹟を生じさせたりした場所、聖者が神を祀った場所、祖師や英雄が顕彰されている場所、またそれらの聖域に建てられた寺院などの宗教施設が含まれる。

サンスクリット語で聖地を表すことば「ティールタ」は、もともと川の浅瀬や岸辺などを意味するが、そこは此岸から彼岸へ渡る場所、すなわち天界に通じる場所も示している。

巡礼とは日常的な空間を離れて聖地を巡拝することであるが、その目的は神に出会うためであったり、霊性を感得するためであったり、最終的には解脱を目的にするものであったりとさまざまであるが、いずれも巡礼者が自分自身の在り方に目覚め、魂のリクリエーション（再生）を果たすことに収斂する。

インドで聖地巡礼がいつごろ、何のために始まったのかということを調べていくと、仏教の方では、すでに原始仏教経典のなかで仏跡への巡拝が行われていた記述が見られる。紀元前3世紀ころにはアショーカ王がブッダの事跡を巡って、そこに王柱を建てたり、そこに住んでいる人たちの税金を安くしたりしたことが知られている。ヒンドゥー教の方では、5世紀ころに現在見られる形にまとまったとされる叙事詩『マハーバーラタ』にインド全土をめぐる巡礼路が説かれているが、この叙事詩は成立までに何世紀もかかったと考えられているので、仏教と同じころには巡礼の習慣が始まっていたと類推できる。

巡礼の道は、神々の恩寵を得るために聖仙[*1]たちによって切り開かれ、彼らを先達として叙事詩の英雄たちがその道を巡り、さらに庶民が神々・聖仙・英雄の事跡を辿る、という構図になっている。また『マハーバーラタ』では、ブラーフマン（バラモン）やクシャトリヤたちは、儀礼を介して神様に礼拝し願い事をかなえてもらうが、それにはお金がかかる。けれども巡礼は貧しい人も出来る、と巡礼が非常に賞賛され、奨励されている。巡礼という宗教的営為は、儀礼を中心としたバラモン教から信仰の内容を大事に

＊1　聖仙（リシ）とは限りなく神に近い人間という神話的存在。強力な聖仙は天界に行くことも自在で、ときには普通の神の能力を凌駕することもある。

するヒンドゥー教へと宗教的な性格が変わっていく時期に、それと呼応するように発展していったと思われる。

その後、6世紀以降にヒンドゥー教の神話などを説くいくつものプラーナ（古譚）聖典が編纂され、たくさんの聖地の縁起が描かれるようになった。その中で重要な聖地は組み合わされてグループを形成している。「四大神領」（チャトゥルダーマ）はヴィシュヌ神を祀る聖地バドリーナート、ジャガンナート、ラーメーシュワラム、ドワールカーで、インドの四隅を固めるように鎮座している。また、バナーラス、プラヤーグラージ（アッラーハーバード）、ガヤーは「三聖地」（トリスタリー）というくくりで、そこで祖先供養された祖霊は必ず解脱出来るという。さらに「七聖都」（サプタプリー）といって、そこに詣でれば必ず解脱が得られると言われている重要な聖地が七か所ある。[*2]そのほかにシヴァ神を祀る重要な聖地として、カシュミール地方のアマルナート洞窟や中国のチベット自治区にあるカイラースがある。[*3]

最近私が訪ねているのは、十二か所の「光輝けるリンガ」（ジョーティル・リンガ）である。[*4]リンガとは男性器の形をしたシヴァ神の象徴で、宇宙的根源力を表している。これらのリンガは誰かによって作られたものではなく、「自生」のものとされ、特別な神威を持つものとして尊崇されている。

シヴァ神に関係する聖地としては、妃サティーにまつわる五十一（あるいは五十二）の女神の座（シャクティピート、シャークタピータ）も人気がある。神話によれば、サティーは自分の父ダクシャが儀礼の場にシヴァを呼ばないなど冷遇したので、はかなんで焼身

＊2　バナーラス、カーンチープラム、ハリドワール、アヨーディヤー、ドワールカー、マトゥラー、ウッジャインの七か所。

＊3　宮本久義、2003、『ヒンドゥー聖地思索の旅』（山川出版社）にこれらの聖地を訪れたときのことを書いている。

＊4　ソームナート、マッリカールジュン、マハーカール、オーンカーレーシュワル、ケーダールナート、ビームシャンカル（二か所が正統性を争っている）、ヴィシュヴァナート、トリアンバケーシュワル、ヴァイディヤナート（二か所）、ナーゲーシュワル（二か所）、ラーメーシュワラム、グシュメーシュワルの十二か所。

自殺を遂げた。それを知ったシヴァは、ダクシャのもとに行って斎場を破壊し、妻の体を肩に担いで悲しみのあまり放浪した。すると世界が振動して壊れそうになったので、人びとはヴィシュヌ神に救済を頼んだ。ヴィシュヌ神がシヴァ神の担いでいるサティーの体を円盤状の武器チャクラで切り刻むと、シヴァ神はようやく正気に戻ったという。サティーの体は多くの部分に分かれて地上に落ちたが、それらは五十一か所の聖地となり、現在も多くの信徒を集めている。今回あらためて私の訪れたところを数えたら20くらいになっていた。

もっとも強烈な印象が残っているのはアッサム州のカーマーキヤー寺院で、女神の女性器が落下したとされる。多くの熱狂的な信徒に混じって地下へ続く石段を下りていくと、薄暗がりのなかに血のような真赤な布や水をたたえた水盤があり、寺僧がせわしなく信徒から供物を受け取っては女神に捧げている。ご神体は水面下の岩だといわれるが、赤い水が子宮を象徴しているのだろう。シヴァ神と妃サティーの圧倒的な力を具現化する女神の座の聖地では生き物の供儀も盛んで、ここでは水牛、ヤギ、ニワトリ、ハトの供儀が行われていた。[*5]

女神の座の聖地はどこも独特の雰囲気に包まれている。女神の舌が落ちたというヒマーチャル・プラデーシュ州のジュワーラームキー（火山）寺院では、洞窟の壁のあちこちのくぼみから立ち上がる炎が赤い舌のように見える。寺僧が女神の顕現だと説法し、

01

01 カーマーキヤー寺院。アッサム州グワハーティー。

＊5　女神が血を要求するわけだが、逆に信徒がお金を出してこれらの生き物を解放する放生会も行われている。女神への供物は花や線香やココナ

信徒に法外な喜捨を要求していたが、その「神秘」が天然ガスの炎だと知らない信徒は女神の奇蹟を目の当たりにして圧倒されていた。バナーラス近郊のヴィンディヤヴァースィニー（ヴィンディヤ山に棲む女神）寺院の境内では、巡礼案内僧たちがここだけの特別なご利益を教えると言って、信徒たちの財布のひもを緩めていた。

女神の寺院を仕切る寺僧や案内の僧はどこも荒っぽい人が多く、喧騒につつまれながら参詣したものだったが、マディヤ・プラデーシュ州サトナーのマイハル女神（別名シャールダー女神）への参詣は清々しかった。寺院は平原に立つ絵のような円錐形のトリクート山頂にある。夜明け前に1063段の階段を登って山頂につくと、寺院の境内に先に来ていた大勢の信徒が温かく迎えてくれた。皆でご来光を仰いだ時間は本当に忘れられない思い出になった。

私がヒンドゥー教の聖地に通い始めてから約50年がたった。何度訪れても変わらないところもあるが、なかにはとてつもない変貌を遂げたところもある。「十二の光輝けるリンガ」の一つオーンカーレーシュワル寺院[*6]に1982年に参拝したときは、山奥の道

ツのほか、赤い布や辰砂の粉があり、寺院の壁や床は真赤に染まっている。

02 インド中の女神の聖地を巡礼している車。ビハール州バイディヤナート。

＊6　マディヤ・プラデーシュ州カンドワー近郊を流れるナルマダー川の中州にある聖地で、地形がインド哲学の最高原理を表す聖音オーム（ॐ）の形をしていることで有名。

03 オーンカーレーシュヴァル寺院への参道はいつも賑わっている。マディヤ・プラデーシュ州。

を辿り渡し船でようやくたどり着いたものだった。外国人へ向けられた目は厳しく、インド人の友人がいなかったら確実に排除されていただろう。それが2006年に訪れたときには、観光バスが百台以上止められる駐車場や橋やダムも整備され、参拝客のなかには外国人も混じっていた。自然災害の影響を受けた聖地も多い。ヒマーラヤ山中のケーダールナート寺院は2013年に土石流に見舞われ、本殿は無事だったが周囲の建物はすべて流失した。アマルナートに至っては、1989年の夏にフィールドワークできたのが奇跡というくらいで、その後の巡礼者はテロの脅威にさらされたり、天候の急変で高地に立ち往生させられたりと、さまざまの苦難を強いられた[*7]。インドは古代からの思想や習慣や景色がずっと続いているような気がするけれど、実際は時々刻々と変化している。あとまた数十年したらヒンドゥー聖地の光景も大きく変わっているに違いない。

（宮本久義）

*7 カシュミール地方をパキスタン側に組み入れることを要求するグループによって、1993年以降断続的に巡礼者に犠牲者が出ている。1996年には山の天候の急変により242名が死亡した。2019年はテロリストからの巡礼中止要求と守らなかった場合の殺害予告があったため、州政府が巡礼中止を勧告し、2020年は新型コロナウイルス感染拡大のため、またもや中止に追い込まれた。

13 イスラームの聖者廟
――宗教の垣根を越えて人びとを魅了する聖地

ヒンドゥー教の国としてイメージされることが多いインドは、しかし、その宗教別人口比率を見ると、イスラーム教徒が全人口の14・2％（1億7200万人、Census of India, 2011）を占めている。これはインドネシア（1億8000万人）に次いで、インドが世界でも有数のムスリム大国であることを示している。また、隣のパキスタンとバングラデシュを合わせた南アジア世界で見ると、イスラーム教徒の地域人口は4億人を超えており、世界でも最もイスラーム教徒の人口が集中する地域である。

たとえば、インドの世界遺産を代表する白亜の殿堂タージ・マハルが、ムガル帝国の宮廷文化の粋を集めたイスラーム建築の傑作であるように、歴史的にもインド世界は、イスラーム文化が豊かに栄えた地域となっている。

宗教としてのイスラームについて、日本ではしばしば、それを「アッラーの神」を信じる宗教と説明することがある。けれど、実際にはアラビア語の「アッラー」は日本語の「神」を意味するので、何かキリスト教やヒンドゥー教の神様と並んで、「アッラーの神様」がいるという訳ではない。イスラームという言葉も、アラビア語では「絶対者への帰依」を意味し、イスラーム教徒という意味の「ムスリム」も、「帰依する者」という意味になる。すなわち、イスラームとは、唯一絶対の神とその使徒である預言者ムハンマドを信じ、聖典『クルアーン』の教えに従って生きるという、その生き方を表現する言葉なのである。

このようなムスリム（イスラーム教徒）として、守らなければならない教えをひと言でまとめると、「六信五行」という言葉に集約できる。簡単に言うと「六信」とは、アッラー（神）、天使、啓典、預言者、来世（終末の日）、予定（運命）の六つの実在を信じること。そして、「五行」とは、信仰告白、礼拝、喜捨、断食、巡礼の五つの宗教的行為をさしている。この五行にも見られるように、断食やメッカへの巡礼と並んで、日々の神（アッラー）への礼拝は、ムスリムであれば欠かすことのできない大切な義務となっている。唯一の神への帰依を表明し、礼拝を行う場所として、そのため、ムスリムにとってのモスクは、とても神聖な場所となっている。

実際、インドのどの町や村を訪れても、ムスリムが住んでいるところならどこでも、モスクを見ることができる。インドを代表するモスクといえば、デリーのジャーマー・

マスジド（マスジッド）やハイダラーバードのマッカ・マスジドなど、歴史的にも価値の高いイスラーム建築を見ることができる。しかし同時に、どんな辺鄙な田舎を訪れても、土壁の民家と並んで、簡素な造りの村のモスクを見ることができるだろう。

ところで、このような厳格なイスラームのイメージとは別に、インドのムスリム社会では、ピール・シャリフやダルガーと呼ばれる聖者を祀る聖者廟をよく見かけることがある。この聖者廟は、偉大な教えを残し、奇跡を行ったとされる聖者を祀る霊廟のことを指している。

病気の回復や子宝の祈願など、一般のムスリムがさまざまな現世利益的な祈願をなすのは、モスクではなくこの聖者廟である。そもそも偶像崇拝を禁止するイスラームでは、アッラー以外に祈ることは許されないので、その代わりに、庶民の日常的な願いや祈願の受け皿となるのが、このような神秘的な力を宿すとされる聖者をお祀りした聖者廟である。原理的には、人びとが祈りを捧げるのは唯一の神アッラーだけなので、聖者はその人びとの願いをアッラーに取り成す存在とされている。

ともかく、南アジアでは、町でも村でもいたる所で、このような聖者廟を見ることができる。13世紀には本格的に始まる南アジアでのイスラーム文化の浸透は、とりわけこのような、庶民の宗教生活の襞に分け入るイスラーム聖者の活躍によってもたらされる。仏教やヒンドゥー教文化を土台とするインドの土着的な文化が、外来の文化であるイスラームとの混交を進め、やがてそれは、独特の聖者信仰として発展を遂げてゆく。

たとえば、デリーであれば、ニザームッディーン・アウリヤー廟。あるいは、ラージャスターン州アジメールにあるムイーヌッディーン・チシュティー廟などは、インドを代表する聖者廟として広く知られている。

しかし、インドで一般的なのは、むしろ名も知られない村々を回る遊行者のお墓が、付近の人びとからお祀りされるうちに、やがて霊験あらたかな聖者廟として人びとの信仰を集めてゆくものである。今でもインドの農村地帯を歩けば、モスクと同じくらいに、たくさんの聖者廟に出会うことができるだろう。

ところで、この聖者廟には、老若を問わず、たくさんの女性の姿を目にすることができる。モスクとは異なり、多くの聖者廟では男女の分け隔てなく参拝することができ、また宗教の垣根も設けられていない。実際、男女隔離のパルダーの規則が厳しいモスクとは対照的に、インドの聖者廟では女性の参拝者が多くを占め、またヒンドゥー教徒や仏教徒など多様な人びとが訪れているのを見ることができる。

このような聖者廟では、地域や村の人びとを集めて、聖者にちなんだ祭礼がにぎやかに行われる。ちょうど日本のお祭りの縁日のように、たくさんの屋台が並び、大道芸人が集まり、さまざまな催しが行われる。ファキールと呼ばれる遊行者がその教えを人びとに説き、聖者を称えるカッワーリーと呼ばれる歌を聞くことができる。その様子は、ちょうどヒンドゥー教の聖地にたくさんのサードゥーや大道芸人が訪れて、人びとを集めている姿とよく似ている。

01 ニザームッディーン廟［撮影：宮本久義（デリー、2015年）］

とりわけ、南アジアの聖者廟で興味深いのは、参拝する人びとがヒンドゥー・ムスリムなどの区別が無いばかりでなく、ベンガルのラロン・フォキールのように、時にはヒンドゥー教徒の家に生まれた聖者が、このような聖者廟に祀られていることである。宗派にとらわれずに人びとに親しまれる聖者の廟が、宗教の垣根を越えた多様な人びとを惹きつける聖地として、人びとの信仰を集めてゆく。

白亜の殿堂タージ・マハルもまた、シャー・ジャハーン帝の愛妃ムムターズを祀る墓廟である。しばしば間違えられるように、イスラーム建築ではあるが、礼拝の場としてのモスクではない。貴人の墓廟なので、必ずしも聖者ではないが、しかし、広く異教徒や外国人にも開かれたイスラームの霊廟として、ムガル帝国の宮廷文化の精華を今日に伝えるものとなっている。

インドを代表する世界遺産が、イスラームの霊廟であるというのは、いかにも大らかなインド・イスラーム文化の気風を伝えているように思われる。

（外川昌彦）

14 スィク教寺院を訪ねる

──教団の歴史を伝え、信徒の生活に息づくグルドワーラー

タマネギのような形の頭を配した白い建物。高く伸びたオレンジ色の旗。建物へは頭をスカーフで覆った人、ターバンを巻いた人たちが出入りしている。周辺には小さな商店が並び、何やらいろいろなものを売っている。こんな風景に遭遇したら、それはグルドワーラーとよばれるスィク教の寺院で、しかもスィク教のグルにまつわる聖地に建てられたグルドワーラーに違いないだろう。

スィク教は1469年に生まれたナーナクの教えにより始まり、1708年に死去したゴービンドまで歴代10人のグルとよばれる師たちにより伝えられ、ゴービンドの死以降は聖典『グル・グラント・サーヒブ』の教えにより続く宗教である。このグルたちの[*1]

＊1　現地のパンジャービー語では「グルー」と表記するが、ここでは全インドで使われるより一般的な発音に従う。

エピソードがインド亜大陸各地にあり、そこにはグルドワーラーが建てられ、聖地として多くの人が訪れる観光スポットとなっているのだ。

このような聖地に建てられた大きなグルドワーラーには、たいていランガルとよばれる共食のためのホールがついている。カースト等による人びとの序列関係を否定し、平等であることを示し実践するために、みなが同じものを一緒に並んで食べるランガルがスィク教寺院では率先しておこなわれている。このランガルは無料で誰にでも開かれているため、巡礼に訪れた信徒や観光客のみならず、周辺の貧しい人びとが食事に来る姿もよく見かける。

グルドワーラー周辺の露天では、スィク教徒が身につけるカーラーとよばれる腕輪などの装身具、スィク教のシンボルマークをかたどったペンダントやステッカーシール、グルの肖像画ポスター、日々の礼拝に用いられる教典、ターバンのひだを整えたり後れ毛をターバンに入れる際に使われるサラーイーというスティックなど、スィク教徒の家庭でよく目にするような品々が売られている。そのほか、スィク教信仰とは関係のないような文具や雑貨、おもちゃなどまで売られているため、信徒ではない観光客も足を止めて買い物を楽しんでいる。売る側の方も、よく見るとヒンドゥー教の神様絵が店の奥に飾られているので、話をしてみるとヒンドゥー教徒だったりして、寺院周辺ではスィク教信仰の枠を越えた人びとの交流や営みがみられる。

01

01スィク教開祖グル・ナーナクゆかりの聖地ナーナク・マーター・サーヒブ（ウッタラーカンド州）。

では実際に寺院の中の様子を見てみよう。入口には手足を洗い清めるための水道が備えられている。グルドワーラー内では、インドのほかの宗教寺院と同様に履物を脱ぐ。さらに頭をスカーフなどで被い、グルへの忠誠を示す。スィク教徒のターバンの着用はグルへの忠誠を示すものであるが、ターバンを巻いていないスィク教徒も多く、またスィク教徒以外の訪問者もいるため、大きなグルドワーラーの入り口には頭を覆うためのスカーフが準備されている。どの寺院にも必ず、天蓋のもとに置かれた聖典『グル・グラント・サーヒブ』があり、訪れた人びとはまずその前に跪き祈りを捧げる。聖典を中心に左右どちらかに男性が、その反対側に女性が、男女分かれて床に座る。通常朝夕の一日二回、寺院の司祭により礼拝がおこなわれる。大きなグルドワーラーでの礼拝時にはハルモニウムという小型オルガンとタブラーという太鼓の演奏とともにキールタンとよばれる讃歌が歌われる。夕方の礼拝が終わると、聖典が閉じられ、寺院内の別の部屋に安置され、翌朝にまた持ち出され、寺院の中心ホールに置かれる。聖典は毎朝このように「起き」、そして毎夕「眠りにつく」。

総本山ゴールデン・テンプル

パキスタンとの国境近くのアムリトサルにあるハルマンディル・サーヒブ（通称ゴールデン・テンプル）はスィク教の総本山であり、世界中から多くの人びとが訪れる。海外に在住するスィク教徒移民のほか、外国人旅行者の姿も目につく。

現在ではパンジャーブの観光名所として賑わうゴールデン・テンプルだが、1984

年にはインド政府軍が侵攻し、当時ゴールデン・テンプルを拠点としながらパンジャーブの独立を掲げ活動していたスィク教急進派の武装グループのメンバーのほか、一般の参拝客にも多くの犠牲者を出した。この政府軍の侵攻を指揮した当時の首相インディラー・ガーンディーが数か月後に自身のスィク教徒ボディーガードに暗殺されると、その報復としてデリーを中心に暴徒化したヒンドゥー教徒がスィク教徒住民を集団虐殺するという事態に発展し、以降1990年代までパンジャーブでは治安が悪化、内紛状態が続いた。

この集団虐殺や当時の様子については、近年までメディアではほとんど報道されず、さらに誰も語りたがらない。当時を体験したスィク教徒にとって、家族以外の他人とはどんなに親しい間柄であろうとも話したくない話題だという。平穏な暮らしを取り戻した今でも、誰も信用できない、本音で話ができない、という当時の感覚が消えずに残り続けていると、パンジャーブで出会い親しくなった人が打ち明けてくれた。内紛時代の暴力によって多くの犠牲者が出たことは言うまでもないが、当時人びとが抱えていた恐怖や不安は、現在も人びとの心のなかに消えずに、根を張るようにして残り続けている。初代グル・ナーナク以降のスィク教の歴史については、ゴールデン・テンプルをはじめ、聖地のグルドワーラーによく併設されているミュージアムにて知ることができるが、この数十年前の悲劇のように、きちんとした資料が公開されて

02 聖典に向かって祈りを捧げる参拝者（バングラー・サーヒブ、デリー）。

いないために知り得ない多くの出来事が存在することを、人びとに出会ってあらためて思い知らされる。

日々の生活のなかのグルドワーラー

スィク教徒の多く住む地域には居住エリアのなかにいくつものグルドワーラーが建てられており、寺院が日々の生活のなかでとても身近な存在となっている。朝と夕の礼拝の時間帯に合わせて訪れる人も多いが、毎朝出勤前や登校前に立ち寄る人の姿もよく見かける。夕刻になると、夕食の支度に取りかかる前に訪れることを日課とする主婦や、仕事からの帰宅前に足を止める人など、人びとはそれぞれ自分の生活のなかで、思い思いの時間にグルドワーラーに足を運ぶ。

スィク教祝祭日の寺院では、近所の人びとが一堂に会し、子どもたちの楽器演奏や歌や詩の朗読がお披露目される。ランガルのスペースがない小さな寺院でも祝いごとがあるとスナックやお菓子が配られる。子どもの誕生、結婚、葬送などの人生儀礼もおこなわれ、家族や親族、友人、近隣に住む人びとが集う。儀礼を家やほかの会場でおこなう場合には、近くのグルドワーラーから『グル・グラント・サーヒブ』が運び込まれる。家族の祝い事の際には、その家族がホストとなり食事を準備し、人びとを寺院に招き食事をふるまうこともよくある。このように、グルドワーラーはスィク教徒にとって社会生活を営むために欠かせない場となっているのだが、スィク教徒以外でもいつでも迎え入れてくれるので、見かけたら足を止めてみてはいかがだろうか。

（東　聖子）

15 ジャイナ教寺院を旅する

——ジナ・マンダラとジャイナ教のティィールタ

ジャイナ教のティィールタ

ティィールタといえば、ふつう、川の浅瀬や海辺などにつくられたヒンドゥーの聖地を思い浮かべる。そこで沐浴すればよりよい来世が約束されるといった「水辺」の聖地である。こうしたイメージが定着しているせいか、ティィールタは水辺と切り離せないとつい思いがちである。しかし、これはあくまでもヒンドゥーの観念であり、ヒンドゥーのティィールタである。ジャイナ教の場合はといえば、じつは、水辺での沐浴などはもってのほかで、ヒンドゥーの習慣に対して、かれらは昔から批判的である。いわく、「身体を水に浸して解脱できるのなら、川の中で泳いでいる魚たちは、とうの昔にみな解脱しているだろう」。

名だたるジャイナ教の聖地を思い浮かべてみてほしい。その多くは、丘陵や山岳地帯につくられている。西インドのシャトゥルンジャヤやギルナールなど、ジャイナ教徒はよほど山好きのようにみえる。たとえ平地に作られた聖地であっても、しばしば内部に、巨大な山岳聖地のレプリカが置かれていたりする。もしもじっさい、自分の足で聖地への巡礼を試みようと思うなら、まずは足腰を鍛えて、トレッキングを楽しむぐらいの覚悟が必要となる。「ヒンドゥーは川に、ジャイナは山に」——そんな標語めいたいい方も許されるくらい、きわめて対照的な聖地の姿がここにはある。

ときにはヒンドゥーも山に向かうことはあるかもしれない。しかしその場合、かれらの目的は、たぶん山の奥深くに川の源流を探し出し、そこに庵でも結んで暮らすことではないだろうか。昔、ラージャスターン州南部のアーブーの山中に、サーバルマティー川の源流を訪ねたとき、そこにまるで番人のように、いかつい顔をしたヒンドゥーの行者が坐っていたのを思い出す。近くには苔むしたヴァシシュタ仙の庵なるものがあって、そこから聞こえてきた聖典朗詠の響きはいまも耳の奥に残る。

ジャイナ教の聖地が水辺には作られない主たる理由は、水辺や湿地には生命が満ち溢れているからであろう。近づけば殺生をおかしてしまう危険性が高いから、できるだけ遠ざけたいのである。一般的な理解では、水に依存する無数の生命体が存在するからということになっているが、一部には水そのものを生命体と考える古代の観念もまだ残っているようにみえる。いずれにせよ、「危うきには近づくな」、これがジャイナ教の一貫した態度であると思われる。あんがいこの辺りに、ヒンドゥーとの聖地をめぐる競合を防ぎ、長くインドの宗教社会の中で、うまく互いの距離を保ちながら共存し得た一つの理由があるのかもしれない。

　では、ジャイナ教において、ティールタという言葉はどのような意味で用いられるのであろうか。もっともふつうの意味は、ジャイナ教の「教団」を指している。つまり、祖師であるジナを中心として形成されたジャイナ教の教団のことである。ジナは別名ティールタンカラ（「ティールタを作る人」）とも呼ばれるが、この場合のティールタがまさにその意味である。聖地や巡礼地を指してティールタということもあるが、もちろんその場合でも浅瀬や水辺などとは関係しない。ヒンドゥー的なイメージが強いためか、ジャイナ教徒の中には聖地や巡礼地としてのティールタそのものを認めない人びとも少なくない。

　ちなみに、ジナは、その生涯のなかで悟りを開いた人のことである。しかも悟りを開くと、ただちにジナのために巨大な説法の会場が用意され、そこにさまざまな聴衆が参集してくる。これがいわゆる〈聖なる集い（サマヴァサラナ）〉と呼ばれるもので、仏教でいえばちょうど〈尊像マンダラ〉に比すべき〈ジナ・マンダラ〉である。このとき興味深いのは、説法の会場に入場したジナが開口一番、次のような言葉を発することである。「ティールタに敬礼す」（ナモー・ティッターヤ）――これは聴聞衆への親愛の情から発せられる挨拶の言葉で、文献の中では定形化している（もっとも白衣派の文献にいわれることであって、空衣派ではジナがふつうの言葉で会話するという考え方はない）。円の中心に坐ったジナがこの言葉を聴衆に投げかけたとき、まさにジャイナ教のティールタが誕生するのである。中心のジナとその周囲の所定の区割りに入った聴聞衆（神群・僧尼・在家信者、それに動物たち）によって形成されるジナの教団、それがジャイナ教のティールタにほかならない。

プラティシュター・アーチャーリヤとの出会い

ジャイナ教という伝統宗教は、周知の通り、今日でもなおインド各地に強固なコミュニティを形成し、とくに職業上、金融・商業関係に従事する人びとが多いことで知られている。アヒンサー（不殺生）をコアとするその教義によって、職業的に種々の細かい制約があることもやむをえない。比較的にリッチな人びとが多いというイメージがあるが、あくまでも相対的にということであり、じっさいには生活に困窮するジャイナ教徒もみかける。しかし、幸いにしてインドの経済社会の中で活躍し、大きな富をなしたジャイナ教徒は、そうした富を私物化することなく、かれらのコミュニティに惜しみなく喜捨する。それは無所有（アパリグラハ）の戒律が在俗の人びとにも課されているからである。

喜捨の方法にはさまざまな形が見られるが、たとえば、ジャイナ教でさかんな本の出版活動もその一つである。在俗の信者たちの資金提供によって、じつに夥しい出版物が古くから刊行されてきた。また、新たな寺院の建立も、蓄財に成功した在俗の人びとの寄進によるもので、寺院の建立を発願して自らの財産をなげうつ篤信者はいまも少なくない。

そうした新たな寺院の建立は、なにもインド国内に限ったことではない。筆者がハリヤーナー州で出会ったパンディット（学僧）は、出会ったときにドバイから帰ったばかりであった。その名をダルマチャンドラ・シャーストリといい、ジャイナ教寺院の祭礼を指揮するプラティシュター・アーチャーリヤ（「ジナ像の開眼式を執行する阿闍梨」）として、内外のジャイナ寺院の建立の場で活躍する著名なパンディットの一人であった。出家者たちは戒律上、乗物には乗れず、移動はつねに徒歩である。とうぜん、遠方にまで旅することはできないし、ましてや海外などに行くことは不可能である。それゆえ、ある種の聖性や権威を帯びた職能集団であるパンディットたちが、新寺建立の際に必要な儀礼を執行するために内外を飛び歩いているのである（かれらは16世紀以降にディガンバラ派で制度化された寺院管理の専門職であるバッターラカの末裔とみられる）。

01 マンダルギリ・ジャイナ寺院、カルナータカ州［提供：Unsplash］。

マハー・パンチャ・カリヤーナカの祝祭儀礼

ところで、新寺建立に際して行われる伝統の祝祭儀礼に〈マハー・パンチャ・カリヤーナカ〉（五大慶事祭）と呼ばれるものがある。とくに儀礼のさかんなディガンバラ派（空衣派・裸行派）の伝統にみられる祭礼であり、寺院の本尊となるジナの生涯における主な五つの事跡、すなわち、受胎（ガルバ）、誕生（ジャンマ）、出家（ディークシャー）、開悟（ケーヴァラ・ジュニャーナ）、そして涅槃（ニルヴァーナ、死）を、全体で8日間にわたってドラマ仕立てで再現するものである。近年私は、右のパンディットからの誘いもあって、数度この祭礼の様子をみる機会を得た。この祭礼がとくに興味深いのは、先に述べたようなジャイナ教のティールタの形成に深く関わっていると思われる点である。紙幅の関係で詳しくは述べられないが、以下に少しだけ紹介しておこう。

この祭礼の最初の3日間は、儀礼の会場を浄化し、また儀礼を執行する上で重要な指導者や臨席してもらう僧侶などを招聘する、いわば準備的な期間である。私が最初にこの儀礼を見たのは、チャッティースガル州のビラーイーという町の近郊であったが、会場に到着したときにはすでに祭りは始まっていて、ちょうど準備期間の終わる3日目であった。急いで祭りのプログラムを手に入れ、ジナが悟りを開くのが祭礼の7日目であること、そして私がもっとも見たいと思っている〈聖なる集い〉が同じ7日目に開かれることを確認した。到着の翌日の夜から、ジナの母親が夢を見る〈受胎〉（ガルバ）以下の五つの慶事が日ごとに順次上演されて行った。

〈聖なる集い〉の一大イベントは、マンダパの舞台で行われることが多いようだが、最初にビラーイーで見たそれは、幸いにもマンダパの外の広い空地で行われた。幸いであったというのは、文献にある儀軌に則って忠実に行われたからである。

ジナが開悟した祭礼の7日目、この日は朝からマンダパの外に大きな円や区割りが描かれ始め、それに沿って白いペンキを塗ったレンガが並べられていった。そして、みるみるうちに四方の門と12分割された聴衆のための区割りが設けられて、巨大な説法場が出現した。ジナが悟りを開くと、まもなくその円の中心に四方仏の形でジナ像が置かれ、そして周りの区割りの中に何百という数の聴衆が一斉に入って着座した。

聴衆となったのは、神々（配役上の）と人間と動物（これらは本物）たちで、気がつくと動物たちのための席だけ、しばらく空いたままであったが、やがて説法が始まる頃には仔牛が一頭連れて来られた。なんとか一度は区割りに入った仔牛であったが、すぐにむずかってお役御免となったのはご愛嬌であった。この動物については、ディガンバラ派の場合はジナを囲む円のなかに席が設けられるが、一方、シュヴェーターンバラ派（白衣派）では、聴衆のための三層の塁壁が作られ、動物は第二塁壁の中に収容される。動物の席があるのはいかにもジャイナ教らしいと思われたが、とにかくこのようにジャイナ教には、名称こそ異なるものの、ジナを中心とする〈尊像マンダラ〉が儀礼の中に今も残されていることは驚嘆に値する。

不思議なジナのイコン

ところで、この祭礼の主役となるのは、わずか20センチにも満たない真鍮製のジナのイコンである。ジナの像（ジナ・ビンバ）は、よく知られているように、その形が一定している。立っているか坐っているかの違いはあっても、すべていわゆる「瞑想形」であることが、ジナ像の最大の特徴である。坐像の場合は、蓮華座（パドマーサナ）に坐して瞑想印（ディヤーナ・ムドラー）を結び、立像の場合は、両腕をまっすぐに下に伸ばした剣のポーズ（カドガーサナ）、あるいはカーヨートサルガ（「身体の放棄」）と呼ばれる瞑想の姿勢と決まっている。造像が開始されてから約2000年もの間、この形状と姿勢が

02 〈聖なる集い（サマヴァサラナ）〉。

ほとんどまったく変わっていないことは驚異であるといえよう（ちなみに、ジャイナ教の二派のうち、シュヴェーターンバラ派は出家者も白衣をまとい、ディガンバラ派の僧侶は一糸まとわぬ裸体であるが、この違いはそのまま両派におけるジナ像の姿の違いにも反映されている。またジナ像の製作をめぐっては、とくに中世のイスラーム教からの影響もあって、歴史的にその正統性の有無が問題となってきた。そうした背景もあるため、寺院にこれを祀り、拝むという行為を拒否する人びとはいずれの派にも存在する。しかし、多くは容認しており、とくにディガンバラ派では、この尊像をめぐる儀礼がきわめてさかんである）。

ジナ像そのものは形を変えず、ひたすら内的な世界に籠って、身動きひとつしないのだが、ひとたび祭礼が始まると、ジナのイコンに内包されているさまざまな意味が次第に露わになっていく。人びとが儀礼を通じて何を求めているか、そのことも次第に理解されていく。イコンの形状や姿勢は固定されていて、終始一貫なんの変哲もないが、儀礼によって明らかになるのは、じつはそれがきわめて豊かな意味を秘めているということである。ジナの像の製作が開始された当初から、ジナの像は表面的には瞑想していても、じつは瞑想もするし、説法もするイコンなのである。これはちょうど仏教において、仏像の製作が開始された当初は、仏像の形や姿勢が特定の意味をもってはいなかったのと同じであり、そうした古代の習慣がジャイナ教においては今日まで残されているということである。イコンに内包される豊かな意味世界を語るのは文献の世界であり、それを目に見える形で見せてくれるもの、それが儀礼であるといってよい。

たとえば祭礼の中で、ジナの瞑想形のイコンは、その形をけっして崩さぬままに人間界に降ってくる。かれはかならず王族の家系に再生して、王妃の胎内から生まれてくる。赤子を取り上げるのは、きまってインドラ神の妃である。このときにぎやかな楽隊の音楽に乗って、神々が狂喜乱舞する情景もジナの伝記文献のままに再現される。生まれた赤子は母親のベッドに寝かされて、すやすやと眠り、翌朝になると、インドラ神がヒマーラヤの山中に連れて行って、灌頂の儀式を行う。これによって赤子は正式に王家の一員となり、このときから王子に相応しい衣装を与えられる。王子は幼いころには人びととブランコ遊びなどに興じ、また長じてはさまざまな学芸を身につけて、やがて王位につく。しかし、このジナたるべき人は、やがて世間の無常を儚んで、俗世を厭うようになり、出家を決意する。かれは輿に乗せられて森に向かい、しかるべき樹の下に坐ると、すべての衣装を脱ぎ捨て、裸体の行者となる。爾来、霊魂を浄化するための禁欲や断食苦行を続けて、ついには悟りを開き、ティールタンカラとなって悟りの内容を人びと、否、生きとし生けるものに対して開陳するのである。やがて最期のときを迎えると荼毘にふされて、ジナの一生を描くドラマは大団円を迎えることになる。

マンダパの舞台を中心として、こうしたジナの物語が再現されるが、灌頂の儀礼や出家の場面など、ときにテントの外へ楽隊とともに繰り出す。また祭礼のプログラムには、うら若き乙女たちの舞踊あり、大道芸あり、マジックショーありとさまざまなお楽しみもあって、人びとは飽きることがない。またさらに、五つの慶事の前後にはかならず臨席の僧侶による説法があり、人びとは神妙な態度でそれを聴いている。目の前にいる僧侶はジナに限りなく近い存在として崇められ、祭礼の中では毎日托鉢を行って、ジナさながらに人びとから供養を受ける。

僧俗が一体となってこのような儀礼を執行し、ジナの像が寺院に祀られたとき、そこに一つの新たな聖地（ティールタ）が誕生するのである。ジャイナ教の聖地はこのようにしてインド各地に作られてきた。そして今も誕生し続けている。もしも誰かジャイナ教の聖地誕生の熱気に触れたいと思う人がいるなら、このような祭礼の世界を覗いてみてほしい。ただし、断っておきたいのは、ひとたび儀礼が始まれば、虚構と現実との境はなくなってしまうから、ジナの歴史性などを問うことは控えてほしいということである。そのようなことはまったく無意味である。人びとはただ、ジナが経験した霊魂の浄化の旅に付き添い、ジナとともにゴールを目指したいと願っている。かれらは、ただそのような感覚を共有したいがために、そこに集い、新たな聖地を造営したいと願っているのである。

ビラーイーの最終日の早朝、パンディットが人びとに告げた――「今しがた、アーディナータ（＝リシャバ）は亡くなられた」と。みると舞台上の山の頂にはすでにジナ像は見えず、遺体はすでに荼毘にふされていた。残された遺灰の周りに人びとが群がっているのを呆然と見ていると、パンディットが近づいてきて私にいった――「君も少し日本に持って帰ったらどうか」。そういってかれはジナの遺灰の一部を紙に包み、私に手渡してくれた。もはや私にとっても、そのとき神話は神話でなくなり、虚構は虚構でなくなっていた。時空を超えてジナと出会う旅――それがジャイナ教の儀礼世界である。

（矢島道彦）

16 仏教の霊場を旅する

――八大霊場からブッダガヤー

四大霊場と八大霊場

パーリ文の『大般涅槃経』によるとブッダ自ら、①ルンビニー（ブッダの生誕地）、②ブッダガヤー（ブッダが成道した地）、③ヴァーラーナスィー・リシパタナ・鹿野園（ブッダがはじめて説法した地）、④クシナガリー（ブッダが入滅した地）の四大霊場を訪れた者は、死後天界に生まれ変わると阿難に遺言したという。そして、時代が下って『八大霊塔名号経』などがこの四大霊場に⑤シュラーヴァスティー（舎衛城）、⑥サンカーシャ、⑦ラージャグリハ（王舎城）、⑧ヴァイシャーリーの四か所を加え、合わせて八大霊場が成立した。⑤⑥は、ブッダが舎衛城において大神通を現したあとに天界に昇り、サンカーシャに下降したという事跡に由来する。⑧はブッダが三か月後の入滅を決意した場所として尊ばれている。少々意外ではあるが、⑦はデーヴァダッタの反逆（破僧）に対するブッダの慈悲深い対処が記念されているようである。

八大霊場すべてをここに詳しく紹介することは当然不可能であるし、四大霊場に限ってもすべてとなると紙面が許さない。そこでここでは最も代表的であると思われるブッダガヤーに絞って紹介する。

マハーボーディ寺院（大菩提寺）

リラージャーン川（古名はナイランジャナー川）の西に立つ大塔で有名な、2002年に世界遺産（文化遺産）に登録されたこの寺院は、紀元前3世紀にアショーカ王によって建立されたものが、その後、増広と修復が繰り返され、グプタ朝後期、5〜6世紀ごろに現在の姿になったらしい。しかしながら、この大塔、フランシス・ブキャナン＝ハミルトン[*1]が1811年に菩提樹（現在のではない）を見た時には、埋まっていたとのことである。その後アレクサンダー・カニンガム[*2]に発掘された。

『ジャータカ註』に伝わる仏伝によれば、ブッダは菩提樹下で成道したのちの7週間を菩提樹とその周辺で過ごしたことになっている。最初の1週間は菩提樹下で結跏趺坐したまま過ごし、第2週目は菩提樹を瞬きせずに見つめ続け、第3週は経行（歩きながらの瞑想）をして過ごし、第4週は神々によって作られた宝石の家のなかでアビダルマ（仏教教理の本質）を考案したことになっている。第5週はアジャパーラ・ニヤグローダ樹下

＊1　スコットランドの医師（1762〜1829）。

＊2　イギリスの考古学者（1814〜1893）。インド考古調査局設立に尽力し、のちに長官を務めた。

に坐って過ごし、第6週はムチリンダ樹下においてムチリンダ大蛇に大雨から守られつつ過ごし、第7週はラージャーヤタナ樹下に坐って過ごし、その週のおわりの成道から49日目に二人の商人から施食を受け、二人を在家の信者にしたという。

さて、菩提樹とその下の金剛座は言うまでもないが、その他の場所もみな大塔の周囲にそれぞれチャイトヤとして祭られている。大塔に隣接して南にムチリンダ池（ムチリンダ大蛇の住処を池とするのは『根本有部律破僧事』の伝承であり、『ジャータカ註』では池の由来は説明されない）まである。これらは本当に『ジャータカ註』が意図している地点を示しているのであろうか。ブッダが一か月ものあいだ、菩提樹の周辺から一歩も離れなかったことになる。これと齟齬する情報として、大塔からほぼ真南に2キロメートルほど行ったところにモチャリンという村があり、そこにはモチャリン池もある。現地の人は大塔に隣接しているのはレプリカであって、こちらが本当のムチリンダ池であるという。釈尊が成道後に過ごしたとされた地点は、はじめはもっと広範囲にひろがっていたのを、巡礼に便利なようにすべて菩提樹下の近くに寄せたのではなかろうか。

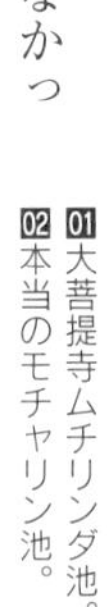

01 大菩提寺ムチリンダ池。
02 本当のモチャリン池。

ドゥンゲーシュワリー石窟寺院

大菩提寺から両川を挟んで北東5キロメートルほどのところ、リラージャーン川とモーハン川が合流してファルグ川となる地点の東に、ドゥンゲーシュワリーという山がある。玄奘はこれを「鉢羅笈菩提山」と音写し、「前正覚山」と訳している。「鉢羅笈菩提」は「プラーグボーディ」で「覚りの前」の意である。玄奘の伝える伝説を要約すれば以下のようになる。

03 前正覚山苦行像。

如来は6年のあいだ修行して、その後、苦行を放棄して乳糜（乳粥）を受けた。この山（前正覚山）を見つけて、ここで正覚を得ようと思い、登って頂上に至ると地震が起きて山が傾き揺らいだ。山神から「ここは覚る場所ではありません」と告げられて、菩薩は山を下りた。山の中腹に大きな石室があり、菩薩はその中で結跏趺坐したとたんに地震が起きた。浄居天が菩提樹下の金剛座を示し、菩薩がそこに行こうと立ち上がると、石室の竜にひきとめられ、竜の願をかなえてやるために影を残して去った。

南方上座部を含めて他部派の伝承には一切記述がなく、これと同様の伝承はやはり『根本有部律破僧事』にみいだされる（ただし『根本有部律破僧事』は山の名を記さず「孤石山」とのみ記す）。ドゥンゲーシュワリー石窟寺院がチベット系の寺院であることは当然なのである。ところでドゥンゲーシュワリー山はまるで発破でもかけたかのように大きな岩がごろごろしており、山がそのようになった由来を説明する起源説話としてこの伝説は成立したのかもしれない。

また石室（いわゆる留影窟）には、現地では菩薩が6年間苦行した場所とされており、中に安置されているのも苦行像である。これは右の玄奘の報告や『根本有部律破僧事』の記事と全く異なってしまっている。

スジャーター村

リラージャーン川とモーハン川との合流点の少し南、両河に挟まれているところに、スジャーター村がある。そこにはスジャーターの家の址を示すとされる遺跡（ストゥーパ址）もある。日本ではいくぶん誤って「スジャータ」とされ、「褐色の恋人」として親しまれている名前であるが、正確には「スジャーター」であり、「生まれの良い女性」という意味である。スジャーターは菩薩が菩提樹下に坐る直前に特別な乳糜を供養した女性として名高い。しかしこの乳糜を捧げた女性の名は仏典においては種々に伝えられており、スジャーターだけではない。玄奘はこれを「二牧女」

04 大菩提寺のトーラナ。

として名を示さないが、『根本有部律破僧事』によればこの二人は「ナンダー」（歓喜）と「ナンダバラー」（歓喜力）の姉妹である。現在はもっぱらスジャーターの名ばかりが知られているが、古くには違っていたようである。大菩提寺のトーラナ（塔門）の両方の柱のもとで大菩提寺に向かって合掌している二人の少女の像がそれを示しているであろう（現地では二人ともスジャーターであると説明された）。

スジャーター塔の東南にスジャーター寺院があり、二種類のジオラマが祭られており、両方とも古そうにも見えないが、片方は女性が二人いて、もう片方はミャンマーの仏教徒があとから寄進したものだそうだが、女性は一人になっている。

ブッダガヤーで気がついたことは、造形の意匠は案外古いもので、それは説一切有部[*3]系の伝承に従っており、しかし現地で受ける説明だけは南方上座部の影響を受けて変容してしまっており、造形とそれに付随する物語とのあいだに齟齬が生じているのではないかということである。

（岩井昌悟）

*3　部派仏教のなかで最も優勢な部派。

05 ナンダー・ナンダバラー姉妹の像。
06 スジャーターの像。

17 宗教指導者（グル）を訪ね歩く

――カルナータカ州チットラドゥルガの僧院にて

ベンガルールからムンバイーに向かって高速道路を走ると、乾燥した荒野に巨大な岩石が横たわる風景が延々と目の前に広がりはじめる。3時間ほどでチットラドゥルガという町につく。ここは美しい城塞で有名な町でもある。城塞を見にやってくる観光客たちがこの町で訪れるもう一つの場所がムルガ僧院である。城塞の麓にある僧院の水色とオレンジ色に塗られたカラフルな門をくぐると、美しく整備された庭園が広がり、ここで観光客や地元の人びとはアイスクリームを食べながらのんびりとした時間をすごす。

ムルガ僧院は、ヒンドゥー教のリンガーヤト派[*1]という宗派に属す僧院である。ヴィーラ・シヴァ派とも呼ばれるこの宗派は、12世紀に北カルナータカで活躍した聖人バサワ

＊1　ヴィーラ・シヴァ派の信者を指す。信者たちは、シヴァ神の象徴であるリンガを身につけているためにリンガーヤトと呼称される。カルナータカ州の総人口の約17％を占め、最大のカーストグループであり、政治力も強い。

ンナ（バサワ）による宗教運動に起源をもつ。バサワンナの教えは、ブラーフマン（バラモン）などの特権階級による宗教的知識の独占、カースト制度、女性差別などを否定し、すべての人びとが直接シヴァ神と交流することができると主張した革命的なものであった。皮肉にもリンガーヤト派は彼ら自身が一つのカーストになってしまい、当初の平等主義的な精神を失ってしまった。ムルガ僧院の現在のグルであるシヴァムルティ・シャラナは、バサワンナの元の教えに戻ることを主張し、リンガーヤト・カースト以外の低カーストや旧不可触民であるダリトの若者たちに宗教教育を施して、イニシエーション儀礼を行うという、大胆な改革運動を進めている。

ムルガ僧院は、数世紀にわたり地元支配者の寄進を受け、現在も広大な土地を所有している。またムルガ僧院に従属する僧院がカルナータカ州全土にあり、そこからの上納金も多い。さらに他の有力なリンガーヤト系の僧院と同様に、利潤の高い医療系・技術系の大学を経営するなど、ムルガ僧院は一種の企業体となっている。この莫大な資金を背景に、ムルガ僧院のグルは、僧院でトレーニングを受けた低カースト出身の若者たちをそれぞれのカーストの新たなグルとして擁立し、ムルガ僧院の土地の一部を分け与える形で、新しいカースト僧院の設立を支援している。地元の新聞では、ムルガ・グルの改革運動が果たして真の平等主義

01 ムルガ僧院。

02 新しく設立されたダリト僧院のグル。

をすすめるものなのか、あるいはムルガ僧院の政治的影響をリンガーヤト以外にも広めようとする政治的仕掛けにすぎないのか、さまざまな議論が交わされている。話題のグルに話を聞いてみようとさっそくチットラドゥルガを訪れてみた。

「私のやっていることで論争が起きることは少しも悪いことではないと思っている。むしろ論争が起きることを好ましくさえ思っている。私は世の中をかき回したいんだ」。内容の大胆さとうらはらに、もの静かな態度でゆっくりと私の質問に答える姿は、メディアで伝えられる策謀的な宗教リーダーというイメージとはずいぶんと異なるものだった。突然、静まり返ったグルの応接間に数人の子どもたちがにぎやかに乱入してきた。グルはとたんに相好を崩して、信者が持ってきたらしいお菓子を与える。子どもたちは気負いなく受け取ると、グルと二言三言言葉を交わし、来た時と同様に瞬く間に走り出ていった。

彼らは僧院内にある孤児院にいる子どもだという。グルは「子どもたちが本当に可愛くてね」と笑みを隠すことができないでいる。子どもたちは生みの親が貧しさのため育てられず連れてくる場合もあれば、捨て子を村人が保護し僧院に預ける場合もあるという。「ゴミ捨て場や溝に捨てられる赤ん坊もいる。捨てる理由もたまたま縁起の悪い時間に生まれたとか。ひどいものだよ。僧院の孤児院から養子にもらいたいという信者も多いのだけど、子どもたちが嫌がるんだ。養子に出さないでくれって泣いて頼まれてね」。グルはそう言うと、はにかむように笑った。グルとのインタビューを終え部屋を出ると、先ほどのグループにいた背の高い男の子が今度は泣きはらした目をしながらグルの部屋に駆け込んでいった。誰かと喧嘩になり、グルに慰めてもらいに来たのだろうか。

ムルガ僧院でイニシエーションを受け、ダリトの僧院を近くに開いた若いグルがたまたま僧院を訪れていたので話を聞いた。20代中ごろのがっちりとした体格の若いグルは、ムルガ・グルが村々を訪れながら低カーストの若者たちにバサワンナの哲学を説いて回っていた際に、僧院での修行に参加することを決めたのだという。三年間におよぶ修行を終えて、一年ほど前に自分の僧院をはじめることができたという。彼はダリトの中のあるサブ・カーストを精神的に代表するグルとなりつつあり、ダリトのグループが主催するさまざまな政治集会に特別ゲストとして招かれるなどメディアでも顔と名が知られつつあった。しかし、僧院を訪ねてもいいかと聞くと、悪天候で僧院の屋根が壊れてしまい、人を招くような状態じゃないと恥ずかしそうに断られた。信者が40家族ほどいて、彼らが毎月50ルピーほど寄付してくれたら、なんとか僧院を運営していけるはずだと力説するが、その規模はムルガ僧院の信者数、財力と比べるとあまりにも慎ましい。支援者であるダリト出身の州議会議員は新しいグルに車を1台寄付したようだが、運転手どころか、ガソリン代もままならないようである。話が終わるとムルガ僧院で働いている若者のバイクの後ろにまたがって、自分の僧院へと戻っていった。

僧院の大食堂で夕食を終えたあと、僧院で修行する女性の僧たちと話をする機会を得た。話をすることができた二人の女性は30代半ばから40代半ばのように見えた。どちらも疲れた表情をしている。なぜムルガ僧院で修行をしているのかと聞くと、ここに来る前は、リンガーヤト派の女僧で唯一ジャガッド・グル（全世界の師）のタイトルをもつグルのアーシュラムにいたらしい。ムルガ僧院に移ってきたのは「彼女はなかなか法衣をくれなくてね。ここのグルはすぐくれるって聞いたから」だという。修行を積んだ行者のシンボルであるオレンジがかったサフラン色の法衣は、彼女たちにとっては生きる糧である。法衣さえ着ていれば、どこへいってもすぐに施しを受けることができるからだ。

精神性を高める場である僧院においても生きていくことの現実はつきまとう。低カーストのグルの成功は、出身カーストの経済状態に大きく左右され、また家族のいない女性は出家することでなんとか生きる糧を得ようとする。夕方、孤児院の子どもたちや僧院で働いている人びとが次々とやってきて庭園の掃除をはじめた。これが塵一つない僧院の秘密なのだ。彼らは「仕事をすることが信仰の証なんだよ」と教えてくれた。掃き上げられた庭園を眺めながら、宗教が彼らの生活の中でもつ意味に思いをはせた。

（池亀　彩）

03 僧院内の孤児院の子どもたち。

18 一週間に九日の祭り!!

——多民族・多宗教国家の祝祭事情

インドは一つの宗教を国教とは定めていない、いわゆる世俗国家である。それゆえインド共和国全体の記念日は西暦で祝われる。[*1] けれど、多くの祭りや宗教行事の日時はそれぞれの宗教が用いる暦に従うので、しっかりとチェックしておく必要がある。[*2] まずインドの人口の約8割を占めるヒンドゥー教徒の祭りから見ていこう。私がインドで滞在していたのは北インドだが、なるべく広い地域で祝われる祭りを取り上げたい。

日本の習慣にならうなら、正月の行事から説きはじめるのが筋だが、インドでは西暦の1月1日は何も祝わないし、休日を取る人も取らない人もいる。理由は簡単で、この日はいかなる宗教的要素とも結びついていないからである。けれど正月の要素を持つ祭

01 世界最大級の山車祭りラタ・ヤートラー。右奥にジャガンナート寺院が見える。オディシャー州プリー［撮影：宮本卯之助］。

＊1　8月15日の独立記念日は1947年にイギリスの統治から独立したことを祝い、1月26日の共和国記念日は1950年のインド憲法発布を記念する。また10月2日のガーンディー生誕祭には独立運動を率いたガーン

りとして、太陽が黄道上のマカラ（磨羯＝海獣）宮、すなわち山羊座に入るのを祝うマカラ・サンクラーンティという祭りが1月14日ころにある。本来は冬至の祭りであったらしく、衰えた太陽の力を盛り返すと同時に、生命の更新と新たな年の再生を祝う日と考えられる。[*3] この日は冬の冷たい川で沐浴し、凧を揚げる習慣がある。凧糸を引く律動で太陽の運行を活性化させるとも考えられている。

立春前後にはインドでも春の訪れを祝うヴァサンタ・パンチャミーの祭日がやってくる。[*4] いかにも春らしい黄色やサフラン色の衣装を身にまとい、学問と技芸の女神サラスヴァティー（弁才天）に祈りを捧げる。

3月ころに行われるホーリーという祭りは、火祭りと水掛け祭りが複合したもので、冬作の農作物の収穫祭とともに新年祭の要素を合わせ持っている。祭りの準備は約1か月前からで、街の四つ辻や空き地に枯れ枝や廃材を積み上げることから始める。祭りまであと1週間ほどになると、色とりどりの粉を売る店が並び、子供たちは粉を買うために小遣い稼ぎと称して、通りがかりの人を止めて寄附を迫る。断ろうものなら、粉をかけられたり、棒で追いかけられるはめになる。いよいよ満月の夜になると、うず高く積まれた焚き木に、占星術師によって決められた時刻に火がつけられる。この儀礼は日本のどんと焼きなどと共通し旧年中に蓄積された罪障や凶事を火によって葬り、力の衰えた年を浄化し再生する意味も持っている。

翌日は夜明けとともに無礼講の色水の掛け合いが始まる。通りに繰り出すと、すぐに頭から足元までまるで怪物のように色とりどりの模様に染められてしまう。お互いの顔

ディーの遺徳をしのぶ行事が行われる。

＊2　それぞれの宗教の祭礼が西暦のいつに当たるかは毎年異なる。ネットで検索しても不明な場合は、インド政府観光局に問い合わせるとよい。

＊3　南インドではこの祭礼はポンガルと呼ばれ、ポンガルという甘い乳粥がふるまわれる。

＊4　ヒンドゥー教は伝統的な天文学に従って作成された太陰太陽暦を用いる。ただし北インドと南インドでは月の名称が半月ずれているので注意が必要。新月から満月にいたる半月間を「白半月」または「白分（はくぶん）」といい、次の半月間を「黒半月」あるいは「黒分（こくぶん）」という。また、「ヴァサンタ・パンチャミー」（春の第5日）というように、多くの祭日は、白半月あるいは黒半月の第何日とい

う呼び方をされる。

を見あって大笑いしているうちはいいが、なかには興奮して喧嘩を始める手合いもいる。午前中が混沌であるとすれば、午後は秩序が回復する時である。体をきれいさっぱりと洗い、真新しい衣装に着替えて、親類や知人や先生の家にあいさつに出掛ける。赤い粉を袋から取り出して、吉祥の印として相手の額につけ、「ホーリーおめでとう」という挨拶をかわす。これはいわば年始回りのようなものだ。ホーリーが過ぎると短い春も終わり、4月中旬ころから長い過酷な夏が始まる。

7月ころから始まる雨季が9月初旬に終わりを告げると、快晴の続く秋に入る。この時期は年間でもっとも過ごしやすく、祭りの多い季節だ。インド北部ではクリシュナ神の生誕祭、西部ではガネーシャ神の生誕祭が熱狂的に祝われる。また、南インド・ケーララ州のコーラムという祭りでは、ヴィシュヌ神の化身に打ち負かされた悪魔の王マハーバリが、ヴィシュヌ神の恩恵で年に一度自分が統治していた国に帰還するという祭りがある。

9月から10月にかけて、ヴィシュヌ神の化身であり『ラーマーヤナ』の主人公であるラーマの威徳をたたえる劇ラーム・リーラーがインドの各地で行われる。リーラーとは日本の神楽のようなものである。いちば

02 ホーリー祭を楽しむデリーの大学生。

03

03 バナーラスのラーム・リーラーに集まった数万人の観客。

ん盛り上がるのは、10の頭と20の手を持つ悪魔ラーヴァナを倒す場面で、巨大な張りぼて人形の悪魔に向かってラーマに扮する少年が矢を放つとたちまち燃え上がり、人々は人形がどちら側に倒れるかで翌年の吉凶を占ったりする。

また同じ日には、シヴァ神の妃ドゥルガーが水牛の姿をした悪魔マヒシャに打ち勝った祝いが行われる。ベンガル地方ではとくに盛んで、街角に設けられた祭壇にドゥルガーの神像が安置され、数日間儀軌にのっとった祈りが捧げられたあと、川に流される[*5]。

10月から11月のあいだに、秋の収穫祭にあたるディーワーリーが巡ってくる。これも新年祭の要素を持っていて、数日前から大掃除をしたり、壁の塗り替えをしたり忙しく動き回っているうちに、祭りの気分が高まってくる。2日前はダンテーラスといって、銀製の食器を少なくとも一つ購入する習わしになっている。遠方にいる親戚や友人などにはディーワーリー・カードやメールを送ったりする。1日前（大晦日）は小さなディーワーリーと呼ばれ、日没後に素焼きの灯明皿を家の入口など暗い場所に置いておく。これはヤマ（閻魔）の灯明といい、死を敬して遠ざける祈りが込められている。

＊5　アーシュヴィナ月は多くの祭りが重なる。白半月第1日から秋の九夜祭が始まるが、第6日目にはドゥルガー女神を祀る祭礼も始まる。第10日目は、勝利の第10日（ヴィジャヤダシャミー、別名ダシャラー、ドゥッセラー）と呼ばれ、ラーマ神が悪魔に勝利した祭礼と、九夜祭の打ち上げで予祝儀礼として育てた大麦の芽を川に流す祭礼と、ドゥルガー女神の像を川に流す祭礼が重なる。

翌日の新月の晩がいよいよディーワーリーの大祭で、商人はこれから使う新しい帳簿を並べて供養する。日が暮れると灯明皿を入り口や窓辺、屋上などにできるだけ多く設置する。神話によれば、ラーマが、14年間の放浪の旅を終えて故郷アヨーディヤーに凱旋したのがちょうど新月の夜だったので、人びとが道に迷わないようにと街全体を照らして一行を出迎えたのだという。灯明皿を置き終わると家族が集まって、富と幸運をもたらす女神ラクシュミーと障碍を取り除く神ガネーシャ神の像に祈りを捧げる。祭壇には大麦や豆を入れた素焼きの壺が重ねて置かれ、収穫と豊饒の祈願もされる。このころから街中で花火が上げられ、爆竹が鳴らされる。爆音に驚いて悪魔や不幸、不吉が追い払われるというのである。電灯が消され、灯明と花火に浮かび上がる街のシルエットは、ふだん見慣れた街とはまるで違う幻想的な世界に紛れ込んだ気になる。

ヒンドゥー教にはそのほかにも多くの祭りがあるが、別格なのはクンブ・メーラー（壺の大祭）である。神話によれば世界創造のときに神がみと悪魔が不死の霊液の入った壺を求めて争った。壺は神がみの手に入ったが、悪魔がそれを奪おうと追いかけてきたので、神々の長インドラの息子あるいは霊鳥ガルダが壺を持って飛翔した。逃走する途中で霊液が、ガンジス川上流にあるハリドワール、中流のプラヤーグラージ（アッラーハーバード）[*6]、西インドのナースィク、中部インドのウッジャインの四か所に落ち、そこを流れる川の浄性を高めることとなったという。それらの聖地では12年に一度の大祭がそれぞれ時期をずらして約一か月半開催され、解脱を願う信徒たちが先を争って沐浴する。とくに有名なプラヤーグラージには、2013年の大祭に1億2千万人、2019

＊6　ここはガンジス川とヤムナー川、それに地下を流れてきた（つまり神話上の）サラスヴァティー川が合流する点（サンガム）といわれ、とくにご利益がある聖地と考えられている。

年の12年の中間に行われる陰祭りには2億4千万人の信徒が集まったという。いったいどうやって数えたかは不明だが、いずれにせよ世界最大の祭りであることは確かである。ヒンドゥー教の祭りを書いていたらきりがないので、そのほかの宗教の祭りで印象的なものにも触れておこう。

イスラーム教徒（ムスリム）の祭礼は太陰暦のヒジュラ暦に従う。預言者ムハンマドがメッカへ聖遷した622年を暦元とする。太陽暦とは毎年11日ずつずれていくので、祭日もそれに従ってずれる。ムハッラムは第1月（ムハッラム月）の10日、シーア派の人びとが第3代イマームであったフサインの殉教を追悼する日である。[*7] バーラハ・ワファートは第3月（ラビーウル・アッワル月）12日に、ムハンマドの生誕日であり命日でもある日を記念する。イードゥル・フィトゥルは断食月とも呼ばれる第9月（ラマザーン月）の一か月間の断食明けを祝う祭りで、真新しい衣装で着飾った人びとが礼拝堂に集まる様子はいつ見ても嬉しいものである。そして、イードゥル・アズハーは第12月（ジルヒッジャ月）10日、イブラーヒームが息子を犠牲に捧げることを免れたことを感謝し、代わりに山羊を犠牲にする祭りである。

このほかに、仏教、ジャイナ教、スィク教、パールスィー（ゾロアスター）教、キリスト教の開祖や教祖の生誕祭も盛大に祝われる。インドには「一週間に九日の祭り」ということわざがあるように、まだまだ紹介しきれないほど多くの祭りがある。そのどれもがインドの長い歴史と重層的な文化を反映しているのである。

（宮本久義）

＊7　私の住んでいたバナーラスでは、数千人のムスリムの人びとの行列が真夜中にヒンドゥーの居住区を通り抜けていく。なかには体を鉄鎖で鞭打ちながら進む者もいて壮観なのだが、大半のヒンドゥー教徒はその苦痛の声におびえて家に閉じこもっているので、どのような祭りかを知らない。

インドの主要な祭礼

月の名前は伝統的なサンスクリット語のものに加え、括弧内にヒンディー語およびその姉妹言語で使用されているものを示した。月の順はヒンドゥーの暦の順に従う。

チャイトラ（チェイト）月後半（3月下旬～4月中旬頃）

白半月第1日：ヴァーサント・ナヴァ・ラートラ（春の九夜祭・収穫祭）
白半月第９日：ラーム・ナウミー（ラーマ神の生誕祭）
白半月第15日：マハーヴィーラ・ジャヤンティー（ジャイナ教第24代祖師生誕祭）

ヴァイシャーカ（バイサーク）月（4月中旬～5月中旬頃）

白半月第1日：ヴァイシャーキー（春の収穫祭、スィク教の新年祭）
白半月第15日：ブッダ・ジャヤンティー（ブッダ生誕・成道・涅槃の日）

ジェーシュタ（ジェート）月（5月中旬～6月中旬頃）

白半月第10日：ガンガー・ダシャハラー（ガンジス女神への祭礼）

アーシャーダ（アサード、またはアサール）月（6月中旬～7月中旬頃）

白半月第2日：ラタ・ヤートラー（山車巡行の祭礼）
白半月第15日：グル・プールニマー（師を敬う満月祭）

シュラーヴァナ（サーワン）月（7月中旬～8月中旬頃）

白半月第5日：ナーグ・パンチャミー（蛇神を祀る祭礼）
白半月第15日：ラクシャー・バンダン（兄妹の庇護の絆の祭礼）

バードラパダ（バードーン）月（8月中旬～9月中旬頃）

黒半月第8日：ジャナム・アシュタミー（クリシュナ神生誕祭）
白半月第4日：ガネーシュ・チャトゥルティー（ガネーシャ神生誕祭）

アーシュヴィナ（クワール）月（9月中旬～10月中旬頃）

黒半月第1日：ピトリ・パクシャ（祖先供養の半月）開始
白半月第1日：シャーラディーヤ・ナヴァ・ラートラ（秋の九夜祭）開始
白半月第6日：ドゥルガー・プージャー（ドゥルガー女神への祭礼）開始

カールティカ（カールティク）月（10月中旬～11月中旬頃）

黒半月第15日：ディーワーリー（灯明祭）
白半月第15日：カールティク・プールニマー（秋の満月祭）
白半月15日：グル・ナーナク・ジャヤンティー（スィク教開祖生誕祭）

マールガシールシャ（アグハン）月（11月中旬～12月中旬頃）

黒半月第8日：バイラヴァ・アシュタミー（バイラヴァ神の祭礼）

パウシャ（プース）月（12月中旬～1月中旬頃）

12月25日：クリスマス（キリスト生誕祭）
1月14日：マカラ・サンクラーンティ（旧冬至祭）

マーガ（マーグ）月（1月中旬～2月中旬頃）

白半月第5日：ヴァサント・パンチャミー（春の訪れを祝う祭礼）

パールグナ（パーグンまたはファーグン）（2月中旬～3月中旬頃）

黒半月第14日：マハー・シヴァ・ラートリ（シヴァ神の大夜祭）

チャイトラ月前半（3月中旬～4月初旬頃）

黒半月第1日：ホーリー（水掛け祭り）

コラム 03

「サンスクリット村」を訪ねて

カルナータカ州の州都ベンガルール（バンガロール）から、自動車で6時間のところにシモガ市がある。マットゥール村はその南方に位置し、直近の国勢調査によると人口は３０００人。村人の多くは農業に従事している。ちなみに、私の勤務先がある東京都文京区白山5丁目の人口は２０２１年3月現在で約３８００人である。この小さな村に行ってみようと思いついたのは、あるインド人学者から「インドにはサンスクリットが生きている村がある」と教えてもらったからだった。「インド哲学」の世界が現代にタイムスリップしてきたのだろうか。別のインド人には「行ってもガッカリするだけだよ」とも言われたが、とりあえず行ってみなくてはわからない。

ヤシの林。

シモガからマットゥール村までは路線バスもあるが、自転車で通うことにした。幹線道路の渋滞を通過し、トゥンガ川沿いの道をしばらく走ると周囲は水田とヤシの林である。目指す村には小さな商店や食堂が数軒と、小学校や郵便局もある。集まってきた子どもたちに「僕は日本でサンスクリット語を勉強しているんだ」と言うと、彼らも「名前は何ですか？」「食事はすみましたか？」とブロークンなサンスクリット語を話すのである。しばらく一緒に遊んだあと、村内を探索した。バス通りからトゥンガ

少年ブラーフマンたち。

川にいたるブラーフマン（バラモン）の住む区画には、コンクリート造りの立派な家が並んでいる。川のガート（沐浴場）に少年ブラーフマンたちが集まっていた。小学生から中学生くらいだろうか、ヴェーダ聖典を暗誦しているのである。言い伝えによると、この村は『黒ヤジュル・ヴェーダ』の伝統に属するが、彼らが読んでいるのも『タイッティリーヤ・サンヒター』のカンナダ文字刊本だった。ここではサンスクリット語によるコミュニケーションが可能である。「テキストの意味はわかってるの？」「ちょっとだけね」ということで、ヴェーダに関する教科書的な知識も曖昧だったが、まだ小学生だからやむを得ないだろう。村にはないはずの写本を、師匠の家から持ちだして見せてくれた。先輩たちの進路は、教職、公務員、会社員、あるいは在米のコンピューター技術者など。

村の中心部にあるシヴァ神の祠でプージャーを見学していると、「サンスクリット語を学びに来たのか。それなら会わせたい人がいる」と、あるブラーフマンに連れて行かれた先がサナットクマーラ先生のお宅だった。二人はサンスクリット語で「この日本人は今日シモガに来たらしい。明日にでも彼の泊まっているホテルに行って、ちょっと教えてやってくれないか」「わかった、じゃあ明日の夕方」などと話している。

次の日の夕方、先生はバイクに乗ってホテルに現れた。先生は村で子ども向けの教室を開いているが、シモガでも私立の学校で子どもたちにサンスクリット語を教えているのだそうだ。ホテルの部屋で伝統的な文法の概要を聞き、さらに私の専攻分野に関する著作もあるというのだが、残念ながら私にはカンナダ語は読めない。帰り際には「用があったらいつでも電話しろ」と携帯電話の番号も教えていただき、「プナル・ダルシャナーヤ（また会いましょう）」という決まり文句で一日限りの個人レッスンは終わった。

サンスクリット村の子どもたち。

翌日からも自転車で村に通い、別のパンディットに教えてもらったり、トゥンガ川の対岸にあるホシャハリを訪ねたりした。ここもサンスクリット村で、マットゥールと同じヴェーダ学派に属する。川の水位が下がる乾季には両村は交流するのだそうである。

どちらの村でも、ブラーフマンの多くはシモガ市に通勤して会社員や公務員として働いており、住民がサンスクリット語で日がな学問的な討論をしているわけではない。しかし、私はカンナダ語はまったく分からないが、サンスクリット語でなら意思を伝え合うことができる。初めの予想とは少し違っていたが、「ガッカリ」することはなかったのである。

（沼田一郎）

第Ⅳ部

さまざまな人に出会う

19 ブラーフマン（バラモン）の世界に交わる

――サンスクリット文化を育んできた人びと

バラモン、クシャトリヤ、ヴァイシャ、シュードラという四階級からなるカースト制度のことは、学校の歴史の授業で習ったであろう。この四つの言葉のうち、クシャトリヤ以下の三つはインドに行っても通じるが、「バラモン」という言葉は通じない。というのも、司祭階級の人を指すこの言葉は、漢字の「婆羅門」を日本語のカタカナ表記にしたもので、インドの大部分では「ブラーフマン」と発音するからだ。もともとは「ブラーフマナ」（brāhmaṇa）という古代から使われているサンスクリット語だが、現代のヒンディー語などの発音では最後のaの音が軽く発音されるので、「ブラーフマン」と聞こえる。ということで、本稿ではこの言葉を使わせていただく。

ブラーフマンという人たちがどのような暮らしをしているのか、私の狭い交流範囲ではあるが、お伝えしてみたい。私の留学時代のインド哲学とサンスクリット文学の先生は、典型的なブラーフマンであった。朝起きると「ニティヤ・クリヤー」（日常の行為）といって、トイレと洗面をまず済ます。本来は洗面だけでなく沐浴をするのが本来の決まりである。それがすむと、チャーイとスナックを食べるが、朝食という扱いではない。そのあと、神棚のある部屋に入って小一時間神々に礼拝をする。先生は大学の教授で僧侶ではないので、若い時はそれほど熱心に礼拝していなかったらしいが、50歳を過ぎるころから熱心に行うようになった。

午前10時ころ朝食をとってから大学に行く。帰宅は早い時は午後4時ころで、用事があるときには夜遅くなることもある。いずれにせよ、その間2、3回はチャーイを飲む。夕食は9時か10時、つまり1日2食である。先生の兄と弟はインドの伝承医学アーユルヴェーダの医師（ヴァイディヤ）で、これが本来の家業であったが、先生は大のサンスクリット文学好きで、それが教えられる職業を選んだというわけである。

先生はたびたび戯曲の演出をし、ときには演ずることもあった。私も『ムドラーラークシャサ』[*1]という劇

01 バナーラスの有名な寺院の管長の家で行われた入門式。ブラーフマンは8～16歳のあいだにこの儀礼を行う。

に参加したが、演者は私を除く約30名全員がブラーフマンで、楽師や小道具・大道具担当の約30名も、録音担当のフランス人留学生以外はブラーフマンだった。三か月間の舞台稽古ののち、いよいよバナーラス市で一番大きい公会堂で上演する運びとなった。さてそこで問題が起こった。楽屋で「聖紐（せいちゅう）[*2]」を新しいものに取り換えることになったが、誰かが「宮本君はそもそもブラーフマンではないから、必要がないし資格もない」と言ったのである。聖紐はブラーフマンであることのアイデンティティーの証であるからその通りなのだが、ほかの誰かが「彼は長く我々の仲間として練習してきてサンスクリット語を話すのだから、聖紐を掛けてもよいではないか」と応酬した。楽屋中で侃々（かんかん）諤々（がくがく）の議論が続いたが、先生が入ってきてあっさりとこの問題を解決した。私は王様の官房長官のような老人役で、サンスクリット劇では数少ない上着を着て演じることになっていたので、とりあえず聖紐は必要ないということに落ち着いた。問題が解決したわけではないが、ブラーフマンたちにとってナーヴァスな問題は避けられたわけである。

この仲間とはウッタル・プラデーシュ州の州都ラクナウーの劇場でも公演を行ったが、旅先で供される食べ物を一切口にせず、持参のドライフルーツなどしか食べない友人もいた。ブラーフマンたちは浄・不浄の観念がとても厳しいのである。

ブラーフマンたちが命の次に大切にしているものは、サンスクリット語およびそれによって作られた文化である。サンスクリット語を母語とする人はほとんどいないにもかかわらず、公用語に指定されているのは、この言語が歴史的、文化的にもつ重要性のゆえである。[*3]現代社会ではブラーフマンはさまざまな職業についているが、伝統的なブ

＊1　400年ころに活躍したヴィシャーカダッタ作の王朝物戯曲で、和訳もある。ヴィシャーカダッタ、1991、『宰相ラークシャサの印章——古典サンスクリット陰謀劇』大地原豊訳、東海大学出版会。

＊2　ジャネーウーまたはヤジュニョーパヴィータといい、ブラーフマン、クシャトリヤ、ヴァイシュヤの男子が入門式（日本の成人式にあたる）のあと、左肩から右脇腹にかけてタスキ状に掛ける紐。この儀式をすませた者は「再生族」（二度生まれの者）と呼ばれ、それ以外の人びととの差別化の証とした。

ラーフマンはこの言語を使用する仕事をしている。
ヒンドゥー教全般の優れた知識を持つ人は学僧（パンディット）と総称される。彼らはお寺に常駐しているわけではなく、何かの儀礼や説法を依頼された時にそれを請け負う。大学でインド哲学を教える教授や、司祭を養成するサンスクリット学校の先生たちも含まれる。[*4] お寺には礼拝や信徒の応対をする寺僧（プジャーリー）と、彼らを取り仕切る管長（マハント）がいる。また、祖先供養などを請け負う儀礼僧（プローヒト）たちは、近隣の村のお施主さんが来た時に、お寺の境内や川辺など浄らかな場所を選んで法事を行う。日本でいう過去帳を持っているのも大体この人たちだ。

さらに、巡礼案内僧（パンダー）と呼ばれる人たちがいる。彼らは巡礼宿を持っていて、村からくる顧客を駅やバスターミナルに迎えにゆき、巡礼宿に泊めて儀礼僧のところに連れていく。私のインド留学時代の下宿の大家さんがこの仕事をしていたが、村人の要望に次々に答える様子は、まるでホテルのコンシェルジュのようであった。ブラーフマンのなかでの地位的には下の方だが、巡礼者がよくお世話になるのが沐浴場（ガート）にいる僧（ガーティヤー）

02 サンスクリット語の写本に囲まれて研究するブラーフマンの大学教授。

＊3　インドには連邦公用語のヒンディー語と準公用語の英語、さらに22の指定言語（ヒンディー語は重複して数えられる）があり、サンスクリット語はその一つ。
＊4　「パンディット」という言葉はブラーフマンの同義語として使われることもあるが、彼らをからかったり、ときには軽蔑するときにも使われるので注意が必要である。

03 ヴェーダ聖典の朗詠の仕方を弟子に教える儀礼僧。

である。彼らは簡単な儀式しかしないが、沐浴をする人たちの着替えや履物の番をして、沐浴が終わって帰って来ると、額に吉祥の印である赤い粉を付けてマントラを唱えてあげる。財布や高価な腕時計を預けても安心できるほど、巡礼者から絶大な信頼を得ている。

儀礼にたずさわる聖職者以外では、占星術師（ジョーティシー）やアーユルヴェーダの医師、[*5] お祭りのときなどにお寺に招かれてヒンドゥー教の功徳などを語る説教師（ヴィヤース・ジー）がいる。私の留学時代の仲間の一人は儀礼僧だったが、稼ぎ口があまりないというので、練習して説教師になった。そうしたら途端に儲かるようになり、今では毎回300名近くの聴衆を集める売れっ子の説教師になった。日本人にちょっと驚きなのは、料理人にブラーフマンが多いことである。伝統的なヒンドゥー社会ではカーストの異なる者との会食は避けるべきで、もし一緒になった場合でも、上位カーストの者は下位カーストの食べ物を受け取れないという考えがまだ残っている。それゆえ、レストランなどではブラーフマンが調理すれば、だれにでも料理を供することができるというわけである。

出家遊行者は皆がブラーフマン出身というわけではないが、多いのは確かである。出家遊行者のことを「サンニヤースィン」（隠遁者、放擲者）とか「サードゥ（サードゥー）」

＊5　アーユルヴェーダの医師はブラーフマンである必要はない。ただし、古代に記され、今も参照される医学書を読むためにはサンスクリットの知識が必要である。

マンの出自を持つ者だけが名乗れると主張する。

ヒンドゥー教徒が出家をするときは、藁人形を燃やして自分の葬儀を行う人もいる。彼らはもう死んでしまった人と同じなので、ヒンドゥー教徒が守るべき儀礼や巡礼などをする義務もなくなるはずなのだ。それなのに、まだ連綿と捨てたはずのカーストにこだわっているとは、私に言わせれば執着のかたまりとしか見えない。出家者が亡くなると荼毘に付すことはしない。もう葬儀を済ませているからだ。多くは聖なる川に運んで行って、重しになる石を結び付け、礼拝しながら投下する。あるいは土葬をする場合もある。いずれにせよ、出家するからにはこのくらいの覚悟を持って残りの人生を過ごしてもらいたいものだ。

ブラーフマンや上位カーストの人たちは、古来、輪廻や解脱などさまざまな価値観を生み出してきた。文学や音楽や舞踊の分野などでも創り手になったりパトロンになったりして支えてきた。と同時に、とくにブラーフマンはカーストという身分差別のシステムの最上位に立ち、その存在自体でそのほかの人たちを見下し、圧倒的に抑圧してきたことも確かである。輪廻という思想でさえ自業自得の範疇を超えて、出自による身分差別を肯定してきた側面もある。カースト制の非難にさらされる今日、彼らはヒンドゥー文化を伝承してきたという自負を徐々にではあるが失いつつある。私の友人のブラーフマンたちはそのことに気付きつつも、サンスクリット文化を手放すことはできず、これからも長い斜陽の日々を送るのかも知れない。

（宮本久義）

20 ダリトの世界に交わる

――名を問われる、名を名乗る

「あなたの名前は何ですか?」

この問いかけを、どのように思われるだろうか。通常の、ごくありふれた挨拶言葉と感じる人もいるだろう。しかし、インドという社会状況において考えた場合、この問いは、単に呼称を尋ねる以上の、まったく異なる重みを含む問いかけと同義となる。すなわち次の問いである。「あなたのカーストは何ですか?」

往々にしてインド社会と不可分に語られるものに、「カースト」なる言葉がある。そして日本でも流布しているカーストをめぐる言説の一つに、「名前を知ると、その人のカーストが分かる」というものがある。この言説を、根も葉もない間違いと言い切ることはできない。なぜならインドでは、通常、人びとの「姓」は「カースト名」から来ているからである。つまりインドでは、名前を尋ねることは、すなわち、カーストを尋ねることにつながる所作となるのである。

もうひとつ、カーストをめぐってよく知られていることに、カーストが、人びとを位階的に関係づける社会身分制度としての側面を有するということがある。これもまた、決して誤りではない。カーストが、多分に創られたものであるとする背景を少し置いても、その内包する階層性は否定すべきものではない。ここから、「他者の名前を問う＝カーストを問う＝位階的関係性を問う」という図式ができあがる。このようにみれば、「名前を問う」ことの暴力性が明白になるだろう。そしてその暴力性は、とくに社会的に下層にあるとされる人びとに、如実にふるわれることになる。ダリト[*1]（「不可触民」）とされる人びとにおいて、特に強くあらわれるのは、それ故である。

ところで、ダリトと聞いて、どういった人びとを、またどういった生活を想像されるだろうか。苛烈な被差別状況に暮らす人びと、虐げら

01 自宅の前でドーラク（両面太鼓）を奏でる男性。ウッタル・プラデーシュ州V村にて（2005年4月）。

*1　ダリト（Dalit）「不可触民」とされる人びとの自称として、解放運動において用いられ、流布してきた呼称。「抑圧された者たち」という意味を持つ。「不可触民」／ダリト／指定カーストは、ほぼ同じ人びとを指す語として考えられる。

れ、忌避され、貧困にあえぎながら、どうにか日々を生き抜く人びと……。長く押しつけられてきた、そのきわめて一面的で差別的な名付け――「不可触民」――から、こうした姿を思い浮かべるかもしれない。確かに、グローバル化と著しい経済発展が叫ばれるインドで、いまだ過酷で厳しい生活状況にある人びとが間違いなく存在していることを、そして、ダリトとされる少なからぬ数の人びとがそうした現況にあることを、決して看過することはできない。しかし一方では、自由主義経済や経済発展の波に乗って、また、留保制度（社会的後進階層に対する差別是正制度）の恩恵を受けて、生活状況を向上させているダリトたちがいることも、現実としてある。

しかし、こうした両極のイメージで語られる姿だけが、ダリトの人びとの姿すべてであるわけでは、もちろんない。むしろこれらを両極に、そのあいだで多彩な様相を見せているのが、ダリトとされる人びとであると考えられよう。そこで以降では、「名前／カーストを問われること」、そして「名前／カーストを名乗ること」という行為に焦点を当てつつ、私が接した彼らの姿の一端を描いてみたい。

年の瀬が迫った12月のある日、私が住み込んで調査を行う村に、近郊の町の大学から、「奉仕活動（Sevā Camp）」という名目で、多数の大学生が訪れた。彼ら／彼女らは、数日

02

02 カート（簡易ベッド）の上ですます子どもたち。ウッタル・プラデーシュ州V村にて（２００９年３月）。

のあいだ、村の道路の整備や村落内各戸の訪問など、定められた諸活動に従事していた。私や村の若者たちは、それらの活動をそばで見学しつつ、教員や大学生たちとの雑談に花を咲かせていた。

そうしたなか、ある時、村の若者アミット（仮名）と大学生の一人のあいだで、話が盛り上がることがあった。アミットは、「改宗仏教徒」、つまりダリトとされるチャマール・カーストに出自を有している。これら両者それぞれの近しい親族が、同じ村に居住していることが判明し、その村の話題でひとしきり会話が続いていた。共通の知人の名前が出るなどし、強い親近感を覚えた大学生は、アミットに次のような問いを投げかけた。

「じゃあ、君もチャーギーか？」[*2]

それを受けたアミットは、一瞬返答に詰まったのち、次のように答えた。

「いや……ＳＣだ」

想定外の返答を受けた大学生は、こちらも少しの間をおいて、「何の問題もない（コーイー・バート・ナヒーン）、チャーギーや、ＳＣや、パンディットや……」と返し、両者の間で握手が交わされた。（２００５年12月29日、ウッタル・プラデーシュ州Ｖ村にて）

ここでアミットが、自らの属性の名乗りとして、仏教徒ではなく、またカースト名であるチャマールでもなく、「ＳＣ」という呼称を選んだことは、注目すべきことであろう。ＳＣとは「指定カースト（Scheduled Caste）」のことであり、留保制度との関係におい

＊2　北インドにおける有力カーストの一つ。

03 家の中でふざけ合う子どもたち。ウッタル・プラデーシュ州V村にて（2009年3月）。

て、ダリト、あるいは元「不可触民」とされる人びとを範疇化するカテゴリー名である。つまり、多分に行政用語であり、ゆえに比較的ニュートラルな、差別／被差別や抵抗／主張といった含意の薄い名称であると捉えられている。アミットは、おそらく、大学生とのあいだに築かれ始めていた親密な関係性を壊さないように、SCとの名乗りを行ったものと考えられる。

私がインドを旅していた時に抱いた感想として、よく名前を聞かれたということがある。そしてその後、インドで調査をするにあたって、思ったよりも頻繁にカーストを尋ねられる（日本人の私に対しても）という強い印象がある。これはまたインドの人同士にも見られ、カーストを尋ね合う、あるいは確認し合うという姿が、稀でなく観察された。[*3]

名前／カーストを問い、問われることは、先に述べたように、名前／カーストが、人びとの関係性を規定するほどの強い影響力を有しているという社会状況のなか、きわめて重要な意味を持つ。つまり、いま現在相対している相手の名前／カースト＝その人の社会における位置が分からなければ、どういった関係性を築けばよいのか（築いてよいの

＊3　このような傾向があるとはいえ、「外国人」である私たちが、不躾に相手のカーストを尋ねることは避けるべきである。カーストに関しては、きわめてセンシティブな問題であることを認識しておく必要がある。

か）分からないという怖れを、人びとは抱くのである。これはまた翻って、とくに社会の下層に位置するとされる人びとにとっては、自分の名前／カーストを知られることによって、相手との関係性が大きく規定されてしまう、時に、良好な関係性が築かれている状況を破綻に導いてしまうという怖れにつながる。

名前／カーストを問うことは、すなわち、相手との距離感をはかり、見定め、いかなる関係性を築いていくかと試みる、振る舞いの第一歩なのである。

「旅する」とは、詰まるところ、「人と出会う」ことであると考える。すなわち、多数の、また多様な背景を有する人びととの出会い方、接し方、つきあい方、そして別れ方が、その人の旅物語をかたちづくるものとなっていこう。

"What is your good name?"（あなたのお名前は何ですか？）

あなたもまた、インドを旅する過程で、数多、同様の問いかけをされるだろう。この問いが、上述してきたようなインドの人に対する問いかけと同様の意味を持つとは考えない。しかし、単純な質問以上の含意があるこの問いに、いかに答え／応え、またいかに会話をつないでいくか（あるいはいかないか）は、あなたと相手との距離感／関係性を決定し、またその後のあなたの旅を、そしてあなた自身をも左右していくものとなっていくだろう。

（舟橋健太）

【参考文献】

・アナンド、M・R、１９８４、『不可触民バクハの一日』山際素男訳、三一書房。
・キール、ダナンジャイ、２００５、『アンベードカルの生涯』山際素男訳、光文社新書。
・小谷汪之、１９９６、『不可触民とカースト制度の歴史』明石書店。
・山崎元一、１９７９、『インド社会と新仏教——アンベードカルの人と思想』刀水書房。

21

周縁の民ヒジュラーとの出会い

――タブーの境界線をまたぐ

インドを旅する誰もが、見ず知らずのフレンドリーな笑顔に騙され、あとから悔しい思いをした経験があると思う。そんな時に、私利私欲なく無償で助け舟を出してくれる人と出会うと、心が洗われる思いをする。このような両極端な出会いを一度の旅で経験できるインドに衝撃を受けた大学生の私は、再びインドを訪れてみたい、そして彼らの生活に直に触れてみたいという思いに駆られ、インドのグジャラート州にある大学に留学することを決めた。

留学を終えたあともグジャラートと係わり続けたいと思った私は、今度はヒジュラーとして知られる人びととの出会いを求めて再びグジャラートを訪れた。半陰陽とも紹介されるヒジュラーであるが、その大半は男性として生活してきた過去をもつ。グジャラートでは、男性がヒジュラーとなるのは、女神の命が下ったためだと言われ、女神の帰依者になると決まった時点で、女神の衣装のサーリーを纏い、そして、去勢儀礼に臨んで男性としての生を断つ。己の親族との紐帯を断ち、女神の名の下に乞食を行うヒジュラーに対して、世間一般の人びとはあまり良い印象を持たず、極力避ける傾向にある。そのためか、留学時代の私の知人や友人たちは、ヒジュラーの居場所を知らなかった。知る必要もないのだろう。

ヒジュラーと出会うきっかけを模索していたところ、ヒジュラーに関する研究を先駆けて行ったアメリカの人類学者セレナ・ナンダの民族誌にヒントをみつけた。彼女はグジャラート州のヒジュラーと出会うために、バフチャラー女神の寺院を訪れていた。私もその寺院でヒジュラーと接触することに決めた。

バフチャラー女神寺院を初めて訪れたのは２０００年の11月のことだった。知人の伝（つて）で、寺院のすぐそばに住む人物と知り合いに

01 バフチャラー女神寺院の壁画。

なったが、その人物は、当時地元の学校長を務めていたブラーフマンの男性であった。その男性に案内されて寺院に入ると、参詣者に向かって言祝(ことほ)ぎをする数人のヒジュラーの姿を目にした。神殿の外壁にもたれ、地べたに座っているヒジュラーに近づくや否や、ブラーフマンの男性は、一人の人物に向かって「ミーナー」(仮名)と呼びかけた。しかし、話をすることなく、その場に突っ立ったまま見下ろしていた。ヒジュラーと距離を置く男性を横目に、私はミーナーと呼ばれた人物のもとに駆け寄り、ミーナーと目線を合わせるためにその場にしゃがみ込んだ。ヒジュラーと出会えたことに私は高揚していた。グジャラート語で語りかけ、貴方はどこから来たのか、いまどこに住んでいるのかと、色々と質問を投げかけてみた。ミーナーは淡々と質問に答えてくれたが、私という存在に関心を示すことは一向になかった。しばらくその場で粘ってみたが、そのうち別のヒジュラーが私に対する苛立ちを露にして迫って来たので、私は追い払われる前に、自ら退散することにした。

　ヒジュラーと接触することには成功したが、ブラーフマン男性を介した出会いからは何も生まれなかった。その原因は、私がブラーフマン男性の客人と見られたせいだとあとで気がついた。ブラーフマンという高カーストの男性は、学校長としての地位や名誉もある人物で、その男性からすれば、ヒジュラーとして生きる者は世俗の規範から逸脱した周縁の民である。ヒジュラーの側もそのような村社会の階層を認識しており、それに抗うことなく彼らと距離をはかりながら共存している。女神寺院では女神の帰依者と認められるヒジュラーであっても、村社会では一住民であり、村の秩序を壊すような行為は決して行わないのである。互いに顔を知る仲でありながらも、決して交わることのない隣人関係にあるとは知らず、私はブラーフマン男性の客人という地位を自ら引き受けてしまった。そのため、初対面での私の意気込みは空回りで終わってしまった。

アプローチの仕方に失敗の原因があったと反省した私は、今度は一人で村の簡易宿泊所に滞在し、ブラーフマン男性との縁故を断って、一からヒジュラーとの関係を築くことに決めた。たった一度とはいえ、お世話になった男性のことを無視するのは気が引けたため、彼のお宅に電話を入れて自分が村に滞在していることを伝えた。直接出向いて挨拶をしなかったことは誠意に欠けた態度であり、罵られても仕方ないと覚悟していた。できれば顔を合わせたくなかった。しかし、女神寺院で鉢合わせになることは避けられなかった。幸いなことに、寺院で男性と出会ったときには二言三言の挨拶のことばを交わすだけで済み、気まずい雰囲気にはならなかった。

胸のつかえが取れた私は、寺院の境内を自由

02 バフチャラー女神寺院の境内の様子。

03 男子の人生儀礼のために女神寺院を訪れた母と子、そしてその男子に恩寵（おんちょう）を与えるヒジュラー。

に歩き回り、ヒジュラーの方から声をかけてくる機会を待つことにした。その機会はすぐに訪れ、暇を持て余している新参のヒジュラーからはよく声をかけられた。物珍しそうに鞄の中を覗かれても嫌がらずに、彼らにされるがままであった。そうこうしていると、私はヒジュラーからチャーイや昼食をごちそうになるのがあたりまえとなり、また、彼らが陣取る場所に長居しても、古参のヒジュラーから邪魔者扱いされることもなくなった。

そんなある日のこと、私が新参のヒジュラーと戯れていると、例のブラーフマン男性の妻の方が寺院に姿を現した。その女性からは、これまで何度も家に来るようにと執拗に誘われていた。鬱陶しいと感じていた。数メートル離れたところで、こちらをじっと見ている彼女の存在に気がついた。私は嫌な予感がした。彼女は怪訝そうな顔つきで私に近づき、「一緒に来るか」と声をかけてきた。案の定私に断られると、彼女は私のことを睨み続け、しばらくその場から離れなかった。さらに、寺院の警備員に向かって私の経歴について知ることすべてを言いふらし、通りすがりの参詣者も仲間に加えて、ヒジュラーのもとから離れない外国人を観察し続けた。私は小さく縮こまるようにして、群衆らの目線にじっと耐えていた。彼らが退散したところで、チャーイを飲むか、とヒジュラーから声をかけられた。硬直してしまった私のことを見るに見かねたのだろう。

その日の出来事以来、ブラーフマン男性の妻は私の前に姿を現さなくなった。そして、ちょうどその頃から、私はヒジュラーの家で寝泊まりするようになっていた。村の周縁部に位置するヒジュラーの家には、常に人の出入りが見られるが、下働きの女性や、家の一部を間借りする家族、そしてヒジュラーの仲間など、日頃係わり合いを持つ者に限られていた。誰もが気軽に立ち寄るわけではなかった。近所には寺院関係者も住んでいるが、彼らの奥さんや子どもたちがたまに使いとしてやって来るくらいである。男性の訪問者は比較的少ない。ヒジュラーとして生きる者たちの村内部における人間関係は、時間をかけて、ようやく辿り着いた先で初めて見えてきた。

ヒジュラーの仲間に入るために、良くも悪くもさまざまな出会いを経験したが、それは、まるでタマネギの皮むきのように、一つの終わりが次の始まりへとつながっているようなものだった。村内部を分節するタブーの境界線をまたいでしまい、ブラーフマン女性の怒りを買ってしまったが、彼女から見た異端の側に、私は自分の居場所を見つけた。そして、今では、村の中を一人で歩いても、外国人という理由で嫌がらせを受けることはなくなった。それは、ヒジュラーの人びとが私の身元保証をしてくれているためである。

（國弘暁子）

22 ストリートから考える

――交わり、出会い、誘われる原インド的空間

灼熱、埃、牛、物乞い、神々、カレーにチャーイ……実はわれわれが想像する「インド」を構成するもののほとんどは、インドのストリートに由来している。実際私の「インド」も、南インド、タミル・ナードゥ州の州都チェンナイのストリートから始まった。

約20年前、初めて降り立ったチェンナイで、私は「ジプシー」（インドから世界各地に離散したとされているエスニック・マイノリティ）と呼ばれる人びとを探していた。マドラス大学の学生たちが連れて行ってくれたそこは、大学と私が滞在していた安宿をつなぎ、海岸へ続くストリートであった。そのストリートで野宿していたヴァギリと名乗る人びとは、マレーシアへ出稼ぎに行くためにパスポートの発給を待っていたのだ。当時現地の

言葉もわからないまま、学生たちとヴァギリたちと一緒にストリートで撮った写真が、私のその後の人類学的な探求の出発点となった。このときヴァギリが戸外でふるまってくれたマンゴーカレーの味は、今でも忘れられない。

ヴァギリは、北西インドからインド各地に離散し、狩猟採集や行商を営みながら移動生活を続けてきた人びとである。インドには、彼らのようにコミュニティ（カースト）単位で移動を生活の一部としてきた人びとが約７７００万人ほどいるといわれている。その多くは現在は定住しておりヴァギリも例外ではないが、今なお1年の3分の1以上、生計を立てるために移動生活を送っている。移動先で滞在するのはストリートやそこに隣接する空き地である。ストリートは彼らが作る首飾りや生活雑貨、狩猟採集によって得た動植物を原材料とするお守りや民間薬を売る場所でもある。彼らはインドのストリートを生業の場とする大道商人だが、１９９０年代中頃から、彼らは在外インド人が住む海外でも行商を行っている。彼らの生活空間であるストリートは、海の向こうにも続いているのである。

ストリートで生活するのはヴァギリのような商業移動民ばかりではない。最初に私が泊まった安宿の前にたむろし、外国人観光客に物乞いをしていたのは、貧しい子どもたちであった。たいてい外国人観光客は彼らに辟易

01 通りでくつろぐヴァギリたち（タミル・ナードゥ州チェンナイ）。

とし、一抹の罪悪感とためらいとともに硬貨を握らせたり足早に立ち去ったりするのだが、私はどうにか彼らとコミュニケーションをはかろうと試みた。ストリートを遊びの場にも一種の生業の場にもしている彼らに興味があったのだ。そうこうしているうちに、親しくなった彼らのリーダー格の少女に「シーター（スィーター）」（ヴィシュヌ神の化身であるラーマの妻）という名前をもらうことになった。インドでは神の名前の人名は多いが、ストリートは私の命名の場となった。

盗難の危険を考えて、インドにトラベラーズ・チェックを持っていく旅行者は多い。しかし、トラベラーズ・チェックは銀行や換金所で現金に換えなければ使用できない。初めてインドに降り立ったころ、手持ちの現金がなくなり、開店前の銀行の前で空腹を抱えて座り込んでいたことがあった。そこへ銀行員の男性が出勤してきて、私に声をかけてくれた。「開くのはまだ先だよ」。それを聞いてがっかりしている私を、彼は自分の家に連れて行き朝食を食べさせてくれた。初めてのプーリー・マサーラー（スパイスで味つけされたジャガイモが入った南インドの揚げパン）だった。カレーしか知らなかった当時の私にとっては衝撃的なおいしさで感激していると、男性の母親が息子に疑問を投げかけた。笑いながら彼は私に通訳してくれた。「彼女に何か問題があるのかい？だって。手で食べないからさ」。当時の私はまだ手で食事をすることに慣れておらず、できるだけ手を汚さないように食べていたのだった。今では懐かしいそんな出会いも、ストリートで生まれたものだった。

ストリートの出会いはいつも友好的なものとは限らない。チェンナイのにぎやかな通りを歩いていると、男性がニコニコと笑いながら近づいてきたことがあった。「こんにちは。あなた、仏教徒でしょう？　私もなんですよ」。そう日本語まじりで告げる男性はスリランカ出身だという。仏教の故郷として日本人には受けとめられがちなインドだが、今日のインドに仏教徒は驚くほど少ない。しかしタミル・ナードゥ州に近い隣国のスリランカは、人口の7割が仏教徒の国なのだ。日本語と「仏教徒」という言葉に導かれるように、まだインドのことをよく知らなかった私は、彼に誘われチャーイを飲みに行くことになった。しかし、ストリートに数多あるチャーイの店ではなく、薄暗いレストランの奥へ奥へ、彼は入っていく。不安になった私は「帰ります」と告げて急いで店を飛び出した。あとを追いかけてくる男性。私は覚えたてのタミル語で叫んでみた。「ポー！（行ってよ！）」「なんで（タミル語を）知ってるんだ？」驚く彼を尻目に私は必死に逃げたのだった。向こうから話しかけてくる相手には要注意！とは、インドに限らず外国旅行時の鉄則だろう。しかし、インドで出会う表情豊かな人びとの意図は、思いのほか読みとりやすくもある。

インドのストリートの醍醐味は、日本では見かけなくなった遊行者や大道芸人、占い師といったストリートで生業を立ててきた人びととの出会いにある。日本でもかつては門づけとして人びとの家々にやってきていた「異人」に、インドでは日常的に遭遇できる。大道芸も占

02 ヘビ使い、カールベーリヤー（ラージャスターン州ジャイプル）。

いも、コミュニティ単位で代々行われてきた生業だ。そして、ストリートで出会う「異人」たちに、人びとは呪的な力や畏怖の念を抱いてきた。タミル・ナードゥ州の占い師ナイカンは、カーリー女神の力で占いや呪術に従事してきた。各地を移動しながら占いをしないとカーリーの罰がくだるとして、彼らは現在も家々を回る。ラージャスターン州でヘビ使いに従事してきたカールベーリヤーは、みずからをジョーギー（修行者）と名乗り、シヴァ神の使いであるヘビの見世物をしたり、相手の耳から呪術的に虫を取り出して見せたりして托鉢を乞うてきた。同じくラージャスターン州の手品師コミュニティであるマダーリーによると、彼らが現在より頻繁に移動していたころ、ストリートでカールベーリヤーのような別の移動民コミュニティと出会うと、隠語の名称で呼び合ったり情報交換したり、見世物用の動物を調達しあったりしていたという。ストリートにはストリートのつきあいや助け合いがあるのだ。1972年の野生生物保護法発令以来、インドで動物の見世物に遭遇する機会は激減したが、アクロバティックな軽業芸を見せるナートや自らを鞭打って托鉢をするチョーラカーのように、人を見せる／に魅せられる機会は相変わらずだ。

人、動物、神、ものが交わり、聖と俗が混淆し、あらゆるところに通じるインドのストリート――それはすべての始まりの場所なのである。

（岩谷彩子）

03 軽業芸を披露するナート（ラージャスターン州ジャイプル）。

23 チベット難民との出会い

――ダラムサラへの誘い

多くの人がチベットと聞けばダライ・ラマを思い浮かべるだろう。そのダライ・ラマとともにインドで暮らす10万人ほどのチベット人がチベット難民である。デリーのマジュヌカティラからバスで十数時間揺られると、避暑地ダラムサラのマクロード・ガンジに辿り着く。この地は1950年代以降、政治的な理由で祖国を離れて暮らすチベット難民が亡命政府を設立した仮の首都である。ビルや木々のあいだにかけられた5色の旗（ルンタ）や仏教寺院、そしてそこで暮らす人びとが作り出す景観は、ほかのインドの街並みとは大きく異なっている。

マクロード・ガンジは、1960年以降ダライ・ラマ14世らチベット難民が暮らす標

01夕暮れ時に賑わうツグラカンの入口。

高１８００メートル前後の山間の町で、ダライ・ラマの存在もあって多くの観光客が訪れる。私がこの町を初めて訪れたのは２００２年、初めてインドを訪れたのと同じ年である。デリーの喧騒に疲弊した私がここで出会ったチベット難民の人びとは、日本人と顔立ちが近いこともあって親近感や安堵の感覚を与えてくれた。食事にしても、蒸し餃子モモやチベット版うどんと呼べるトゥクパなど、カレーのイメージが先行するインド料理とは異なったものが売られている。町を行けば、私たちのような海外からの観光客、インド人観光客や地元のインド人はもちろんのこと、そこかしこを行きかう赤い僧衣に身を包んだチベット人の僧侶や尼僧、道行く人びとをぼんやり観察する俗人の若者たち、人懐っこい表情の中年のチベット人女性が路上で土産物を売っている姿を目にすることができる。私がマクロード・ガンジで初めて目にしたこれらの風景は、20年ほど経過した現在では、インド政府によるスマート・シティとしての認可やインド人観光客の増加、そして２００８年以降のチベット難民の新規の流入の減少および海外への継続的な流出によって多大な変化をこうむっているものの、今でも目にすることができるものであろう。

この小さな町には、チベット難民が1960年から築いてきた歴史が凝縮されている。たとえば、ダライ・ラマ・テンプル（ツグラカン）やダライ・ラマの住居は、チベットとカシュミール間を行き来していたイスラーム商人や難民の人びとが建設したといわれている。難民の彼らがこのような「箱もの」を仮の住処であるインドに建てる決断をなすということは、チベットへの帰還が容易ではないと受け入れたことを示している（ちなみに、マクロード・ガンジへの移住当初、ダライ・ラマは植民地期の地方長官の公邸、現在の地域登山センターを仮の住まいとしていた）。ツグラカン方面に夕方足を運べば、僧院の前庭で問答を繰り広げる僧侶や、リンコルと呼ばれる小巡礼コースを周回する人びとに出くわすが、彼らが日常的に行っているこれらの所作を支えているのは、今では公に語られることの少ない歴史を伴った建築物群である。

また、中心地から15分ほどダラムコットに至る山道を行けば、チベット難民芸能集団（Tibetan Institute of Performing Arts, 以下、TIPA）の施設に辿り着く。亡命政府最初の機関であるTIPAは、チベットの伝統芸能を難民社会において今日に至るまで保持してきた。海外からの支援に大きく依拠しながら1959年以来活動するTIPAは、それ自体チベット難民社会の歴史と現在の姿をそのまま映し出す存在である。チベット難民は、二つの点で国際社会に大きく依存してきた。まず、チベット問題の解決に対する支援である。中国に対する自らの主張の正当性を示すためにチベット難民は国際社会に支援を求めてきた。とはいえ、国際社会の中でチベット亡命政府を認知しおおっぴらに支援している国家は存在しない。二点目は経済的な支援である。自活しようと努力する一方で、チベット難民はその生存基盤のかなりの部分を欧米や日本などの支援者からの寄付に依存してきた。現在のチベット難民とマクロード・ガンジを取りまく歴史と景観は、国際社会との関係性から生み出されたものである。

以上のような背景を持つチベット難民だが、若者たちの多くが最新式のスマートフォンを手にし、着飾って町を闊歩する姿は、難民という言葉が示唆するイメージとは似つかない。難民としてインドに居を構えてすでに60数年が経過する現在では多くの若者が大学に進学し、高学歴化が進行している。このように彼らの生活水準が向上するそばで、その恩恵を被れない地元のインド人のなかには面白く思わない人びともいる。彼らは時にチベット難民といざこざを起こし、緊張をもたらす。こうした緊張が極端な形をとると、１９９４年にマクロード・ガンジを襲った難民排斥暴動のような衝突に至ることになる。地元のインド人との摩擦は、一定程度豊かな日常生活を享受しているチベット難民に、「難民」という政治的に不安定な地位を圧倒的な形で彼らに突き付ける。

また、生活水準が向上し、時に過剰に海外からの援助を消費しているチベット難民に批判的な観光客や支援者も存在する。かくいう私も、寄付金を本来の目的と異なった形で消費・着服し、個人的欲望を満たす人びとの姿を見て批判的な態度をとったこともあり、彼らの所業を非難する人の言い分も理解できる。しかしながら、援助を命綱とせざるを得なかった難民という彼らの地位が、「非難する我々／非難されるチベット難民」

02 マクロード・ガンジの中心地で寄付を呼びかけるチベット難民とそれを見る僧侶たち。

という構図自体を生み出している現状を私たちは看取しなければならない。何より、チベット難民を翻弄してきたのは、チベットを外交カードとして使う欧米諸国やインドといった国々と中国の間でのパワー・ゲームや、チベット人を精神的存在として理想化してきた西洋や各国からのまなざしであり、それが彼らの歴史の一端を構成している。いわば、国際社会に都合よく使われてきた歴史がチベット難民にはある。私たちが出会うチベット難民は、実際の亡命を体験しているにせよ、難民としてインドに生を受けたにせよ、1959年以降のこのような複雑な歴史と、それに起因する不安定な地位を否応にも背負わざるを得ない。

とはいえ、これらの事実から「かわいそう」「チベット独立を支援しよう」という視点だけで彼らを見るのもまた違うと私には思える。個々のチベット難民は、こうした枠組みに収まりきらない日常を生きているし、むしろこのような実態を知らずに外部から人びとが自分たちの望む枠組みにチベット難民を押し込むからこそ、先のような非難が発生するのではないか。ここで、私たちが彼らと自分たちを区別する基準が何なのか考えてみる価値はあるだろう。だから、彼らとこれから出会う皆さんには、まずは実際のチベット難民と語り、関係性を築くなかでゆっくりと自らの考えを育んでほしい。彼らとの具体的な関係性を通して、政治的理念先行の関係形成や金銭的支援ではないチベット難民との関わり方が生まれるかもしれない。これまでとは違った、来たるべき世代にのみ可能な関係の作り方もまたあるはずであり、それはこれからチベット難民と出会う皆さんだからこそ可能なことなのかもしれないのだ。

（山本達也）

24 インドの入れ墨との出会い

——女たちの魂を守るもの

インドで入れ墨に出会ったのは、もう20年以上前のことになる。マディヤ・プラデーシュ州（現チャッティースガル州）のビライという町で行われた先住民のシンポジウムで、バイガという先住民の入れ墨を見たのが、私がそれに興味を持つきっかけであった。その時の様子は今でもはっきりと覚えている。

「それ、きれいね。なんていうの？」「ゴードナーよ」と肌に付いた埃をはたきながら、バイガの女性が入れ墨を指差した。「どうしてみんな彫っているの？」という私の質問に、彼女たちは口をそろえて答えてくれた。「女にはなくてはならないものなのよ。それに死んでからもついて来てくれるのは、入れ墨だけ。他のものはぜんぶ取られちゃうけれど、入れ墨だけがあの世までついてきてくれるの」

それは私にとって衝撃的な出会いだった。生と死、肉体と魂という越え難い壁を軽々とをすり抜ける魔力を持った「入れ墨」という存在に一瞬で魅了された。

見せてもらうと、バイガの入れ墨は、腕ばかりではない。額、首、胸、背中、手、足とほぼ全身に入れている。ただ入れ墨を入れるのは女性だけで、男性は彫らない。以来私は、バイガほど全身に入れ墨を入れる人たちに会ったことがない。

バイガがなぜ入れ墨を彫るのか、それは女性たちが言っていたように「女の印」であり「魂をあの世で守ってくれるもの」であり「チンハーリー」になるからだという。「チンハーリー」とは「印となるもの」を意味し、その部族のアイデンティティーになるということだ。

具体的にバイガの入れ墨を見ていくと、彼女たちの暮らしが垣間見えるのが面白い。たとえばバイガの女性が最初に入れる入れ墨は、「チュールハー」と呼ばれる額に彫る竈（かまど）の入れ墨だ。V地マークに火の粉が飛んでいるかのようなドットをあしらった意匠。女性であれば一生、その場所から離れることはないから最初に彫るのだと、バイガの女たちは教えてくれた。

その入れ墨を彫るのは、村々を転々と移動する彫り師のバーディーと呼ばれるジャーティの女性だ。バイガの女性たちに比べて、したたかでいかにもクレバーな空気を放っていて異部族の中で生き抜くために、知恵をどれだけ蓄えてきたか、そんな人生の辛苦を漂わせる女たちだ。

01 入れ墨を額に入れたバイガの6～8歳の女の子たち。最初に彫るのは「チュールハー」と呼ばれる竈の入れ墨。

彼女たちが彫る入れ墨の線の太さは1センチ弱、30本の針を束にしたものが商売道具になる。墨は「ジャグニー」、「アールスィー」と彼女たちが呼ぶ、植物の種を炒ってその煤を集めた自家製の顔料だ。

6～7歳になると竈の入れ墨「チュールハー」を彫り、15～16歳になるまでに全身に入れ墨を入れていく。額の後は、上腕部のマチュリーカンター（魚の骨）、チャクマク（火打石）、ナディーメール（川に魚を採るために作る堰）の入れ墨、下腕部のバッカル（牛につなぐ鋤）、ダンダー（なぞなぞ、あるいは川辺に生える水草）の入れ墨、足のジェーラー（布の端を表す意匠）、バイラーアンキー（牛の目）など比較的彫りやすい場所から彫る。さらに背中、首、胸など子どもの成長に伴って彫る部位も、着衣によって隠れやすい繊細な場所に移っていく。デザインの意匠は、すべてバイガの生活に欠かせないものであり、足に彫る「バイラーアンキー」はふだんも邪視避けに使うものだと、バイガの男たちは教えてくれた。

こうやって全身に入れ墨を彫り終えたころ、バイガの女性たちは婚期を迎える。バイガの社会では、女たちの入れ墨を「婚資」とも捉え、親であれば娘に入れ墨を入れて嫁に出したいと考えるし、男たちも入れ墨のある女を嫁に迎えたい、と考えるという。

ただ30本の針を半日近く刺され続ける娘たちは、そんな伝統など知らない、といった様子で血気盛んに私に吠えたてた。

「そこで写真を撮ってるあんた！　入れ墨があの世までに行くなんて私は信じてない

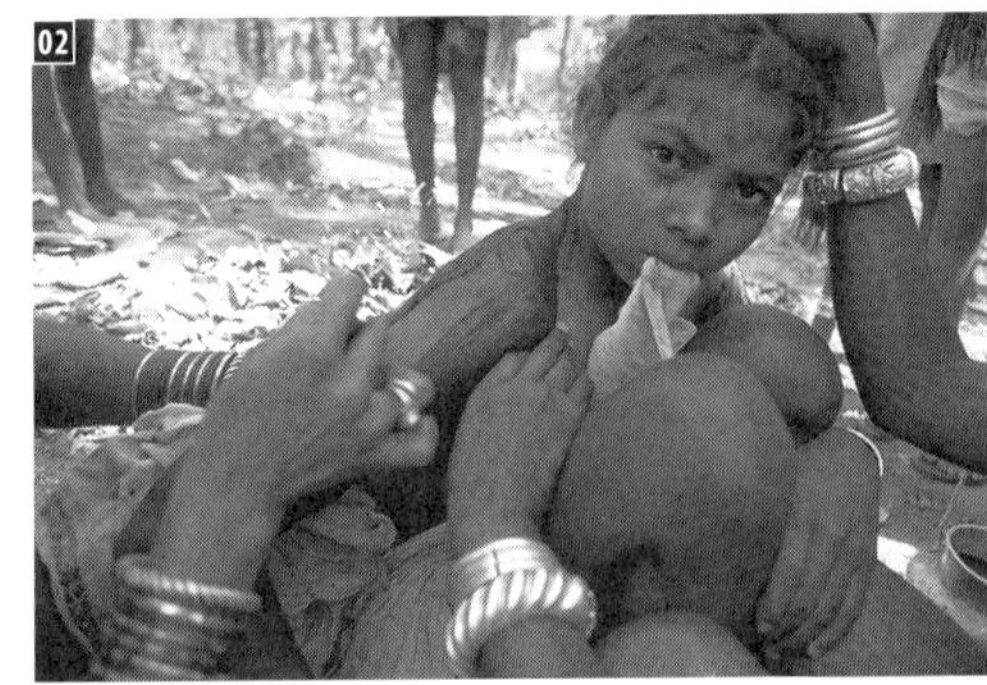

02 森で上腕部と背中に入れ墨を入れるバイガの13歳くらいの女の子。30本の針を束ねて彫る痛みに耐えかね止めるように彫り師に懇願し、その日は途中で家に戻った。

し、入れ墨を彫りたいなんてちっとも思ってないわ！　そんなに入れ墨が好きならあんたこそ彫ればいいじゃないの！」

バイガの娘たちは辛辣な言葉を正面から投げかけた。私は勢いにひるみながらも、こんな型にはまらない言葉を聞きたくてフィールドに向かい人びとに会うのだと、内心は嬉々としていた。机の上で本を読むだけでは、「伝統」という堅苦しい言葉の裏にどれだけ人びとの生き生きとした営みが隠されているか、それはなかなか見えてこない。代々、バイガの娘たちは皆、こんな思いを持って入れ墨と向き合ってきたのかもしれないのだ。ただ習慣が長く続くうちに、一人ひとりのささやかな声というのは、時間の蓄積の中に埋もれてしまう。

この娘が入れ墨を彫るのは、男の目が届かない森の中。男のいない場所で入れるのが鉄則で、もし男が入れ墨を彫る場所に立ち入り、それを目にすると、「狩りで射止めた動物から滴る血が見えなくなり、狩猟に失敗する」といわれている。入れ墨を彫る時に女性の肌から滲みだす血と動物の体から地面に落ちる血が、アナロジカルに捉えられて生まれたタブーのように思われる。さらにこの話には「婚資」

03 バイガの入れ墨は、男たちの目の届かない森の中で彫る。手前の緑のサリーを着ているのが彫り師・バーディー。周りの女の子は時には歌をうたい、入れ墨を彫る友人を見守る。

であり「嫁入り道具」である「入れ墨」を入れる現場は、男が生活の糧を失うほど「見てはいけない禁忌」の場所でもあることを示しているのだろう。

インドのほかの地域でも、入れ墨は女性しか彫らないものだった。ビハール州の北部、マドゥバニー県で見た入れ墨は農民や壺作りなど、多くの女性たちが入れていたが、彫る年齢やデザインはすべて個人の好みによって異なっていた。

ある老齢の女性の腕には、「列車」の入れ墨があった。それも列車を縦に開いた形で車輪が縦長の車両の両脇に四つ張り付いていて、教わらなければそれがよもや列車には見えやしない。彼女は聞いても何も答えなかったが、平原を疾走する列車の姿に何らかの夢を託したのだろう。

ほかにも「時計の入れ墨」「パーンの葉[*1]」「カーリー女神」など、ナティニヤーと呼ばれる女性の彫り師が、各自のさまざまな要望に応えてデザインを作りだして女たちの肌に刻んでいた。マドゥバニーの入れ墨は、女たちの数だけその意匠がある豊かな世界であった。

最近はインドの都会でも、欧米の影響を受けて好みの「TATOO」を機械で彫る人びとが増えているらしい。最初に入れ墨に出会ってから27年。インド人が「TATOO」を彫り始めたと聞くと、そもそもインド人自身が、自らの身体をどのように捉えているのか、実際よく知らないことにふと気付いた。人に出会うからこそ知ることができる生の声を求めて、またインドで旅を始めるのも良いかもしれないと感じる昨今だ。

（阿部櫻子）

＊1　パーンは東南・南アジアで愛される嗜好品の一つ。ヤシ科のビンロウ樹の実、阿仙薬と呼ばれる生薬と消石灰をコショウ科のキンマの葉で包んで噛む。清涼、消毒、軽い麻酔作用を持ち、赤い唾液を痰壺に吐き捨てるのが味わい方。

コラム 04

ガーンディーの足跡をたどる

インドを非暴力で独立に導いたM・K・ガーンディー（1869〜1948年）の足跡は、インド全国津々浦々に残されている。

ガーンディーの生家は、グジャラート州ポールバンダルにあり、博物館になっている。父親が藩王国の家老であったため家は裕福で、中庭を囲む3階建ての邸宅である。また、同州アフマダーバードと、マハーラーシュトラ州ワルダーには、インド独立運動の拠点となっていた彼のアーシュラム（道場）が残されている。生家とは対照的に、きわめて簡素な建物で、印象的である。さらに、デリーには、ガーンディーがインド独立（1947年）の翌年に暗殺された場所、そして火葬された場所があり、それぞれ記念博物館となっている。

そうした主要ポイント以外でも、ガーンディーの足跡は、例えば私がここ20年ほど現地調査を続けているヒマーラヤ山麓のウッタラーカンド州にも、しっかりと刻まれている。

デリーから夜行列車に揺られ6時間、さらに路線バスで4時間ほど北東に向かったところに、コー

アナーサクティ・アーシュラム。

サーニーという景勝地がある。ガーンディーは19 29年に一度だけこの地を訪れた。そのとき滞在した建物が、「アナーサクティ・アーシュラム」と名付けられ、現在も残されている。この名は、彼がここに滞在中に書き上げた『アナーサクティ・ヨーガ』（ヒンドゥー教の聖典『バガヴァッド・ギーター』の短い注釈書）に由来する。ここも博物館となっており、また、宿泊できる部屋もあって、アーシュラムの生活を体験することができる。毎日、朝晩に行われる祈りの時間などには、往時を偲ぶことができるだろう。

さて、ガーンディーの足跡をたどる旅は、ガーンディーの志を受け継ぐ人たちとの出会いの旅になる。コーサーニーには、もう一か所、ガーンディーに深く関連のある場所がある。サララー・ベーンという人物が設立した「ラクシュミー・アーシュラム」である。

サララー・ベーン（1901～1982年）は、植民地インドの宗主国であったイギリス出身の女性で、1932年にインドに渡り、以後ガーンディーの「弟子」として、インドの真の独立（スワラージ）のために一生を捧げた人物である。

イギリスで生まれ育った彼女には、インド平野部の暑さが厳しすぎたため、ガーンディーは彼女に、夏でも涼しいこのヒマーラヤ山麓コーサーニーに住むことを勧めた。サララー・ベーンは1946年に、この地の有力者から土地と建物を譲り受け、ガーンディー主義の精神に則った女子教育を始めた。それが、今日まで続いている全寮制の女子小・中学校、ラクシュミー・アーシュラムである。女性が尊厳をもって生きることを目指すこの学校は、ラーダー・バット、ヴィムラー・バフグナーといった綺羅星のような社会活動家を生み出してきただけでなく、この地方のさまざまな社会運動の一大拠点にもなってきた。

晩年のサララー・ベーンは、この学校の運営を後進に譲り、ヒマーラヤのさらに奥地ダラムガルの「ヒムダルシャン・クティール」（雪見小屋の意）に居を移し、執筆活動や社会運動に従事した。ここに残されている彼女の墓所には、ヒマラヤスギとヒマラヤザクラが植えられている。

ヒムダルシャン・クティールも、博物館・道場として運営されている。サララー・ベーンの志を継ぎ、現在そこの責任者を務めているショーバー・ベーンさんに、恩師サララー・ベーンはどんな人だったのか、と尋ねてみた。彼女はしばらく考え、何度か、何かを言いかけ、しかし言葉にはならず、やがて、涙が溢れ出し、止まらなくなってしまった。彼女の涙は、サララー・ベーンへの感謝の念と、サララー・ベーンから託された課題の大きさをあらためて意識させられてのものだったたであろう。

インドの真の独立をめざしたガーンディーの歩みは、サララー・ベーンやショーバー・ベーンのような継承者たちに、今も、引き継がれているのだ。

（石坂晋哉）

サララー・ベーンの墓所。

第V部

乗り物を楽しむ

25 鉄道の旅の味わい

――インドをのんびり移動する

インドは実は鉄道大国であるということは、一部のマニアを除いて意外と知られていない。鉄道路線の長さは6万4215キロメートルで、アメリカ・ロシア・中国に次いで世界第4位となっている。最初の路線（ボンベイ～ターネー間）は早くも1853年に建設されており、アジアでは初の鉄道となった（日本に鉄道ができるのはその20年後だ）。鉄道の種類もとても多く、大都市近郊を走る近距離電車から、大都市を結ぶ州をまたぐ中長距離列車、観光ツアーに使用される豪華列車の数々、地下鉄や路面電車に至るまで、多彩なラインナップを誇る。すべての鉄道は国有化されて（私鉄は一部の産業用に限られている）いるものの、その内実は北部鉄道（Northern Railway）や南部鉄道（Southern Railway）

などのように16の管区に分けられて運営されている。したがって、運賃や予約システム、運行経路などがそれぞれの管区によって独自に管理がなされており、管区ごとに多様なサービスや鉄道の種類が存在しているのである。その多様性を詳らかにすることは紙面の都合でできないので、ここではインドの鉄道にみられる一般的な特徴をみていこう。

まず特徴としてあげられるのは、列車の席がかなり細かく階級分けされているということだ。この辺り、なかなかインドらしい。大きく分けると1等車と2等車にわかれる2等制をとっているが、寝台車なのか座席車なのか、エアコンがついているかどうか、寝台は何段か、事前予約が可能かどうか、などのように分けていくと、管区によって違いはあるが、およそ5~8のクラス分けがされている。具体的には、1A、2A、3A、SL、FC、CC、2S、Ⅱなどと表記される。このうち2S（予約ができる座席）とⅡ（予約なしの座席）が2等車で、そのほかは1等車である。Aがつくものがエアコン付き寝台で、CC（Chair Class）はエアコン付き座席車。SLはSleeper Classの略で、エアコンなしの3段寝台、FCはFirst Classの略で、エアコンなしの2段寝台のコンパートメントとなる。このあたりがわからないと、予約の時に面食らってしまうだろう。ちなみに経験上、インドを旅する外国人ツーリストは、SLや3A（エアコン付き3段寝台）クラスを使用することが多いように思う。

長距離列車の路線状況や発着時刻を知りたければ、手っ取り早いのは時刻表を手に入れることだろう。駅に行くと売店で売っている『Train at a Glance』という冊子がそれだ。一方で、近年ではインド鉄道省がウェブサイトにてさまざまな情報を開示しているので

(http://www.indianrail.gov.in)、事前にチェックしてルートを決めることができる。便利な時代になったものだ。しかし、予約までできるかというと、そう簡単ではない。２０１２年以降は、鉄道予約の際には予約用のパスワードがインド国内の携帯電話にメッセージとして届くスタイルになってしまい、国外からの予約はかなり面倒になってしまった。パスポートなどの本人確認資料を事前に送ってパスワードをもらう方法もあるようだが、かなり煩雑な作業だ。予約はやはりインドで、駅に設置されている予約窓口で行うのがいいようだ。大きな駅では、外国人専用窓口もあり、混雑を避けることができる。

予約の際に気を付けなければならないのは、予約した座席番号を表記する場所に時々書かれてしまう「ＷＬ」や「ＲＡＣ」だ。ＷＬはウェイティングリストの略で、何人待ちかの数字が記載されている。インドの鉄道はキャンセルがとても多いので、若い番号ならば座席や寝台を確保できる可能性は高い。というのも、キャンセル料がとても安いので、せっかちな人が多いインドでは、旅程が確定していない段階で予約だけ取ってしまう、などということが頻繁にあるからだ。ＲＡＣはReservation Against Cancellationの略で、座席は確定していないものの出発する電車に乗り込むことが可能となる変なシステムだ。とりあえずは車内で臨時の席に座り、車掌さんが空いた席やベッドを探してきてくれるまで待つことになる。運が悪いとベッドにありつけない。

かくいう私もＲＡＣで大変な経験をしたことがある。車掌さんの采配がうまくないのか、本当に空席がなかったのかは今となってはわからないが、ベッドを確保できず、20時間ものあいだ50代後半のインド人中年男性と添い寝をし続けるという結果となった。

ただでさえ寝台は狭いので、寝返りを打つこともできず、朝方腰痛に悩まされたことを記憶している。しかし一晩を明かした我々は意気投合し、終着駅のデリーについてから、ウッタル・プラデーシュ州のはずれにある彼の実家（とても牧歌的な農村地帯）までお邪魔することになった。最寄り駅まで迎えに来た牛車に乗りながら飲んだチャーイの味は格別だった。インド旅の醍醐味だ。

01 踏切に到来した列車の姿。ジャイサルメールとデリーを結ぶインターシティ急行。

最後に、インド鉄道の世界における異文化的側面について触れておきたい。特に「線路」と「踏切」に関しては、我々の感覚とはかなりズレていて面白い。

列車のトイレに入った経験がある人がびっくりするのは、便器の穴の下を覗き込むと直接線路が見えることだろう。列車のトイレは水洗式なので、上部に設えられたレバーを引くと、タンクから流れる水とともに排泄物が線路に流れ落ちる仕組みになっている。朝方の車窓からは、近隣住民が排泄をするためにズラッと線路に並んでいる姿も。または、乗客が窓から線路にポイポイと物を捨てる光景を見ることができる。

線路は公共空間もしくは生活空間として清潔に保たれる場ではなく、排泄行為が許される異界なのである。

この異界を跨ぐ行為が行われるのが、踏切だ。インドの踏切は、とにかく待ち時間が長い。列車の到来する5～10分前から道路を遮断し（遮断桿を下ろし）、列車の通過後もなかなか開けてくれなかったりする。線路脇には、列車待ちの通行者やドライバーのためにチャーイ屋が開かれていたりして、なんとも悠長なものだ。これは、列車の通過時間のズレによるものなのか、踏切警手（手動で踏切を上げ下げする人）の怠慢によるものなのかはよくわからないが、人びとの顔には、待たされているイライラ感は見当たらない。むしろ、列車の到来を楽しみにして待つという期待感すら感じられるのだ。さながら異界をひた走る神の来迎を待つかのようで、通過後はその余韻に浸っているようにも見えてしまう。反対に車窓からは、踏切で待つ人びとの、時には手を振るといった楽しげな様子を見ることができる。時間に追われる日本には見られない光景だ。なかなかにインドの鉄道世界は深いかもしれない。

（小西公大）

26

路線バス・乗合自動車の旅

――「マイ路線図」作成で楽しくなる都市の乗り物

インドの都市の魅力は、そこで生活するおびただしい数の人びとが作りだす活気にある。意思をぶつけ合う人びとの声、溢れかえる商品、寺院で焚かれるお香の強烈なかおり、食欲をそそるスナックの匂い、そしてその中をバス、テンポ[*1]、リクシャー[*2]などがけたたましいクラクションやエンジン音を響かせながら通り抜けてゆく。ひとたびそれらの乗り物に身をゆだねれば、その活気を十分に体感できる。旅行者にとって庶民の乗り物は遊園地のアトラクションさながらだ。コルカタのチョウロンギー通りやカレッジストリートのど真ん中に悠然と構えて辺りを見渡せるのはトラム（路面電車）の乗客だけの特権である。

＊1　元々はドイツの自動車メーカーの名前だが、インドでは比較的大きめの三輪自動車を指す。特にテンポ社とインドのバジャージ社が協力して生産したものや、イタリアの自動車メーカーの権利をインド政府が買い取って生産した「ヴィクラム」などがこれに当たる。

＊2　語源は日本語の「(人)力車」で、比較的少ない数の人間を運ぶ交通手段。現在、人力のリクシャーはコルカタの一部に残るだけで、いずれも三輪の自転車を動力とするサイクル・リクシャーやエンジンをつけたオート・リクシャーが一般的。

しかし、庶民の乗り物を旅行者がいざ利用しようとするとハードルが高い。そもそもインドの都市を散策すると、なんだか探検しているような感覚を覚えてしまう。その理由は公開されている情報があまりにも少ない、もしくは役に立たないからではないか。私は北インド各地で調査をしてきたが、ラクナウー、バナーラス、アッラーハーバード（現プラヤーグラージ）、パトナーなどの人口100万クラスの都市で訪れた場所さえ、地図上で特定できないことがある。私の記憶が曖昧なのではなく、自信をもって再訪できる場所もそうなのだ。

その理由は、市販の地図の情報が古かったり誤っていたりすることが多いからだ（最近では大都市や観光地なら市販のアイヒャー〔Eicher〕の地図やGooglemapも多少役には立つが）。だから私は地図の代わりに、「駅で黄色のラインが入ったジープに乗る」「○○と呼ばれている交差点で降りる」「××というスイーツ屋を右に曲る」というような情報で目的地に到達するようにしている。インドの都市を散策するには、気ままな旅行であればなおさら、既存の情報にあまり依存しないで自分が現地で集めた情報やそこから生まれる感覚で動くほうが良い。

首都デリーには州政府が運営するＤＴＣ（デリー交通公社）の巨大なバス路線網が存在する。近年メトロ（地下鉄）のおかげで移動はかなり便利になったものの、環状線や郊外の路線の建設はまだ途上にあり、バスは依然として重要な交通手段だ。私はデリーのネルー大学に留学してすぐ、学割のバス定期を手に入れた。この定期、半年間有効で価格は当時わずか50ルピーなのだが数百もの路線が乗り放題の何ともお得なものだった

（インド人学生の中には定期さえ買わず、車掌に「定期（パス）！」と言って何食わぬ顔で乗っているつわものが相当数いたが）。つい最近まで路線図がなく、インド人にとっても難解な乗りものだった。だから当時金のなかった私は、車掌に聞いたり、車掌が客引きのために叫ぶルートを注意深く聞いたり、バス停で待っている人に聞いたりしながらできるだけバスでの移動を心掛けた。さらに通りかかったバスの番号を見て過去の記憶をたどり、前に同じ番号のバスを目撃した場所とを結ぶことで「マイ路線図」を広げた。かなり遠方で大学キャンパス近くを通るバスを見つけると大きな謎が解けたような気がした。

01 在りし日のデリーのブルーラインバス路線番号６１５（ミントーロード〜プールヴァーンチャル・ホステル）（２００６年撮影）。

一昔前のＤＴＣバスや廃止された民間の「ブルーラインバス」の車両はドアや多くの窓が開いたままだったり、なかったりした。何も考えずに窓際に座ると、雨季には突然の雷雨に打たれ、酷暑期には耐えがたい日差しを浴びた。また乗降の際には、男性であれば飛び降り・飛び乗りが日常で、朝夕のラッシュ時はドアに鈴なり状態になることも多かった。しかし２０１０年に開催されたコモンウェルス・ゲームズ[*3]にさきがけ、ターター自動車などが外資との合弁で生産した低床やＡＣ完備の大型バスが大量投入されて乗り心地が大幅に改善した。ＬＥＤの行き先表示には従来のナーガリー文字に加えてアルファベット表記も加わった。今では運転手はバス停でしっかり停車してドアを開け、乗客を乗降させている。行

＊3　イギリスとその旧植民地だった国や地域から成るイギリス連邦が参加して行われる総合競技会。１９３０年以降、これまで4年ごとに21回開催された。

き先を告げれば車掌は手持ちの端末に打ち込んで料金が書かれたスリップを発行してくれるので、乗るたびに料金がまちまちということもなくなった。またバスはオート・リクシャーなどに比べて窓の外の視野が広いため、沿道の街並みをじっくり眺められることも魅力だ。

いっぽう地方都市では、バスの代わりにオート・リクシャー、それを少し大きくしたテンポ、そしてターター自動車のＳＵＭＯ（相撲）のような車を乗り合いにして公共交通機関としていることが多い。オート・リクシャーを独り占めするような贅沢な発想はあまりない。乗合自動車は特定の（中には自然発生的な）「路線」を運行するが、気軽なのはどこでも乗り降りが可能なことだ。目的地の目の前で降りられるし、走ってくる車に合図をして乗せてもらえばよい。そして車体が小さいので狭い路地も含めた地元のニーズに密着した路線を通ることが多く、人びととの生活に触れられることも楽しい。マーケットから乗ってくる人が何を買ったのか、乗降客が多い場所には何があるのかなどを観察できるし、他の乗客と膝を突き合わせて乗り合わせているからこそ、会話を交わすこともある。大都市の殺伐としたバスはこうはいかない。この路線情報も地元の人間に聞くのが確実だ。多くの路線の起点となる溜まり場や、通りかかる車に片っ端から「××へ行くか」と聞くこともある。慣れてくれば意外と楽に目的地へ行く車が見つかるものだ。

02 コルカタのカレッジストリートを走るトラム（２００６年撮影）。

庶民の交通機関を利用する際に私が気を付けているのは地名だ。バス停や道路標識に名前が記載されていても、運転手は必ずしもその通りに「正しく」理解しているとは限らない。植民地期につけられたイギリス風の名称が近年インド化する傾向にあるのも原因だ。「ジャワーハルラール・ネルー・ロード（マールグ）」なんていう道路名はまず疑ったほうが良い。一方「ガーンディー」がつく地名は割と定着している。また円形交差点は真ん中にある著名人の像などが認知されていない場合もあり、医科大学があれば「メディカル・チョーラハー（チョーク）」などと呼ばれたりする。略称はそのままのほうが通用する。例えばデリーのリクシャーワーラー（運転手）に渋滞の名所「ＩＴＯ」を「Income Tax Office」と丁寧に言ってはいけないのだ。私は初めて訪れた都市で公共交通機関を利用する際、まず起点となる場所で「この場所は何と呼ばれているか」と必ず聞く。迷った時に戻ってこられるようにするためだ。

このように現地の人びとの目線に立って「マイ路線図」を作成することが、庶民の乗り物を楽しくかつうまく利用するコツだ。また作法についても現地のそれに従う必要があることを最後に付け加えておきたい。例えば、バスなどを降りたいときは声を出したり、ドアの目前に立ったりして、アピールしなければならない。でないと運転手は停車してくれないし、ほかの降りる人に「降りないなら前に行かせて」と順番を抜かれる。また座っていたならば、立っている人が重い荷物を置けるように膝の上を提供しなくてはならない。そして、釣銭がないからといって車掌や運転手を非難してはならない。

（小嶋常喜）

03 デリーメトロ環状線建設のために渋滞するリングロード（サウスエクステンション付近）（２０１７年撮影）。

27

飛行機と長距離バスの旅

――インドを駆け巡る

近年、便数の増えたインドの国内線。１９９０年代初めの規制緩和とともに民間航空会社が、さらに２０００年代初めに格安航空会社（ＬＣＣ）が参入し、高い経済成長の下で乗客数も便数も増え続けてきた。これにより、インド各地の空の旅は格段に便利に、しかも安くなったのである。

インドの民間航空局の資料によれば、２０１３年にインド全土の国内線フライト数は約56万回、乗客数は約６０００万人にのぼったとされ（ちなみに同年の日本国内線乗客数は約９１００万人）、乗客数で見ると15年前の約6倍弱に跳ね上がった。かつては初フライトで落ち着かない人びとを機内で見かけることも多かったが、最近ではそうした光景もまれになった。お決まりの運行中の席替えの申し出もなくなり、飛行機の旅は中間層のあいだで随分浸透した感がある。

こうした伸張の一方で、国営を含めて各航空会社は激しい競争に晒されてきたことも確かである。極端な値引き合戦と燃料の高騰が響き、その経営は決して安泰でなかった。便数や路線が年ごとに変わり、定期便のフライトが予約客不足で急にキャンセルされることもあり、業界自体の大きな再編もあった。大幅な赤字を抱える国営のインド航空(エア・インディア)は国内線を中心とするインディアン(・エアラインズ)と2007年に合併し、現在でも経営の立て直しに必死である。1993年にいち早く参入した民間のジェット・エアウェイズは、競争相手でもあったサハラ航空を2007年に吸収合併した。同じ年にLCCのデカン航空を買収し、一時は破竹の勢いのあったキングフィッシャーは資金調達に失敗し、2012年にほとんどの運行を停止している。堅調なのはLCCのインディゴである。他、スパイスジェットやゴー・エアーといったLCC会社に加え、2015年1月に就航したヴィスタラが運航している(2016年1月現在)。

需要の拡大とともに空港ターミナルの新築も速度を増した。多くの旅行者が最初に到着するニュー・デリーのインディラー・ガーンディー国際空港。2010年7月に国際・国内線用の第3ターミナルが完成し、建設・インフラ大手のGMRグループ傘下の合弁会社が運営する。GMRは他にハイダラーバードの空港を運営する会社を傘下に置くが、そのほかはこれまで通り公社であるインド空港局が運営する空港が多い。最近ではコルカタ(2021年1月)やブバネーシュワル(同3月)に新ターミナルを完成させて

01 新しいブバネーシュワル空港のターミナル。

いる。

かつては高値の花として貧乏旅行には適さなかったが、列車での移動時間を考えれば、ＬＣＣの利用により効率よくインドを回れるようになった。もちろん、オンライン予約も完備しており、あらかじめ座席の指定も可能である。

飛行機での移動が便利で安上がりになったとはいえ、点と点とを結ぶだけでどこか素っ気ないところがある。道中の旅情を存分に楽しむなら、主要都市間を走る長距離バスが一番だろう。かつて安価に移動できる手段として貧乏旅に欠かせなかったが、過酷な旅の代名詞ともされた。沢木耕太郎が『深夜特急』の中で「座席のある貨物カー」と述べたように、人だけでなく屋根に大量の荷物を載せて疾走する。

最近は冷房の効いた乗り心地のよいバスも多く、過酷さは今昔の感があるが、それでも道中の疲労感は避けられない。旅行者の多くは大都市と観光地を結ぶ快適なバスを利用することもあるが、大概は大都市－州都、州都－県都・町村間を結ぶ路線である。多くは道路の混まない時間帯に走る夜行バス。大小どの町にも必ずバスターミナルがあり、夕方から深夜にかけて各地域に向かう夜行バスの出発便で賑わう。ハイウェイの発達により走行距離が延びたおかげで、1000キロを超える路線もある。

バスのタイプもバラエティーに富む。道路の凸凹の揺れを抑える「エアー・バス」と表記されたバス（とはいえ大概はスプリングであるが）が多いが、リクライニング・シートでかなり背もたれが下がるタイプや2階に寝台が付いているタイプのバスもある。航空機のように座席の正面に薄型の小型テレビが付いたタイプもある。バス正面上には、その名を冠した派手な電飾が神々しく光る。

州内の各県都を繋ぐ路線はいまだに乗り心地の悪いポンコツなバスが走っている場合が多い。途中何度も止まり、隣町・村に向かう人びとを乗せたり、降ろしたり。こうしたバスには車掌に加え、人の乗り降りと荷物の出し入れ、さらに運転手の見えにくい左側の安全を確認する若い添乗員がおり、バスの側面を叩きながら威勢よく声を張り上げる。場所と時間帯によっては、たくさんの人を乗せたばかりに、一時バスの中がすし詰め状態になることもある。

道中の最大の難関はトイレ。途中一度か二度のトイレ休憩がある。男性の場合は、道路沿いの側溝かコンクリートの壁に用をたすことも多い。また、休憩のあいだ、小腹が空いていれば店で軽食を取ることも可能である。ハイウェイであれば、大手企業のチェーン店のあるこぎれいなサービスエリアで止まることもある。

さて、日本からの旅行者が最も使う確率の高いのは、大都市と州都を結ぶような長距離バスかもしれない。ここで、東インドのオディシャー州[*1]の州都ブバネーシュワル（ブ

*1 2009年にオリッサ州から名称が変更された。

ヴァネーシュヴァル）から西ベンガル州の大都市コルカタまでの夜行バスを例にしてみよう。走行距離は450キロで、現在オンライン予約可能なもので11便。夜の7時から9時までの間に出発し、早朝5時から6時のあいだにコルカタに到着する。最安値の座席は冷房が付いていない340ルピーの便で、最高値は冷房だけでなく、DVDなどの設備の整った便で、倍以上の800ルピーもする。横になれる寝台はすべて冷房付きで、510ルピーから最高は900ルピーである。ちなみに、夜行列車では冷房のない寝台で約350ルピー、冷房付きの3等で約900ルピー、LCCの飛行機は約3500ルピーである（2014年5月現在）。

現在では主要路線についてはオンライン予約ができるようになった。そうでない場合、従来通りバススタンドのそばでチケットを販売する露店のブースか、少し手数料はかかるが街の旅行代理店でも購入できる。なお、都市のバスターミナルは郊外に移転したものが多く、比較的不便なところにあるため、街近くの主要な交差点の停留所から乗った方が便利なこともある。

少しきついが、道中の旅情を楽しめるバスの旅も一考であろう。

（杉本　浄）

【参考文献】

■沢木耕太郎、1993、『深夜特急〈3〉』新潮文庫。

コラム 05

ダージリン・ヒマーラヤ鉄道「トイトレイン」――日常の中の世界遺産

世界第三の高峰カンチェンジュンガ（カンチェンゾンガ）を望む西ベンガル州のダージリン。私は今ヒマーラヤの麓のその街にある小さな鉄道駅にいる。駅に長い汽笛の音が鳴り響く。そろそろ出発時間のようだ。私が乗車している鉄道は車掌の笛を合図にゆっくりと動き始めた。

標高約２１００メートルの場所に位置し、世界的に有名な紅茶の産地として知られるダージリンの街。郊外へ少し足を延ばすと周囲には広大な紅茶園が広がっている。ここは標高も高く涼しい気候のためイギリス統治領時代に避暑地として発展した。近くにはヒマーラヤ登山学校やヒマーラヤの動物や蘭を集めた動物園、植物園等が点在しており、国内外から多くの観光客が訪れる一大観光地となっている。

この街が世界に誇るもう一つのもの。それが通称「トイトレイン」と呼ばれるダージリン・ヒマーラヤ鉄道だ。この地で収穫される紅茶を輸送すること、そして寒冷なこの地で酷暑をしのごうとする避暑客をダージリンに運ぶことを主な目的としてイギリス統治領時代の１８８１年に開通したこの鉄道。１９９９年に鉄道としては世界で二番目に世界遺産登録された世界的にも貴重な由緒ある鉄道として知られている。

「トイトレイン」と呼ばれている理由はそのおもちゃのような姿から。幅61センチメートルのナローゲージを採用し、その上に小さな車両がちょこんと乗っている。連結しているのは多くても3両程度で1両の定員は多くてもわずか28名というその小ささ。実際に乗車してみても「ちゃんと走るのか？」と思わずにはいられない可愛らしい鉄道である。

ここに暮らす人びとは現在もこの鉄道を生活の足として利用してはいる。しかし主要駅であるダージリンとグーム間のたった8キロメートルの距離を30分以上もかけてのんびりと走るため、実際には車やバイクで移動した方がよっぽど早く目的地に到着できるのだ。開通当初と違い車も増え、便利になった現在では「観光用」の度合いが強くなってきているのが正直なところである。

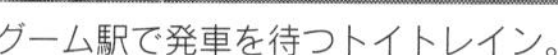
グーム駅で発車を待つトイトレイン。

その観光客が主に乗るのは「ジョイライド」と呼ばれるダージリン駅とグーム駅の間を約2時間かけて往復する路線。ダージリンを出発して約20分でバタシア・ループと呼ばれるループ線に到着。そこで約10分休憩し、さらに約10分走ってグーム駅に到着。30分の休憩のあと真っすぐにダージリンへと戻る体験乗車だ。

ゆっくりと走る車窓からはこの地で暮らす人びとのありのままの生活を垣間見ることができる。鉄道のすぐ横を車やバイクが行き交い、窓から手を延ばせば民家の壁に触れることができそうなほど。所狭しと立ち並ぶ商店で買い物をする人びと、学校へと向かう子どもたち、家の前に座って何やら話をしている老人たち。そういった「日常」を見ながら世界遺産の鉄道は山岳地帯を進んでいく。そういう光景をぼんやり眺め、見惚れていると、あっという間に終点のグーム駅に到着した。

グーム駅でトイトレインの沿革を展示した博物館を見学したあと、駅横の小さなチャーイ屋に入った。先に店に来ていた家族が今車窓から撮ったばかりの写真を見て笑顔で何か話をしている。私はチャーイを飲みながらその場に座り、行き交う人びとや車の流れ、そして奥に見える可愛らしい世界遺産の姿を眺めながらぼんやり考えごとをしていた。

歴史ある遺跡や雄大な自然が広がっているわけではない。ここには小さな鉄道しかない。でもここは地元の人びとの生活や息づかいを、手が届く距離で感じることができる特別な場所なんだ。それこそが世界遺産「トイトレイン」の楽しみ方なんだな……等とチャーイを飲みながら考えていると、汽笛の音が鳴り響き始めた。

そろそろ出発時間のようだ。ゆっくりとダージリンの街へ戻るとしよう。帰りはどんな日常に触れることができるだろうか。世界遺産の鉄道は車掌の笛を合図にまたゆっくりと動き始めた。（山名　訓）

車窓からは街の息づかいを感じることができる。

第Ⅵ部

インドを泊まり歩く

28 優雅に高級ホテルに泊まる

――安宿だけではインドの魅力は見つけられない

学生時代にインド旅行をしたときは、ひたすら安宿に泊まった。というよりそうせざるを得なかった。1971年のことである。野宿したときは別として、宿賃が安かったのはボードガヤー（ブッダガヤー）の50パイサだったか75パイサのドミトリーと、デリー郊外のユースホステルの2ルピー半だったと記憶している。当時は1ドルが360円の時代だったので、金銭価値が今とはだいぶ違うが、物価が日本の5分の1くらいの感覚だったので、とても安い旅ができた時代だった。二回目の1975年の旅のときも安宿を泊まり歩いていたが、最後にたどり着いたムンバイー（当時はボンベイ）で、名だたるタージマハル・ホテルに泊まりたいという気が起こった。ロビーに入って部屋を訊くと即座に「ございません」と断られた。だいぶねばったが、それでもダメだった。サンダル履きでリュックを背負ったピッピー・スタイルという私の恰好も悪かったのかもしれない。しかしそれでも少し悔しかった。というのもこのホテルがどうして作られたかを知っていたからである。

１８３９年に生まれた青年ジャムシェードジー・ターター[*1]は、当時最大のホテルであったワトソンズ・ホテルに泊まろうとしたが、白人専用という理由で断られた。怒った青年はもっと豪華でインド人が泊まれるホテルを建てることを決意したという。夢だったホテルは、西洋式の新古典主義建築にインドの伝統的意匠を加えた折衷様式で、１９０３年に開業にこぎつけた。その後、ボンベイ港の岸壁に、イギリス国王ジョージ5世の来印（１９１１年）を記念して、１９２４年に「インド門」が建てられたが、今ではまるでタージマハル・ホテルを詣でるための参道の鳥居のようにも見える。インドがイギリスに勝利したのである。

「少し悔しかった」私の方はといえば、38年後の２０１３年の春にようやくリベンジを果たした。

*1　パールスィー（ゾロアスター教徒）の家系でグジャラート州出身。近代インドの実業家でターター（日本語ではタタと表記されることが多い）財閥の創始者。タージマハル・ホテル開業後の翌年亡くなった。現在タージ・ホテルズ・リゾーツ&パレスィーズとしてホテル・チェーンを展開。

01 タージマハル・ホテル。左が旧館（パレス）、右が新館（タワー）。ムンバイー。

パレス（旧館）ではなくタワー棟（新館）であったが、さすがに五つ星ホテルの貫禄で、泊り心地は最高で従業員の応対も良かった。「以前ご利用になられましたか」と訊かれたが、「ご利用」を断られたとは言えなかった。

宿泊を断られたホテルはもう一つある。１９８９年の夏、カシュミール地方のアマルナート[*2]というヒンドゥー教聖地のフィールドワークを終え、とにかく休みたいと思い、シュリーナガルのダール湖畔に建つオベロイ・パレス・ホテルに向かった。ここでもまた断られた。しかし、マネージャーに自分が日本の研究者でインドの聖地調査に行ってきたところだと話すと、態度が一変した。午後になったらお部屋を用意できるので、それまでロイヤル・スイートをお使い下さいとなった。バスルームの鏡で自分の顔を見てすぐにマネージャーの怪訝な対応を理解した。雪焼けして顔の皮膚がボロボロにむけ、およそ顔の形をなしていなかった。おまけに何も考えずにヒンディー語で話しかけていたのである。あとでマネージャーに聞いたら、インド人が物乞いにきたのかと思った、と言っていた。このホテルは１９５６年にオベロイ・グループ[*3]がカシュミール旧藩王の宮殿を借り受けて改装したもので、その後ジャイプルやウダイプルで手掛けることになる宮殿ホテルの最初のものであった。

このホテルには本当によくしてもらったが、二日後にカシュミール大学の図書館で仕事をして外に出たら、全外国人に対して24時間以内にシュリーナガル退去命令が出されたことを大学生から知らされた[*4]。カシュミール地方ではヒンドゥー・ムスリムの宗教間対立が続き、このひと月で何百人もの死傷者が出ていた。あわててホテルを引き払った

＊2　カシュミールの標高4112メートルの山岳地帯にある洞窟アマルナート（シヴァ神の別名で不死の主の意）の中にある氷のリンガ（シヴァ神の表徴）に参詣するため、毎年8月の満月の日に大勢の信徒が訪れる。

＊3　スィク教徒でイギリス植民地時代のパンジャーブ地方（現パキスタン）出身のラーイ・バハードゥル・モーハン・スィンフ・オベロイ（1898～2002年）が、1934年に創業したホテル・チェーンのグループ。現在はオベロイ・ホテルズ&リゾーツとしてホテルのほかクルーズ客船の事業も展開。

＊4　このときの退去命令は48時間以内だったかも知れない。テロリストをあぶりだすための措置であろう。エア・インディアの事務所には数百人の外国人が押し寄せた

ので、三泊しかできなかったのは残念であった。[*5] その後2011年に、コルカタのオベロイ・グランド・ホテルに宿泊したが、品格のある調度品はもとより、徹底した利用客へのサーヴィスに、久しぶりにオベロイに泊まる楽しさを味わわせてもらった。

タージ・グループやオベロイ・グループのホテルも素晴らしいが、私が一番お世話になっているのは、ニューデリーのインペリアル・ホテルである。かれこれ40年ほど前の私の留学時代には、二つ星か三つ星程度のホテルで、宿泊料金もそこそこ安かった。かつてニューデリーでもっとも活況を呈していた中心部のコンノート・プレイスにほど近く、何をするにも便利だった。投宿するとすぐに、東京銀行（現在は三菱UFJ銀行に統廃合）に日本からの仕送りのお金を受け取りに行き、ニルラズ・ホテルのレストランでアイスクリームを食べるのがルーティーンになっていた。

インペリアル・ホテルの開業は1936年で、イギリスの行政官たちがよく利用していた。車でジャンパト通りから入口の大門を入っていくと、両側にヤシの木の並木があり、車が止まると、ターバンを巻いた宮殿の衛兵のような巨漢

が、同行した友人がカウンターのなかに入って行って、デリー行きのファーストクラスのチケットを手に戻ってきたので、無事シュリーナガルを脱出することができた。

＊5 シュリーナガルのオベロイの経営はほかのグループに移ったようで、ネットでも追跡できなかった。

02 インペリアル・ホテルで朝食をとる筆者。

のドアマンがドアを開けてくれる。建物はもともとヴィクトリアン・スタイルとアールデコを折衷したコロニアル様式だが、20年ほど前からインテリアを含めて改装に改装を重ね、ロビーから客室に向かう廊下は植民地時代の石版画やアンティークを展示するギャラリーのようになり、これでもかというくらいコロニアル・スタイルを復元していった。いつごろからかコンシェルジュに二人のインド北東部の小柄な少女が加わるようになったのは、オリエンタリズム[*6]を意図的に強調している感がするが、それでもなお、インドで最高のもてなしが受けられることは間違いない。今はどうかわからないが、以前は従業員のなかにインドでもっとも信用が置けるというパハーリー[*7]と呼ばれる人たちが多く混じっていた。彼らの故郷では家を空けるときカギを掛けない地域もあるほど、お互いを信用しているという。五つ星ホテルの証（あかし）とは、結局は従業員の信用度と彼らのホスピタリティーなのだ。

高級ホテルに泊まるのは実に楽しい。写真集などの大型本が置いてある書店があったり、絨毯やサーリーや民芸品の店があったり、最近ではアーユルヴェーダのトリートメントをしてくれるスパもある。ウダイプルのピチョーラー湖に浮かぶタージ・レイク・パレスやアジャンターのアンバサダー・ホテル、最近インドに進出してきたアマン・リゾートなど、まだまだ紹介したいホテルはたくさんあるが、最後にあまり話したくないことをあえて書いておこう。そう、高級ホテルは往々にしてテロの標的になるのである。

2008年11月26日のムンバイー同時多発テロでは、イスラーム過激派とみられる勢力により、タージマハル・ホテルやオベロイ・ムンバイー、チャトラパティ・シヴァー

＊6　東方趣味、東洋指向と訳されることもあるが、エドワード・サイードの『オリエンタリズム』（1978年）において、西洋世界が東洋世界の美術や風俗を見る視点が問題とされてからは、西洋の東洋に対する優位性や支配する傾向なども議論されることとなった。

＊7　「山の人」、「山間部の人」という意味で、ヒマーチャル・プラデーシュ州やウッタラーンチャル・プラデーシュ州の住人を指す。

＊8　Allen, Charles and Sharda Dwivedi, 2010, *The Taj at Apollo Bunder: The Story of The Taj Mahal Palace Mumbai established*

ジー・ターミナス駅などが狙われた。タージマハル・ホテルでは、三日間にわたる攻撃によって多数の宿泊客と従業員が死傷し、テロ直後に発生した火災でパレス棟の最上階が焼失した。[*8] また、スリランカの話だが、2年前に泊まったシナモン・グランド・コロンボ（旧ホテル・ランカー・オベロイ）が、数か月後の2019年4月に発生したスリランカ連続爆破テロ事件の標的にされたこともある。事件直後にはネットのニュースで朝食の時間にレストランに入ってくる自爆テロリストの映像を見ることもできた。事件が数か月前の朝にあったかも知れないと思うと、思わず体がゾクっとした。でも考えれば、旅はどこにいても常に危険がともなうものなのだ。インドの持つさまざまな魅力を見ようと思うなら、テロの恐怖にもめげず、安宿だけでなく最高級のホテルにも是非泊まることをお奨めする。

（宮本久義）

1903. Mumbai: Pictor Publishing. タージマハル・ホテル内の書店で購入した336頁の大型本で、この事件の写真も約80枚掲載されている。

03～07 タージ・レイクパレス・ホテル。宿泊客は湖岸の船着場で乗船し、湖に浮かぶようなホテルに向かう。映画「007・オクトパシー」の舞台にもなった。［撮影：宮本卯之助］

29 安宿を楽しむ

――これだけは知っておきたい作法

インドでは、「安宿」はホテルのカテゴリーとして「ゲストハウス」と呼ばれるのが一般的である。もちろん個々の宿の名は「～ホテル」や「～ロッジ」などさまざまだ。本章では、素泊まりで料金が一泊1000ルピー程度まで[*1]、部屋の形態が個室から複数の人が一室をシェアするドミトリーを「安宿」として扱う[*2]。そして主に個室に宿泊するときに参考になると思われる点を、北インドのデリーとバナーラス、二つの町の安宿での私自身の経験からいくつか挙げたいと思う。

まず安宿はどこにあるのか。デリーやコルカタなどの大都市や、バナーラスなどの観光地には「安宿街」と呼べる地区がある。比較的小さい町でも、駅前や繁華街などには

＊1　2021年現在。また同じ宿でもA／C（エアコン）付きの部屋は数百ルピー増し、または倍の料金になる。

＊2　ほかの安価な宿泊施設として、鉄道の主要駅には「リタイアリング・ルーム」があり、聖地には巡礼宿の「ダルム・シャーラー」がある。

必ず数軒は安宿がある。また、タクシーやリクシャーの運転手に任せるという方法もある。彼らは客を連れていくと宿から紹介料が得られるため、早く確実に宿に辿り着ける。ただし、「チープホテル」と言いながら、高いところに連れていこうとすることも多く、注意が必要だ。

インドでは安宿に宿泊するための予約は必ずしも必要ない。早朝から深夜までいつでも受け付け可能のところが多いので[*3]、目星をつけたところに飛び込み、フロントで自分の希望条件を伝え、空室の有無や宿泊料金などを教えてもらう。初めて訪れる町のときは、この気軽さはありがたい。しかし希望通りの部屋があっても、そこで即決してはいけない。決める前に必ず部屋を見せてもらうのが鉄則だ。部屋の清潔さ、ドアの鍵、電気や水道などを自分の目で確認する。ベッドのシーツは汚れていないか、鍵は中から確実にかかるか、電灯は点くか、などである。ドミトリーではベッドのシーツが交換されていないこともあり、ダニやノミにも注意する必要がある。ヤモリも出るし、毛布が埃っぽいことも多い。

また、観光地ではシーズンによって料金が変動することもあり、いつもホームページやガイドブックの記載通りの料金とは限らない。仮に通常より高い料金でも、必ずしも外国人観光客にふっかけているとはいえない。逆に、一つの宿に長期滞在する予定ならば、交渉次第では割引料金で泊まれることもあるので、遠慮せず訊ねてみるとよい。さらに、近年では宿の中で無料のWi-Fi接続ができるところも増えてきた。部屋でのメールの送受信や旅の情報検索は、外の喧騒[*4]や一人旅の寂しさを忘れさせてくれるだろう。

＊3　ただし、深夜は受付の人も寝ていることが多いので、呼んで起こす必要がある。

＊4　まれに宿のなかがうるさいこともあるので、そのようなときは耳栓があると便利である。

安宿では宿泊中のサービスはあまり期待できないので、これらのポイントを自分自身の必要に応じて確認し、設備と料金ともに納得ができたら、初めて宿泊のサインをすればよい。もし納得できなければほかの宿を探せばよいだけである。「部屋の中まで見学したのだから泊まらなければならない」という気兼ねはインドでは必要ない。

近年は事前にネット上で予約ができる安宿も増え便利になった。その場合はやりとりの際に必ず条件を細かく伝え、宿側の返答に納得した上で予約を確定し、宿泊の際は予約フォームやメールを印刷して持参するとよい。いざ宿に行って予約の有無や料金でトラブルになったときに、こちら側の言い分の証拠になる。*5

以上のことを済ませれば、ようやくチェックインだ。なお、北インドと南インドではチェックアウトの時間が異なるので注意。北インドでは朝10時などと決まっているが、南インドでは24時間制で、一泊ならチェックインから24時間後までにチェックアウトというのがほとんどである。そのため南インドの安宿に宿泊する場合は、自分のチェックイン・アウト時刻をきちんと確認しておくのがよいだろう。

さて、チェックインしたからといって、あとはただゆっくり休むだけ、とはいかない

01 シングルルーム。調度はベッドと椅子のみ。

＊5　予約以前のもんだいだが、まれに外国人は受け入れていない宿もあるので注意。

のがインドの安宿だ。いくつか注意点があるが、それは安宿ならではの経験にもなる。

　現在でも、インドでは一日の何分の一かの時間は計画停電がある。突然するときもある。そのため自家用発電機がない宿では、夜の停電時の準備としてロウソク、マッチ、懐中電灯などがあるとよい。しかし、一方で宿の屋上やベランダに出て、真っ暗な中、ロウソクの灯りで同宿の人たちとあれこれと話すのもまた、キャンプのようで楽しいものだ。

　ところで、インドの大部分の地域では一年中蚊が出るので、蚊帳があると便利である。天井に備え付けのパンカー（扇風機）を回していれば蚊は飛ばされるが、停電していれば使えないし、パンカーを一晩中回したまま眠ると体調を崩しやすい。猛暑の時期を除いて、睡眠中にはパンカーは弱めるか停めておき、蚊帳を張る方が健康面では安心だろう。なお、蚊取り線香は現地で購入できる。渦巻型のおなじみのものと、コンセントに差し込んで使う電熱式のものがある。

　安宿では、ドミトリーはもちろん、個室でもシャワーとトイレは共同のことがある。シャワーはお湯が出ないことの方が多いが、インド人は、一般的に夜にではなく朝に沐浴をしたり身体を洗ったりするからなのか、朝だけはお湯が出るというところもある。北インドでは雨季は蒸し暑く、冬はかなり冷え込むのだが、夜にお湯を使いたい場合は、私は宿の人に頼んでバケツ一杯の熱湯を持ってきてもらっていた。それを水でうめながら使う。これもあらかじめ交渉しておくとよい。たとえバケツ一杯でもお湯を浴びることで、旅の疲れが心身ともに確実に癒されていくのを感じ、お湯のありがたさを知ることができる。

トイレは水洗式で、便器の形が日本でいうところの和式と洋式の両方があるが、なるべくトイレットペーパは使わないほうがよい。なぜなら、インドでは本来排泄後の処理に紙を使う習慣がないからである。どうしても紙を使う場合はゴミとして別個に捨てること。紙を無理に流そうとすると詰まってしまう。できればここはインド人に倣って、左手を使って水で洗うのがよい。手動のウォシュレットも慣れると気持ち良いものだ。

安宿には通常レストランがないので、食事は外食になる。飲料水やソフトドリンク、チャーイなどはフロントで扱っているところもあるが、ごく一部を除いてアルコール類を販売しているところはまずない。部屋にあらかじめ「Boiled water」（煮沸済み）と書いてある水が用意されていても、本当に沸騰させたものとは限らないのでそれを飲むのは避けるべきだろう。そのため、必要な飲料は購入して部屋に持ち込む必要がある。

冬の北インドの空調がなく隙間風の入るような部屋では寒さ対策も自分でする必要があるので、自分で寝袋なり毛布なりを用意するほうが確実だ。現地で売っている厚手のショールも代用になる。

さて、一晩寝て翌日、出かけるときに自分の部屋のドアにかける鍵は備え付けのものだけではなく、南京錠やチェーンなどを使い自分自身で別にかける方がよい場合もある。悪いスタッフに勝手に部屋に入って来られないためにも、部屋の戸締まりには細心の注

02 バスルーム。シャワー、水道、トイレと洗濯用のバケツが備えてある。

意を払いたい。さらに、洗濯をしたときは、洗濯物を干すための紐を部屋の中に張るとよい。もちろん屋上などで洗濯物を干せるところもあるが、盗難防止のために部屋の中で干す方がよいだろう。外出中にパンカーを回しておけばすぐに乾くので心配ない。

ところで、個室ではなく、ドミトリーに宿泊する場合では事情はいくらか異なってくる。ドミトリーでは自分自身のスペースはベッドだけなので、見学時にチェックすべきはむしろ相部屋となる先客たちである。日常では会うことのない人びととの出会いは旅の醍醐味であり、貴重な情報交換の機会、ときには旅の道連れにもなるが、逆にトラブルの元となることもあり得る。一瞥で判断するのは難しいが注意したい点である。

お世話になる宿のスタッフには積極的に声をかけて、親しくなるに越したことはない。これも出会いの一つであるし、土地の人ならではの色々な情報や滞在上のアドバイスをくれるだろう。ただし、何かを要求されることもあるので、その場合は毅然として断った方がよい。私の場合は、日本での仕事の紹介や日本製品のお土産をよく頼まれた。

最後に、宿を出て次の目的地に移動するために夜行列車などに乗る場合、チェックアウトのあと夜まで荷物を持ち歩くのは余計な負担になる。そういうときは荷物をフロントに預けておくことができる。もちろん、荷物には施錠し、貴重品は入れておかないのが鉄則である。

設備が整った高級ホテルとは異なり、いろいろと不便なことも多い安宿だが、活用しだいでインドの旅ならではの記憶に残る経験がきっとできるだろう。（澤田彰宏）

30 ヘリテージホテルに泊まる

――インドのお城で見る夢は

インドでは割と簡単に「お城」に泊ることができる。というのも英国統治時代に藩王国の王や領主たちが暮らした宮殿や城が各地に点在しており、現在そういった建造物のいくつかがホテルに改造されているからである。日本でも豪華絢爛なお城ホテルとして紹介される代表格といえば、ジョードプルのウメイドバワン・パレス、ジャイプルのラームバーグ・パレス、ウダイプルのレイク・パレスなどである。これらは王族の宮殿や別荘として18、19世紀に建立されたものだが、今や一泊最低でも300ドル以上、100室前後を有する大規模な高級ホテルとして生まれ変わり、とくに海外からの観光客を多く惹きつけている。こういった宮殿ホテルを訪れてみれば、ラージャスターン地方を中心に存在した藩王国の勢力の大きさを目の当たりにすることができる。広大な敷地を散策しながら象によるポロを観戦したあと、美しいシャンデリアのもとで豪華なディナーを食べ、由緒ありげな家具に囲まれて眠るころには、藩王に招かれた賓客の気分になれるにちがいない。

これらの強大な藩王たちとは別に、地方にも多数の領主がおりさまざまな規模の宮殿や城塞を有していた。このような建造物の中には、現在は廃墟と化しているものも少なくない。そのような歴史的遺産（ヘリテージ）が近年相次いでホテルへと改築され、「ヘリテージホテル」としてインド国内で人気を博している。「ヘリテージホテル」運営の先駆者であり、そのカテゴリーの普及に多大な貢献をしたのがニームラナー・ホテルズ・グループであるといえるだろう。グループの創始者は「ヘリテージツーリズム」への長年の貢献を評価され、２０１４年２月、観光大臣から特別功労賞（Lifetime Achievement Award）を授与されている。

「ホテルではないホテル（non-hotel hotel）」をモットーに掲げた同グループは、１９９２年にその第1号となるニームラーナー・フォートパレスホテルを開業した。デリーから１２０キロ、幹線道路から外れ小さな村を抜けてたどりつく古城は１４６４年に建築されたものであるが、同グループの創始者が１９８６年に「発見」したときには、当時の所有者が数十年にわたって放置していた結果、ほぼ廃墟と化していたという。そ

01 ニームラーナー・フォートパレス・ホテルの外観。

の城塞の外観を利用しながら内部に手を加え、空調やインターネットなど最新の設備を有したホテルとしてオープンするまで、6年の歳月がかかった。当初、同ホテルの客室は15部屋のみであったが2020年現在はそれぞれに個性的な内装の、広さや設備に応じて値段の異なる部屋を76室有する。9棟14層で構成される古城の内部は薄暗くひんやりとしていて、各部屋や棟をつなぐ急な階段や細い小道はまるで迷路のようである。大きな門が閉ざされたあとの城内の夜は深く、通路にも広くほの暗い部屋の四隅にも闇が溜まる。天蓋つきの背の高いベッドで見る夢は、もしかすると城内のあちこちで感じるひそやかな気配に見守られているかもしれない。

同グループはフォートパレスホテル開業以後、インド各地の城塞や宮殿をホテルへと改築し続け、2020年現在はインド全土で13のヘリテージホテルを運営している。ホテルにはショップが併設され、地元産の果物を用いたジャムや衣類、銀食器など洗練されたデザインの商品が販売されており、ニームラーナーは一つのブランドとなっている。もっとも同グループは系列下のホテルを画一的にはしない。各ホテルは建物の元来の姿をできるだけ維持したまま改築され、客室数はその大きさに応じて3室から76室、宿泊料の設定も3000ルピーから3万ルピーとバラエティに富む。ゲストはニームラーナーというブランドを信頼しながら、系列下の全く異なる特徴を持つ別のホテルを次の休暇先へと安心して選択することができるのだ。

もちろんニームラーナーのようなグループに属さず、所有者が単独でホテル業を営むケースも存在する。その場合は家族経営が中心となり、領主の子孫であるオーナー自らがゲストをもてなしたり調理の一部を一族の女性が担当したりするなど、「アットホームなお城」ホテルとして滞在を楽しむことができる。たとえばデリーから80キロ、車で3時間足らずの田園地帯にそびえるマッドフォート・クチェーサルである。のどかな村を抜けると、広大な菜種の畑とマンゴー果樹園の中に18世紀に建てられたというその泥の城（マッドフォート）が現れる。朝と夕には敷地内の庭園に無数のクジャクが飛来し、七つの小塔を持つ静かな城内はクジャクたちの鳴き声と近接する村の寺からの賛歌に満ちる。そこで働くスタッフは周囲の村から通っている朴訥（ぼくとつ）な青年たちであり、元領主一族に対して抱く尊敬の念が印象的であった。このマッドフォートホテルは、2000年代初めまではニームラーナーグループの系列下にあった。しかし系列から外れたのか外されたのか、いつのまにかニームラーナーの名前はどこにも見当たらない。また敷地内にはオーナーの弟が経営する別ホテルが隣接しており、どちらも一泊二食付きで7000ルピー前後に料金が設定されている。一つの城が二つのホテルに改築された珍しい例であろう。そ

02 マッドフォート・クチェーサル・ホテルの内部。通路には先祖の栄光を示すさまざまな写真や動物のはく製などが飾られる。

03 マッドフォート・クチェーサル・ホテルの中庭。

のあたりの事情に関してはオーナーもスタッフも言葉を濁して多くを語ろうとしなかったが、想像をめぐらせながら眠れば時代を超えて「お家騒動」に巻き込まれつつも奮闘する当主（あるいはその妻女）となった夢が見られるかもしれない。

近年インド国内ではこれらの「お城ホテル」の需要が顕著である。ヘリテージホテルを専門に紹介するサイトや雑誌・書物が複数みられ、人びとの関心の高さを示している。ニームラーナー系列ホテルでは当初、インドを「経験」するためにやってくる海外からの宿泊客が中心であった。しかし現在、グループのホテル宿泊客の7割が都市部に暮らすインド人だという。これはホテルまでのアクセスが大きな要因であろう。フォートパレスもマッドフォートも、ヘリテージホテルの大半は地方の奥地にあり、主要な駅、空港どころか幹線道路にも近接していない。よってゲストは出発地点から数時間かけて道路をひた走り、未舗装の道がとおる小さな村を抜け、看板に目をこらしながら目的地にたどり着くほかない。

また、たいてい周囲には観光の目玉となるようなものもなく、時間にも交通手段にも制限のある海外からの旅行者にとっては好条件な選択肢ではない。逆にいえばそのアクセスの不便さと「なにもなさ」ゆえに、都市部に暮らすインド人にとって（またインド在住の外国人にとっても）、ヘリテージホテルは都会の喧騒を逃れてゆったりした時間を楽しむ「隠れ家」として人気を集めるのである。

埃にまみれて苦労しながらたどり着いた先には、さまざまなお城があなたを待っている。さあ、どんなお城で、どんな夢を見ようか。

（小松久恵）

【参考文献】

- Kapoor, Anuradha, 2005, *Indian Heritage Hotels: Legacy of Splendor*, Roli Books Private Ltd.
- Dare, Annie, Victoria McCulloch, 2011, *Footprint Rajasthan Handbook: Includes Delhi & Agra*, 4th edition, Footprint Handbooks.
- ニームラーナー・ホテルズ・グループのホームページ http://neemranahotels.com/

コラム 06

キャメルサファリの旅

月の砂漠を～♪　ではないが、誰でも人生一度くらいは広漠とした静寂の砂漠世界をラクダに乗って渡り歩きたいものである。そうしたロマンティシズムは洋の東西を超えて普遍的に見られるものかもしれない。そんな願望を叶えてくれるのが、キャメルサファリと呼ばれる北西インド・タール沙漠にみられるツアーなのである。

お気づきの方もおられるかもしれないが、インドのサバクは砂漠ではなく「沙漠」。基本的には乾燥した荒野や固いむき出しの岩盤が続く世界である。しかし、落胆することなかれ。我々の思い描く、風紋の美しい砂の流れる幻想的な世界を味わうことも可能なのである。タール沙漠には、所々こうした「砂丘」が広がる地帯がある。

キャメルサファリはジョードプルやビーカーネール、バールメールなどタール沙漠の主要な諸都市でも行われているが、ここではこのツアーが最も盛んなジャイサルメールを例にとろう。景勝地として有名なサム砂丘をはじめとして、美しい砂丘はあちこちに点在しており、その大きさもさまざま。キャメルサファリでは、こうした場所までラクダに乗ったりジープを駆使したりして移動し、十分に景観や砂の感触を楽しむことができる。組まれるツアーの内容によっては砂丘に寝泊まりすることもでき、長い人は一か月も沙漠世界をうろついたりする。こうしたツアーは、すべてジャイサルメールの市街地（都市部）のホテルや旅行代理店でアレンジすることができる。前述のサム砂丘は、その広大さが売りであるが、あまりに観光客（とくにインド人の国内旅行者）が多く集まるため、足跡だらけで荒らされてい

サム砂丘の風景。ジャイサルメール周辺で最も大きな砂丘として知られ、多くのツーリストが訪れる。

るし、夜は馬鹿騒ぎをするので、静寂を求めるロマンティックな旅人にはあまり評判が良くない。狙うならばその他の、規模は小さいものの美しい風紋を楽しめる砂丘である。アレンジする代理店によってさまざまなルートやサービスがあるし、値段もピンキリなので、何軒か巡って情報を集め、納得いったところでツアーを組むのがおすすめである。

近年では、とくに「ノン・ツーリスティック・ルート」、つまりあまり観光客が通らないマイナーなサファリ・ルートを売りにするところも増えている。ツアーには古都ローダルヴァーや美しい古（いにしえ）の貯水池が残るアマルサーガルなどの遺跡が含まれるのが一般的だが、沙漠に住む人びとの生活を垣間見ようと、村々を巡るツアーもある。筆者はむしろ村に生活の拠点をおくフィールドワーカーだったので、外部からラクダに乗ってやってくるツアー客があると、家の中でひっそりと息を殺して隠れていたものだ。「辺境に住む素朴な人びと」に会いに来た欧米やアジアからのツーリストが、沙漠に住む変な日本人に出くわしたら、なんとも興ざめなのである。

もしあなたが一人旅のバックパッカーならば、ツアーを組むときにはホテルなどで出会った他の旅人と一緒に行くことをおすすめする。とくに女性一人旅の場合には、ツアーのお世話をする、つまりラクダを引いて沙漠を練り歩く「キャメルドライバー」と呼ばれる人間と二人きりになってしまう可能性が高く、性的に迫られてしまう危険があることだけは忘れてはならない。

ツアー中、生活の細部の全ては、このキャメルドライバーに委ねよう。彼らはラクダの扱いから料理の仕方、ツーリストを喜ばせる話術（多くの場合英語が堪能）に長けており、休憩のタイミングから寝る場所の確保、ブランケットの用意まで全てを一手に任されており、プロフェッショナルなのである。当たったドライバーがセンスの悪い人ならば、それはそれで一興。一緒に旅を組み立てればいい。なにせここは「なんでもあり」なインドなのだから。

（小西公大）

料理を作るキャメルドライバー。沙漠で食べる素朴な料理は格別だ。

第Ⅶ部

インドを食べ歩く

31

インドの食事作法は哲学である

――水一杯の飲み方から

物心がついた時から、食事は箸かスプーンやフォークで食べるものと思っていた。まさか手で食べるなんて想像だにしなかった。しかしその日は唐突に訪れた。最初にインドに行ったのが東南アジアと南インドを結ぶ汽船で、マレーシアのクアラルンプール郊外の港で3等の船倉クラスに乗船した。食事の時間がきたので食堂に行き、学食のように並んでお盆を取ると、料理がそこに載せられた。さてスプーンやフォークは、と探したが見つからない。配膳係の人に訊いても英語が通じない。で、どうなったかというと、隣に座った英語のわかる乗客が教えてくれた。このクラスの食堂にはスプーン、ナイフ、フォークのたぐいは一切ない、と。ということで、心の準備もなしに、手で食べることになった。その時の感触は何とも表現できない。何かヌルヌルして気持ち悪いような気がしたことだけは覚えている。

食事のほかに午前と午後にチャーイが飲めるが、コップを持って列に並ばなければならない。そんなこととは知らなかった私はコップを持っていなかったので、翌日ペナン島に寄港したときに、大きめのコップとバナナの房を買った。こうしてペナンから一週間ベンガル湾を横断してマドラス（現在のチェンナイ）に着くまで、ひたすら手で食べ、チャーイを飲む生活が続いたわけである。ちなみにチャーイを飲む前に、まず水を飲めと言われた。熱いものを体に入れる際の準備で、インドの伝承医学アーユルヴェーダで推奨されているのだそうである。水一杯の飲み方さえ深い理由に裏打ちされている。

食べ物を何で食べるかは食べ物のかたちと呼応している。和食や中華は箸で食べられるように作られている。ステーキは箸ですぐに食べられないので和食ではない。うどんやそばはスプーンやフォークでは食べにくいので洋食ではない。そして、手で食べるインドやパキスタンなどの料理は手で食べられるようになっていて、あまり熱いものは出されない。

01 この儀礼僧の家族は、男性と老人、子供が先に食事をする決まりになっている（ウッタル・プラデーシュ州バナーラス市）。

手で食べるのだから、手は清潔にしておかなくてはいけない。それでインドでは食事の前には必ず手を洗う習慣がついている。レストランでも手を洗う場所が必ずある。食べたあとにも手を洗うが、そのときに口も漱がなくてはならない。これはアーチャマナといって、口でクチュクチュした水は飲まずに吐き出すことになっている。すでに紀元前後に編纂された『マヌ法典』に説かれている浄化儀礼なのである。水を飲みたければ、そのあとに飲めばよいのである。

ヒンドゥー教徒はそれぞれの家庭で食べられるものが決まっている。私が留学中に下宿していた家族は伝統的にはクシャトリヤ（王族・武士階級）に属し、マーンサーハーリー（肉を食べる人）であった。[*1] いわゆるノンヴェジだが、肉食主義者というほど何か主張しているわけではない。ひと月に二度くらい肉料理を食べる。しかし、この家族に問題が起こった。奥さんが肉を食べないと言い出したのである。しばらくは、肉を調理はするが味見はしないというやり方だったが、最後は完全に調理拒否となった。結局、どうしても肉料理を食べたい旦那さんが自分でキッチンに立つことになった。下位カーストの人たちが、上位カーストの生活様式や価値観を取り入れて自分たちの地位向上を図ろうとすることをサンスクリット化（Sanskritization）というが、この奥さんのケースを見ると少し別の要因がありそうである。この家族は夫が大学でヒンディー語を教えている教師で、地域でも尊敬されており、自分たちの地位を向上させようとは思っていない。奥さんの菜食への転向は、近年衛生指向が高まるなか、近所の肉屋や魚屋の衛生状態が改善されていない状況などを見て、不潔なものは口にできないという感情が芽生えた結

＊1　マーンサーハーリー（肉食者）に対してヴェジタリアンは「シャーカーハーリー」（菜食者）と言う。ヴェジタリアン向けのレストランにはこの言葉が表示されていることが多い。

果とも考えられる。

一方、私のサンスクリットの先生の家族はブラーフマン（バラモン＝司祭階級）で、厳格なヴェジタリアンだった。私は毎晩先生のお宅に伺って、夕食をいただいてからレッスンをしてもらっていたが、スープの中にジャガイモとカリフラワーが一、二片申し訳程度に浮かんでいるという極端に質素な食事で、タマネギやニンニクを食べず、タマゴは敵だった。それでも先生は巨漢で、その秘密はおそらく朝晩たっぷり牛乳やヨーグルトを摂るからなのだろう。

あるとき先生の奥さんが、「日本人は牛肉を食べるのでしょう」と聞いてきた。私は、「ここでは決して食べたりしません。けれど日本では」と言ったとたん、台所に行ってもどしてしまった。私は慎重に言葉を選んだつもりだったが、ヒンドゥー教の神様扱いされる牛の肉を食べるということが、彼らにとってどういう意味を持つのか、そのときまで想像もできなかった。

ヒンドゥー教徒にはこのようにノンヴェジもいれば厳格なヴェジタリアンもいるが、そのあいだに、肉はだめだが魚はいいとか、有精卵は食べないが無精卵はいいとか、異なる食生活のルールを持つ人がいるので、一緒に食べる際には相手の意向をよく確かめておく必要がある。[*2]

02 ある子宝祈願の祭りでは、願がかなった御礼に、一生これは食べませんという野菜を購入して神様に捧げる。

インドの人口の約14%を占めるイスラーム教徒は豚肉を決して口にしない。彼らはアラビア語で合法、適正を意味する「ハラール」[*3]食品のみを食べてよいとされる。基本的には、不浄・不潔とされる豚肉が混入しない環境（屠畜、加工、流通過程）で作られ、権威のある団体によって認証された食品を指す。[*4]最近は日本のコンビニでもハラールの認証マークのついた食品やお菓子などが売られていて、外国から来たイスラーム教徒には本当に安心感を与えるものとなっている。イスラーム教徒の食生活で是非とも知っておくべきことはラマダーン（ラマザーン）という宗教行事である。彼らに課せられた「五行」の一つで、一年に一度めぐってくるラマダーン月のおよそ一か月間、日の出から日没まで飲食を断つという苦行である。イスラーム暦は太陰暦なので一年間に約11日太陽暦とズレを生じる。つまりこの行事は何年かおきに酷暑や極寒の季節にまわってくるのだ。そうなったら日中はひたすら耐えるしかない。しかし、その期間中のイフタールと呼ばれる日没後の食事は彼らが楽しみにしている時間で、用意される食事は豪勢極まりない。家族や友人が集まって夜がふけるまで歓談する。もちろん、日の出前にも簡単な食事をとって、これから始まる断食に備えるのである。

仏教では何が食べられ何が食べられないかという基準が歴史とともに変化した。初期の仏典によれば、修行僧は托鉢でもらい受けた食べ物がたとえ肉であっても、「三種浄肉」といって、殺す所を見なかった肉、供養のために殺されたと聞かなかった肉、自分のために殺された疑いの無い肉であれば食べても問題はないとされた。しかし大乗仏教の時代になるとこの考えはだいぶ揺らぎ、肉食禁止を主張する者も現れてくる。しかし、

＊2　小磯学・小磯千尋、2006、『世界の食文化8　インド』農山漁村文化協会。162頁に、浄性が高い食べ物から不浄性が高い食べ物までのリストが示されている。

＊3　日本やインドネシア、マレーシアでは「ハラル」と短く発音する。神に食べることを許された食べ物である「ハラール」に対して、禁止された食べ物を表す「ハラーム」（ハラム）という概念もある。

＊4　詳しくは、小杉泰、2019、「ハラール食品とは何か――イスラーム法とグローバル化」井坂理穂・山根聡編『食から描くインド――近現代の社会変容とアイデンティティ』春風社、参照。

その後仏教は世界各地に広がったが、肉食を禁じるかどうかの明確な基準はもうけられていない。

仏教と同じくらい長い歴史を持つジャイナ教では、不殺生を最も重要な教義とする。出家と在家で教義を遵守する程度の違いはあるが、基本は同じで生き物を殺してしまう可能性のある行為すべてを徹底的に避けるのである。宗派内のグループや地域によって差はあるが、地上に生えるもの（蔬菜類）は食べてよいが、地中の根、球根のたぐい（根菜類）はダメなどの規則がある。[*5] 驚きなのは、ジャイナ教研究者の河崎豊氏に伺った話で、食事は生命を維持するための行為であって、間違っても美味しいとか味わって食べてはならないのだそうである。もっとも、在家の人たちはそこまで厳格に規則に従っているわけではない。

インド人は何が食べられるか、何が食べられないか、ということをずっと考えてきた。それは動物であれ植物であれ、その中に存在する生命の問題に真剣に向き合ってきたからである。さらには食べないという選択、すなわち「断食」という方法を規則化して実践してきた。インドの食文化の背景には哲学という隠し味があるのである。（宮本久義）

＊5 詳しくは、上田真啓、2017、『ジャイナ教とは何か——菜食・托鉢・断食の生命観』風響社、参照。

32 北インド料理あれこれ

――小麦文化を堪能する

首都デリーを中心とした北インド料理の多様さは、旅行者を十分楽しませてくれるだろう。デリー周辺のムガル料理、カシュミール料理、パンジャーブ料理などインドを代表する料理があげられる。歴史的に西からの文化の流入の影響が食文化にも見てとれる。また、チベット亡命政府のあるダラムシャーラー（ダラムサラ）やラダックなどではモモ（餃子）やトゥクパ（麺）といったチベット系の料理も食べられる。南が米文化圏ならば、北は小麦粉文化圏といえる。主食は小麦粉を加工した無発酵の全粒粉を鉄板で焼いたローティー（チャパーティー）、油で揚げたプーリー、発酵させてタンドゥール窯で焼いたナーン、油で揚げたバトゥーラーである。ローティーのあいだにジャガイモや大根な

＊1　16世紀にバーブルによって創始された北インドの王朝、「モンゴル」に由来する。ムガル宮廷で育まれた料理の総称。

＊2　九曜星（七曜星にラーフ、ケートゥを加えた）に対応する宝石。日

どを挟んで焼いたパローターは朝食の定番だ。

ムガル料理

北インドは、南インドに比べて肉料理もバラエティー豊かで、「ムガル料理[*1]」と総称されるムガル宮廷で育まれた料理の数々は旅人を魅了してやまない。ムガル料理は、カシューナッツやアーモンドのペーストのほか、ヨーグルトやクリームなどを用いた、リッチでコクのある料理で知られている。「ナヴァラタン・コールマー（九つの宝石[*2]のヨーグルトやクリームを使った炒め肉）」や「シャーヒー・コールマー（高貴なコールマー）」はその代表格で、ナーンやローティーとの相性抜群である。そのほか、「ゴールデン・ビリヤーニー（ぶつ切りの肉入りピラフ）」、「キーマ・マガズ（挽肉と山羊の脳みそカレー）」など料理名からして何やら豪勢に感じられる。日本人の口に合うものとしては、スパイスに漬けた肉を鉄の串に刺して焼いたカバーブと呼ばれる料理であろう。ぶつ切りの肉を焼いたものは「ボーディ・カバーブ」、挽肉とスパイスを混ぜたものを竹輪のように串に巻きつけて焼くと「シーク・カバーブ」、わらじのように大きな楕円形にして焼くと「チャブリー（サンダル）・カバーブ」と呼ばれる。

そのほか、日本でもおなじみのタンドゥーリー・チキンに代表されるタンドゥール窯を使った料理の数々も忘れてはならない。大型の植木鉢を二つ合わせたような窯の下から炭火をおこし、ヨーグルトとスパイスに浸けこんだ肉を

曜日から順にルビー、真珠、珊瑚、エメラルド、トパーズ、ダイヤモンド、サファイア、猫目石、肉桂石を意味する。

01 カバーブは匂いだけでも食欲をそそる。

串刺しにして焼くと、余分な脂は下に落ち、遠火でじっくりと焼かれたジューシーな肉料理が仕上がる。店によっては赤く色を付けている場合もある。酢漬けのタマネギやライムなどと付け合せて供される。豪快に手でつかんで食べたい。ビールはもちろん、ナーンとの相性も抜群である。魚や山羊肉も同様に調理される。菜食者向けには、タンドゥーリー・パニール（カテージチーズ）も用意されている。

パンジャーブ料理

現在日本にはインド料理店が軒を連ねており、そのシェフの多くはガルワーリー・ヒマーラヤ[*3]やネパール出身者で占められている。ベンガルや南インド料理店も見かけられるようになったが、かつて日本のインド料理といえば、油とスパイスをたっぷり使ったパンジャーブ料理が中心だった。

インドでパンジャーブ料理というと、インド人はまず、「チョーレー（ヒヨコマメのスパイス炒め）・バトゥーレー（揚げパン）！」という。大ぶりのヒヨコマメをたっぷりの油とスパイスで炒め煮にした料理である。全インド的に認知されたパンジャーブ料理で、体格のよいスィク教徒のエネルギー源ともいえる。パンジャーブはインド一豊かな穀倉地帯で、野菜も他の地域よりも大ぶりのものが収穫されている。カラシナを使った惣菜もよく食べられる。そのほか、挽肉や豆、野菜をすりおろしたものを団子状にして油で揚げた「コーフター」をさらにスパイスとともに煮込む料理も知られている。

街道沿いにあるダーバー（簡易食堂）で食べる菜食料理も捨てがたい。大なべで調理

＊3　ウッタラーカンド州の山間部。

されたダール（豆スープ）や野菜の惣菜の中から好みの料理を選んで、ローティーやご飯と食べる。北インドでよく食べられるラージュマー（赤金時豆）を是非試してほしい。ビンディー（オクラ）やバインガン（ナス）の惣菜は当たり外れがない。

カシュミール料理

最近脚光を浴び始めたデリーの北にあるカシュミール地方の料理は、肉料理が中心だが、ムガル料理とはまた違ったシンプルな味付けが特徴だ。治安が良かったころは避暑地として、またハネムーン先としてインド人の憧れの地であった。湖と緑が織りなす風光明媚な地は「地上の天国」と呼ばれていた。

カシュミール地方は寒いせいか、ヒンドゥー教徒でも肉食をする人が多い。山羊肉、鶏肉、魚などが食べられるが、イスラームが入るまでは豚肉も食されていたという。イスラーム人口が増えると、藩王がムスリムに配慮して、豚肉食を禁じたと言われている。肉本来の旨味を引き出そうとしたスパイスの使い方が新鮮だ。代表的なのは、白いマトン・カレーと呼ばれる乾燥ショウガとフェンネル（ウイキョウ）、ウコンだけで煮込んだスープのような料理である。骨付きの肉を髄まで柔らかく煮込んであるため、滋養のある料理とされる。フェンネルはインドの他地域では、食後の消化剤として食べられる程度で、スパイスとしての出番は少ないが、この料理はフェンネルの面目躍如たるものがある。

そのほか、この地特産のコウルラービ（カブラタマナ）というカブとその葉を油で炒めてウコンと塩で味付けしただけのスープもカシュミールを代表する味だ。

デリーで北インド料理を満喫するなら

メトロも開通したデリーは、人や物が動き、活気に満ちている。デリーのイベント情報誌『ファースト・シティ（*First City*）』では充実した食べ歩き情報を常時掲載している。大手新聞社タイムズ・オブ・インディアの発行している『タイムズ・フード・ガイド（*Times Food Guide*）』などを参考にしてお勧めレストランを試してみるのもいい。

ジャーマー・マスジッド界隈、ムスリム居住区には食堂といった気楽な雰囲気で美味しい肉料理を食べさせてくれる店が多い。なかでもお勧めは「カリーム（Karim）」。ここで食べたシーク・カバーブと油ギトギトのスープは遠い中央アジアの風を感じさせる味だ。デリー在住の日本人に連れていってもらったヴァサント・プレイス（Vasanta Place Market）の「アルカウサル（Alkauser）」で食べたちょっと癖のあるカコーリー・カバーブ（歯のない人でも食べられる柔らかいカバーブ）とアフガニー・チキンの味は忘れられない。メーティー（フェヌグリーク）の葉を多用したほろ苦い味わいが衝撃的だった。他のどこでも食べたことのない北インドの味を堪能できた。店はオープンスペースのみで、安いプラスチックのテーブルと椅子席だけだが、いつも混雑している。デリーで一度は試してみる価値がある。

（小磯千尋）

02 デリーのアルカウサル・レストランで食卓を囲む家族。

33 南インド料理あれこれ

——豊かな米食文化を探訪する

肌に心地いい風の吹きぬける小屋がけのレストランのコーナー席に座わり、テーブルの上に置かれたバナナの葉にコップの水をさっと流して待つと、縞のルンギー（腰巻）をたくし上げた給仕の男性が、バケツを手に笑顔で登場する。まずはご飯がたっぷりよそわれる。続いて酸味のあるサンバルがかけられ、数種類の惣菜がご飯の脇によそわれる。ラッサムというサラサラした辛いスープも登場する。これとご飯と惣菜を手でよく混ぜて、口に運ぶ。さっぱりしたスパイスと野菜のうまみが口に広がる。ココナツのふりかけのようなものも混ぜてみる。甘い香りとコクがご飯にメリハリを与えてくれる。

大根や冬瓜、オクラなどが入った酸味の効いたサンバルはご飯とは別にスープとして

01 バナナの葉皿によそわれた南インドの定食「ミールス」。

飲みたいほど美味だ。ケーララなどではここに、スパイスの効いた肉のローストがついたりもする。すべておかわり自由。仕上げはヨーグルトやバターミルクをご飯と混ぜて食べる。これこそが、日本にいてもときどき無性に食べたくなる南インドの定食「ミールス」だ。

南インドは北インドに比べると旅行者のパラダイスといえる。どこへ行っても、日本人好みの定食や米粉と豆を発酵させた生地で作るバラエティー豊かなスナックと、香り高いフィルターコーヒーが迎えてくれるからだ。

インド料理は主食が米か小麦かで大きく分けられる。北インドでは小麦を粉にして無発酵で焼いたローティー（チャパーティー）や発酵させて焼いたナーンを主食とし、南インドでは米が主食となる。興味深いのは、中間にあたるマハーラーシュトラ州やカルナータカ州では米・麦とともに雑穀も主食に上手に取り入れられている。

南インドでは、米は主食としてだけではなく、さまざまなスナックに利用される。米のバラエティーも豊富だ。米は地方ごとに好みがあり、それぞれの米に適した料理がある。北インドでは炊いたあとパラパラした米が好まれるが、南や東インドでは丸く粘り気の強い米も好まれる。マハーラーシュトラではアンベーモハールというマンゴーの花の匂いがする粘り気のある米がよく食べられる。

南インドの人は、米を手でよく混ぜて、自分好みの味を皿の上で作ってから口に運ぶ。北インドの人は南インドの人の食べ方を揶揄して、手の平全部を舌で舐める真似をして顔をしかめてみせる。小麦から作ったパンを主食とする人びとは、ちぎったパンで惣菜をはさんで口に運ぶため、指先を使うだけで食事ができるが、米を美味しく食べるためには手の平全部を使ってよく混ぜなければならない。皿に残った汁気も手の平を上手に使って器用にきれいにしてしまう南インドの人びとの手さばきに見とれてしまう。

紫色、赤色の米の粉をロール状にして蒸した「プットゥ」をミルクとともに食べたり、ヌードル状に絞りだしたものを蒸した「イディヤッパン」を卵カレーなどと食べるのはケーララの朝食の定番だ。仕上げには削りたてのココナツの果肉をかけて食べる。最近ではインド中でお目にかかれるイドゥリー、ドーサー、ウッタパムは南インドの代表的なスナックである。いずれも米とウラドマメ（ケツルアズキ）を一晩水に浸けて挽いたものを少し発酵させて用いる。円い型にいれて蒸せばイドゥリーに、クレープのように薄くパリパリに焼くとドーサーに、お好み焼き風にもっちり焼くとウッタパムになる。

ドーサーにジャガイモの香辛料炒めを入れるとマサーラー・ドーサーと呼ばれる腹持ちのいいスナックとなる。ウラドマメだけの粉を揚げたものがワラーで、甘くないドーナツといった感じである。上記のスナックにはサンバルとココナツと青トウガラシ、コリアンダーの葉をすり潰したチャトニー（チャツネ＝ジャム状の舐めもの）が欠かせない。最初はチャトニーとともに味わい、合間にサンバルを口に含む。残りはサンバルに浸けて一気に食べるのがお勧めの食べ方だ。インド旅行者はこれらのスナックに必ずどこかで出会うだろう。ドーサーは油を使い過ぎたものはしつこくいただけない。イドゥリーの独特の酸味が苦手という日本人も多いが、サンバルとチャトニーとの相性は抜群で、飽きのこない味なので是非トライしてほしい。ワラーはスパイス入りのヨーグルトに浸けたダヒー・ワラーもお勧めだ。

このほか、セモリナ粉（粗挽きの小麦粉）をおから風に炒り煮にしたウプマー、米をアルファー米に加工したチューラーを水に戻して炒飯風に調理したポーハー（炒り米）など軽食を挙げだしたらきりがない。南インドの一番の楽しみは朝食といっても過言ではない。これらの軽食にミルクたっぷりの香り高いフィルターコーヒーのコンビネーションが旅をより充実したものにしてくれること間違いなしだ。

北インドと南インドの料理の大きな違いは主食以外に、使う油にある。北インドではギー（精製バター）や芥子油、大豆油などが使われるが、ケーララでは甘い香りのするココナツ油が主に使われる。ほかの地域では髪油として使われているせいか、料理からこの油の匂いがすると最初は抵抗感がある。慣れると独特のコクのある味わいが病みつきになる。同じ南インドでもタミル・ナードゥ州では調理にココナツ油は使わない。

02 南インドの朝食に欠かせないイドゥリーを蒸し器から取り出したところ。

南インドで採れる胡椒やカルダモンを上手に料理に取り入れた味付けは暑い気候のせいか、北に比べて辛めでスパイシーであるが、さっぱりとした味付けは日本人好みといえよう。

南インド料理の味と香りに欠かせないものが、カリーリーフ（ナンヨウザンショウ）、ヒーング（アサフェティダ）そして新鮮なココナツの胚乳からとるココナツミルクである。カリーリーフは北では使われず、西、南インドで不可欠なハーブである。独特の芳香が特徴で、熱した油に入れて香りを油に移す。インドの調理法のテンパリング（香り油）にクミンやマスタード・シードとともに用いられる。ヒーングは硫化物を含む固まった樹液を粉にしたもので、少量使用することで味に深みが出る。豆料理に用いると腸内に発生するガスを防ぐともいわれる。タイ料理にも多用されているココナツミルクは、独特のコクと旨味を出してくれる。マナガツオをココナツミルクとスパイスで煮込んだカレーは絶品である。

もうひとつ酸味と旨味を兼ね備えたタマリンドも付け加えたい。これは南インド限定ではないが、南の味の決め手のひとつである酸味に不可欠な素材だ。豆のさや状の中の果肉が熟すと甘酸っぱい塊となり、それを水に溶かして使う。粗糖と混ぜるとスナックに欠かせない甘酸っぱくてコクのあるタレができる。

（小磯千尋）

【参考文献】

- 小磯千尋・小磯学、2006、『世界の食文化 8 インド』農文協。
- 山下博司・岡光信子、2007、『インドを知る事典』東京堂出版。
- 渡辺玲、1999、『ごちそうはバナナの葉のうえに』出帆新社。
- 渡辺玲、2003、『カレーな薬膳』晶文社。

34 嗜好品あれこれ

――チャーイにコーヒーにパーンにタバコ

「口福」という言葉は美味しい物を食べたときの得も言われぬ幸福感に包まれるときに使われるが、それにもまして口福が感じられるのは嗜好品である。匂いや香りといったいわゆる皮膚感覚をねっとりと弄び、私たちを至福の境地に連れていってくれる。ヨーロッパ人が新大陸で遭遇した喫煙の習慣や儀式、イギリス人のアフタヌーン・ティーの作法、日本の茶道など、嗜好品を理解することなしにその土地の生活習慣は語れない。

インドでは人をもてなすことが非常に大切に考えられているので、家に客人が来たら、必ずと言っていいほどチャーイ（ミルクティー）が出される。昔は客人が来たら、まず水と皿に盛った砂糖を出し、主人が客人と話しているあいだに、主婦が食事を用意するというのがもてなしだったと聞いたことがある。「昔は」というのがいつ頃のことなのかは聞き洩らしたが、今ではチャーイとお菓子で簡単に済ませられるいい時代になった、とその友人は話していた。

紅茶はイギリス植民地時代の18～19世紀にインド北東部のダージリンやアッサムなどと、南西部の西ガーツ山脈の山間部ニルギリ（ニールギリ）にプランテーションが開かれた。ダージリンの茶葉は収穫期によって、濃い香りのする春摘み（ファースト・フラッシュ）、コクが味わえる夏摘み（セカンド・フラッシュ）、まろやかな秋摘み（オータムナル）に分けられるが、いずれにせよ、甘く爽やかな香りで、少し渋みがあるのが特徴である。アッサムは深い味わいときれいな紅茶色が楽しめ、ニルギリは爽やかでコクがある。市場には必ず紅茶屋さんがあるので、ダージリン50%、アッサム25%、ニルギリ25%とか注文して自分の好きなブレンド・ティーが楽しめる。スリランカのウバなどの茶葉をブレンドしてもよい。

01 チャーイは路傍で素焼きのカップで飲むのが最高である。飲み終わったカップは地面に投げて砕く。他人に不浄の罪を犯させない配慮もあるが、本音は呪術に使われるのを避けるためである（ビハール州、アジアハイウェー1号線）。

インドを旅していてちょっと、というかかなり戸惑うのが、ホテルの紅茶と街で飲むチャーイの違いである。上・中流のホテルでは紅茶を注文すると、いわゆるイギリス式の紅茶が供されるが、これが必ずといってよいほどまずいのである。理由を類推するに、大多数のインドの人びとはイギリス式の紅茶の淹れ方を知らないのである。イギリス植民地下のコルカタに生まれたジョージ・オーウェルは、『一杯のおいしい紅茶』の中で、「完全な紅茶のいれかたについては、わたし自身の処方をざっと考えただけでも、少なくとも11項目は譲れない点がある」という。[*1] いちいち列挙はしないが、10項目目は「最大の議論の一つ」だという。それは、ティーカップにミルクを注いでから紅茶を淹れるのか、紅茶を淹れてからミルクを注ぐのかという問題で、オーウェルはまず紅茶からだと主張する。こんなことで大議論するイギリス人のやり方を、両方混ぜて煮立てればチャーイの出来上がりと考えているインド人が真似できるはずがない。ただ、イギリス人たちが使っていた茶葉に比べて安価な茶葉を利用して、異次元で圧倒的なインパクトのある美味しいチャーイを作り出したインド人の味覚には脱帽するしかない。

インドではコーヒーも飲まれている。中世にイエメンからアラビカ種のモカがもたらされたといわれるが、その後ロブスタ種も加わり、今ではコーヒー生豆の生産量は常に世界で10位以内となっている。ただし、消費量は50位あたりなので、インドのどこでも飲めるというわけではない。生産地が南インドなので、チェンナイやバンガルールなどの街中には「コーヒーハウス」が多い。注文すると店員さんがステンレス製のカップを高々と持ち上げて、もう一方の手に持ったソーサーめがけて滝のように注ぎ込む。ソー

＊1　ジョージ・オーウェル、2020、『一杯のおいしい紅茶』小野寺健訳、中公文庫、13頁。

＊2　コショウ科のつる植物。葉はやわらかく、

サーといっても縁を高くしてカップと同じくらいの容量が入れられるようにしたものだ。これを交互に繰り返すと砂糖とミルクが完璧に混ざり、空気でできた泡のおかげでまったりとしたコーヒーができあがる。私の舌が覚えたインディアン・コーヒーの味は忘れがたく、今でもマドラス・コーヒーハウスなどという看板が目に入ると、つい足を踏み入れてしまう。

インドの人たちはお茶もコーヒーも大好きだが、それらはイギリス植民地時代に入ってきたもので、インド独特の嗜好品といえば、彼らが古代から熱愛してきたパーンであるといえよう。パーンとはキンマ[*2]（蒟醬）の葉に消石灰や刻んだビンロウジ[*3]（檳榔子、スパーリー）などの香辛料を入れて包んだもので、食後あるいは自分の感覚が欲するときに口に含んで、口腔内を爽やかにするものである。見た目は小ぶりのチマキのような三角形をしている。これを頰にたくわえ奥歯で少しずつ噛んだりしているうちに、だんだんとろけて赤褐色の汁が滲みでてくる。その汁は決して飲んではいけない。汁は唾液と一緒に口をすぼめて一気にピュッと吐き出すのである。これを何度か繰り返していくうちに汁の出が少なくなる。そうしたら、口の中の残りカスを吐き捨てる。味わい方はチューイングガムのようだが、似て非なるところは汁が溢れ出す勢いが激しいので一分おきくらいに吐き出さなければならないことである。数十年前までは建物の踊り場や部屋の隅が赤い汁で染まっていて、結核の血と間違えてビクビクする旅行者も少なくなかったが、さすがに最近はそのような場所は減ってきている[*4]。

パーンは自分で材料を揃えて作る人もいるが、普通は街角のパーン屋さんのところに

ほろ苦さと芳香を持つ。

＊3　ビンロウジとはヤシ科に属するビンロウ（檳榔 *Areca catechu*、檳榔子と区別するため檳榔樹とも言う）の実のことを言う。

＊4　作家の小田実はアメリカ留学からの帰途、１９６０年にニューデリーで試したパーンの味を次のように記している。「味もへったくれもあるものか、要するに木の葉を食っているのではないか。その色のついた香料のおかげで口中を真赤に染めながら、とにかく喉に押し込んでしばらくすると、やけに熱いものが喉から口中へ、口中から全身へひろがって行き、頭上にウンザリするほど照りに照っているお日様のごとく、私の体は、真実、燃えた。」『何でも見てやろう』講談社文庫、１９７９年、３７６〜３７７頁。

02 パーン屋さんの店頭。吊るしてある小袋はパーンに包む香辛料など。ビハール州。

いって作ってもらう。キンマの葉にペースト状のカッター（阿仙薬木）とチューナー（消石灰）を塗ったものをベースとして、そこに自分の好きな香辛料を入れてもらう。ほとんどの人が注文するのはビンロウジで、そのほかに、スルティーと呼ばれる噛みタバコや、カルダモン、シナモンなど好みのものを、いわばトッピングのように注文して入れてもらえる。私はスリランカ、インドネシア、タイ、カンボジア、ミャンマー、ヴェトナムでもパーンを嗜んだが、いまだにインドのバナーラスのものを超える味に出会ったことがない。[*5]

パーン屋さんはタバコ屋を兼ねている店が多い。インドの庶民にとってタバコは贅沢品に近いので、バラ売りで売ってくれる店もある。近年では、独特な強い匂いを発する安価な国産タバコとともに、イギリスをはじめとする海外からの洗練された輸入品が店頭を占めるようになってきた。ただしその額はインドの人びとの日常感覚からは遠いものだ。安く済ませようとするならばビーリー（ビーディー）だろう。これは長さ5センチほどの葉巻だが、私のなじみの店では店頭で3センチのものを巻いていた。極上品だが、2、

＊5　宮本久義、1993、「パーンの文化誌」『コッラニ』14号。

3回紫煙をくゆらせたら終わりである。燃焼促進剤が入っていないので、すぐに火が消えてしまうのが難点だ。かつては店の柱に30センチくらいの長さの火縄が吊るしてあって、タバコやビーリーを1本買って火縄の先から火を付けるのが楽しかったが、今では日本製の100円ライターのまがい物がどこでも手に入るようになったので火縄は姿を消してしまった。そのほかに日本では売られていない「噛みタバコ」というものもあり、タバコの葉に香辛料などを混ぜたものを舌の下や頬の内側に含んで味わう。頭がクラクラするほど強烈であるが、勇気のある方はお試しあれ。

インドでは鉄道の長旅のあいだなどに見知らぬ人がチャーイなどを飲むよう誘ってくることがある。それが本当の好意なのか睡眠剤入りのもので昏睡させて金品を奪おうとしているのかは、自分自身で判断しなければならない。さらには大麻やアヘンや覚醒剤の誘惑さえある。インドでは危機管理は自分で行う、それが鉄則だ。

（宮本久義）

コラム07

インドで美酒を楽しむ

インドで飲酒を楽しむことは、インドで外食を楽しむのと同じくらい、何となく後ろめたさ感じざるを得ない、気力の要ることのように時たま感じることがある。

なぜだろうか。経済格差が露わな環境のなかで、贅沢な嗜好品を摂ることに非人倫的な罪悪感を覚えるからであろうか。日本の現状と比較して考えてみる。まず、インドでは日本ほど都市部の繁華街が発展していないことが挙げられるだろう。したがって繁華街における飲食店も発展しているとは言いがたい。その背景にはジャーティ間の飲食物の授受に関する社会階層的な規制が、今でも人びとの意識のなかにあるのかも知れない。こうした状況で、日本の居酒屋のような産業形態は、急速な近代化が進んでいる現代インドでもなかなか発展しにくいのかも知れない。

宗教的な理由もあるだろう。しばし古典にあたってみれば、釈尊の言葉に近い教えを集めたとされる『スッタニパータ』のなかの「ダンミカ・スッタ」に次のように説かれている。

また飲酒を行ってはならぬ。この（不飲酒の）教えを喜ぶ在家者は、他人をして飲ませてもならぬ。他人が酒を飲むのを容認してもならぬ。
これは終に人を狂酔せしめるものであると知って。（中村元訳『ブッダのことば――スッタニパータ』岩波文庫398、70頁）

このような初期仏教教団が説く「不飲酒戒（おんじゅ）」の倫理

がやがてインドの諸宗派に伝わり、これを遵守して信者にまで課す宗派、宗教者のみに課す宗派、あるいは、まったく意に介しない宗派があったものと思われる。

しかし、古代のヴェーダ時代からソーマという酒神をあがめ、さまざまな果実酒や蒸留酒の製造の長い歴史をもつインドにおいて、この禁欲主義は大半の人びとにとって宗教的徳目としては水準が高すぎたのではないだろうか。

そののち、世俗文学において飲酒は自然な描写対象であり、中世期に汎インド的な宗教現象であったタントラには、至高の世界原理である女性原理すなわち女神が髑髏の酒杯で痛飲し悪魔退治をする姿で描かれている。また、その後のインドへのイスラームの浸透とともにペルシアの神秘主義が伝播し、その教義である神人合一の境地、恍惚境を13世紀の詩人ルーミーは「神は酌人（サーキー）であり、ぶどう酒。彼（神）は私の愛の流儀を知っている」（岡田恵美子訳編『オマル・ハイヤーム――ルバーイヤート』平凡社ライブラリー、178頁）と比喩を用いて詠っている。16世紀に隆盛し今日におよぶ牧人クリシュナ神へのバクティ（信愛）の宗教は、かれの牛飼い女（ゴーピー）たちがかれに捧げるさまざまな甘美なる愛情（マドゥラ・ラサ）こそが至高の境地と説く。マドゥラとは糖蜜とその甘さ、美しさという意味であり、ラサは情感の意味である。ここでは、この境地は酒の陶酔に比喩されることはけっしてないが、類似性は高いのではないか。

さらに筆者が好むインド現代歌謡のジャンルにガザルがあるが、日本の演歌にあたるだろう。ガザルでは恋情が酒の比喩で表現されることがしばしばである。

さて古い話で恐縮だが、聖俗がモザイク状になっているヒンドゥー教聖地バナーラスに1980年から2年半留学した。住まいは、市の南端に位置するバナーラス・ヒンドゥー大学正門から右手奥に少し進んだ住宅街のなかに構えた。枕が替わると眠れない悪癖解消のためにも酒は妙薬だった。北の旧市街の中央にならぶ有名な出版社兼販売店に通う途中、浄水場近くのカマッチャーという街区に酒屋を一軒見つけた。アングレーズィー・シャラーブ（洋酒）、デーシー・シャラーブ（地酒）という看板が掛かっていて、格子シャッターが閉まっている。内部は薄暗く、格子シャッターの中央に腕が入るほどの枠ができていた。半ボトルの国産ウイスキーやジンを買ってみたが、店員は古新聞紙にくるんだボトルをその枠を通して手渡すのだ。一瞬、悪行を働いているかのような感覚に囚われた。あとで判ったことだが、酒類は当時こうして売られるのが普通だった。

暑さや喧噪に疲れて帰宅し、大家が作ってくれる夕食とともに、素焼きの壺で冷やした水をチェイサーにして晩酌をした。大家の旦那は町の食堂の料理人だったので、野菜料理は旨かったが、酒がその味を高めてくれた。雨季にはニーンブー（小粒のライム）を多めに買っておいてジンライムとしゃれ込み雨に降り籠められる憂さを晴らし、寒い冬は味も香りも良いラム酒に少々白湯を注いでホットラム、というように少々工夫を凝らして楽しんだ。留学仲間やインド人の友人、さらに酒好きの大家の旦那が拙宅（下宿部屋）を訪れると、酒量も増え、重い口も軽やかになった。

ビールはホテルで冷えたものを飲む以外、家で飲むにはもっと工夫が要った。ビールが冷蔵庫に入って売られているものの、冷えていない場合が多かった。また冷蔵庫は家庭に普及していなかった。そこで妙案を出して、留学仲間とともに一堂に会して

オールドモンク（老僧）」と名前のついた、インド国産のラム酒［提供：Unsplash］。

（どこか都合の良い下宿で）健勝を確認し祝う会「元気です会？」を酷暑季に催したものだ。調達のための配役もした。酒屋にサイクル力車で出かけ、ぬるい瓶ビールをダースで買ってくる。乾物屋で粗塩一袋とラッスィー（ヨーグルト飲料）屋で大きな氷塊をひとつ購入。野菜市場で胡瓜（カクリー）を購入。めいめい買い揃えてくると、バケツに瓶ビールを逆さに入れて水で満たし、そこに氷塊と塩を入れると急速に冷える。胡瓜は皮をむいて塩とニーンブー汁をかければ旨いつまみのでき上がり。インドのナムキーン（香辛料と塩で味付けした豆類など）もあればさらに良し。そして筆者が洋酒を提供。陽が沈むころから開始し話が弾み、帰宅するころは夜も更けていた。帰宅すると閉め切っていた部屋（エアコンは同じく普及していなかった）は体温より暑い。外気温もあまり下がっていない。寝床も熱いし飲酒後の身体も熱い。酷暑季の一夕を冷えたビールで楽しく過ごした報いがこれだった。

そういえば、件の酒屋のある街区名カマッチャーは古典語でカーマーキャーである。タントラの女神名で、中心的な大寺院はアッサム州都グワーハーティーにある。酒・血を好む威力のある女神である。この女神を拝まずに会を開き飲酒した報いだったのかも知れない……。

（橋本泰元）

第Ⅷ部

世界遺産を旅する

ンドの世界遺産リスト（カッコ内は所在地と、建造・発足・整備などの時期を表す）

界文化遺産
アジャンター石窟群（MH、前2 - 後6世紀）
エローラ石窟群（MH、600 - 1000年）
アーグラー城塞（UP、16世紀）
タージ・マハル（UP、17世紀）
コナーラクのスーリヤ寺院（OR、13世紀）
マハーバリプラムの建造物群（TN、7 - 8世紀）
ゴアの教会群と修道院群（GA、16、18世紀）
カジュラーホーの建造物群（MP、950 - 1050年）
ハンピの建造物群（KA、14、16世紀）
ファテープル・スィークリー（UP、16世紀）
パッタダカルの建造物群（KA、8世紀）
エレファンタ石窟群（MH、5 - 8世紀）
大チョーラ朝寺院群（TN、11 - 12世紀）
サーンチーの仏教建造物群（MP、前2 - 後12世紀）
デリーのフマーユーン廟（DL、1572年）
デリーのクトゥブ・ミーナールとその建造物群（DL、12世紀後半）
インドの山岳鉄道群（WB、HP、TN、19 - 20世紀）
ボードガヤー（ブッダガヤー）の大菩提寺（BR、前3、後5、6、19世紀）
ビームベートカーの岩陰遺跡（MP、3万年前）
チャトラパティ・シヴァージー・ターミナス駅（旧ヴィクトリア・ターミナス駅）（MH、1887 - 1888年）
チャーンパーネール・パーヴァーガド遺跡公園（GJ、先史時代および8 - 14世紀）
ラールキラー（赤い城塞）の建造物群（DL、1648年）
ジャイプルのジャンタル・マンタル（天文観測施設）（RJ、1727、1734年）
ラージャスターンの丘陵城塞群（RJ、7 - 16世紀）
パータンのラーニー・キー・ヴァーヴ（王妃の階段井戸）-（GJ、11世紀）
ナーランダー・マハーヴィハーラ（ナーランダー大学）の考古遺跡 -（BR、5 -12世紀）
ル・コルビュジエの建築作品 - 近代建築運動への顕著な貢献 -（CHほか6か国と共有、20世紀）
アフマダーバードの歴史都市（GJ、15世紀）
ムンバイーのヴィクトリアン・ゴシックとアール・デコの遺産群（MH、1862年）
ジャイプル市街（RJ、1727年）
界自然遺産
カジランガー国立公園（AS、20世紀）
マーナス国立公園（AS、20世紀）
ケーオラーデーオ国立公園（RJ、1981年）
スンダルバン国立公園（WB、1939、1982年）
ナンダーデーヴィー国立公園と花の谷国立公園（UT、1939、1982年）
西ガーツ山脈国立公園保護地域（KL、TN、KA、GA、MH、GJ、2012年）
グレート・ヒマーラヤ国立公園保護地域（HP、1984年）
界複合遺産
カンチェンゾンガ（カンチェンジュンガ）国立公園と生物圏保護区（SK、1977、2018年）

インドの世界遺産地図

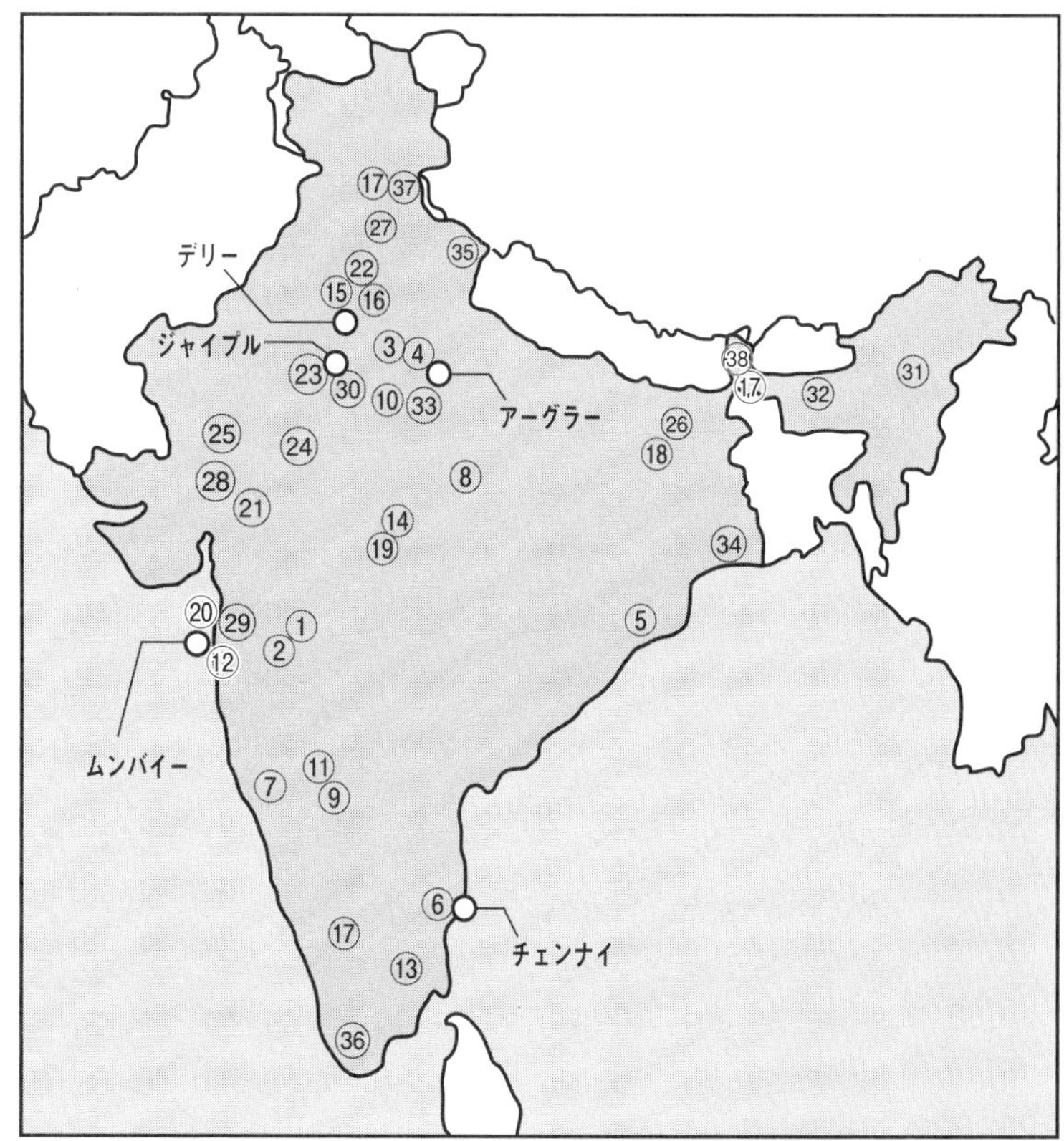

＊⑰の山岳鉄道は、ダージリン・ヒマーラヤ鉄道、ニルギリ山岳鉄道、カールカー＝シムラー鉄道の3か所。㊱は広範囲にわたるので、中心的な場所の一つを示してある。

＊州名・連邦直轄領の略号表
AS=アッサム州、**BR**=ビハール州、**CH**=チャンディーガル連邦直轄領、**DL**=デリー連邦直轄領、**GA**=ゴア州、**GJ**=グジャラート州、**HP**=ヒマーチャル・プラデーシュ州、**JH**=ジャールカンド州、**KA**=カルナータカ州、**KL**=ケーララ州、**MP**=マディヤ・プラデーシュ州、**MH**=マハーラーシュトラ州、**OR**=オディシャー州、**RJ**=ラージャスターン州、**SK**=スィッキム州、**TN**=タミル・ナードゥ州、**UP**=ウッタル・プラデーシュ州、**WB**=西ベンガル州

35 インダス文明を歩く

――4600年前の南アジア人

1921年に発見されたインダス文明は、のちにパキスタン（中・南部）、インド（西北部）と呼ばれることになる乾燥した土地に4600～3900年前ころ興亡した。メソポタミアやエジプトの文明のやや後輩にあたり、前者とはペルシャ湾を通じて交易関係もあった。ただ当時のことを知ろうとする私たちにとって、インダス文明には大きなハンデがある。それは、文書史料の欠如である。

文字：メソポタミアやエジプトでは、粘土板やパピルス、あるいは建物の壁面に、人名をはじめ社会・経済・宗教など生活のあらゆる側面を記した膨大な記録が残されている。インダス文明も独自の文字を持っていた。しかしそれは、2～5センチ四方ほどの印章の印面に、一角獣やコブ牛などの動物とともに平均5文字程度を刻んだものに過ぎない。それらは何らかの名前か単語であったろう。ただ長文ではないため文法構造の解明がきわめて困難で、解読に至っていない。ヤシの葉や動物の革などに文章をしたためていたかもしれないが、証拠がない。この文明がいまだ多くの謎に包まれている最大の理由はここにある。そのため物的資料に基づき事実と推測を積み重ねていくほかない。

都市と村：人びとはインダス川や並行して流れるガッガル・ハークラー川の流域沿いに住み、焼きレンガや日干しレンガを積みあげた家に住んでいた。数百年間にわたり同じ場所で建て替えを繰り返し、整地し、さらに土埃が溜まっていくと、やがてそこは大きいもので高さ十数メートルの丘（マウンド）となる。それが今日、表面に壁の一部が露出し土器のかけらに覆われた遺跡として残っている。その数は、東西1600キロ・南北1400キロに及ぶ領域に1500か所以上。ただし発掘されたのはその1割以下で、しかもほとんどが遺跡のわずかな地点の調査にとどまり、情報が限られる理由のひとつとなっている。

一方で、分布は均一ではなく地方ごとに集中が見られる。各地方には数か所の大規模な遺跡とそれらを取り囲むように多数の小規模な遺跡が分布しており、各々都市と村であると判断できる。そして具体的な統治機構は不明ながら、文明全体が各地方を単位とする複合体から形成されていた姿が浮かび上がる。出土する土器も各々様相がやや異な

01 インダス文明の印章。2000年に開催された「世界四大文明 インダス文明展」（東京都美術館、NHK、NHKプロモーション主催）絵葉書［撮影：柿間俊彦］。

り、地域色が窺える。その横の結びつきを強化したのが印章であり、印面の図柄に象徴される精神世界であったろう。その後のインドを特徴づける「多様性の統一」が当時すでに芽生えていたかもしれない。

都市はそれぞれ壁で囲まれた大小二つの丘をもち、一般住民の住まいが広がる区画（市街地）と特殊な形状の建物が集中する政治的宗教的区画（城塞）とに分かれ、村とは異なる構造をもっていた。後者には統治に携わる人物ら（王、僧侶、貴族、役人など）がいたことであろう。一方で、この城塞を除くと、巨大な王墓や豊富な金銀財宝のような「絶大な権力」を想像させるものは皆無に等しい。周到に配置された直線状の街路や井戸・排水溝（一部で見られる水洗トイレも？）の設置が、あるいは公的権力を反映しているのかもしれない。

さらに都市には、土器やメノウなどの準貴石や銅・青銅などを用いた装飾品・道具の製作などに携わる専業の職人たちがいたことが、高度な技術で作られた各種出土品から知ることができる。村は基本的に食料生産の場であったろう。

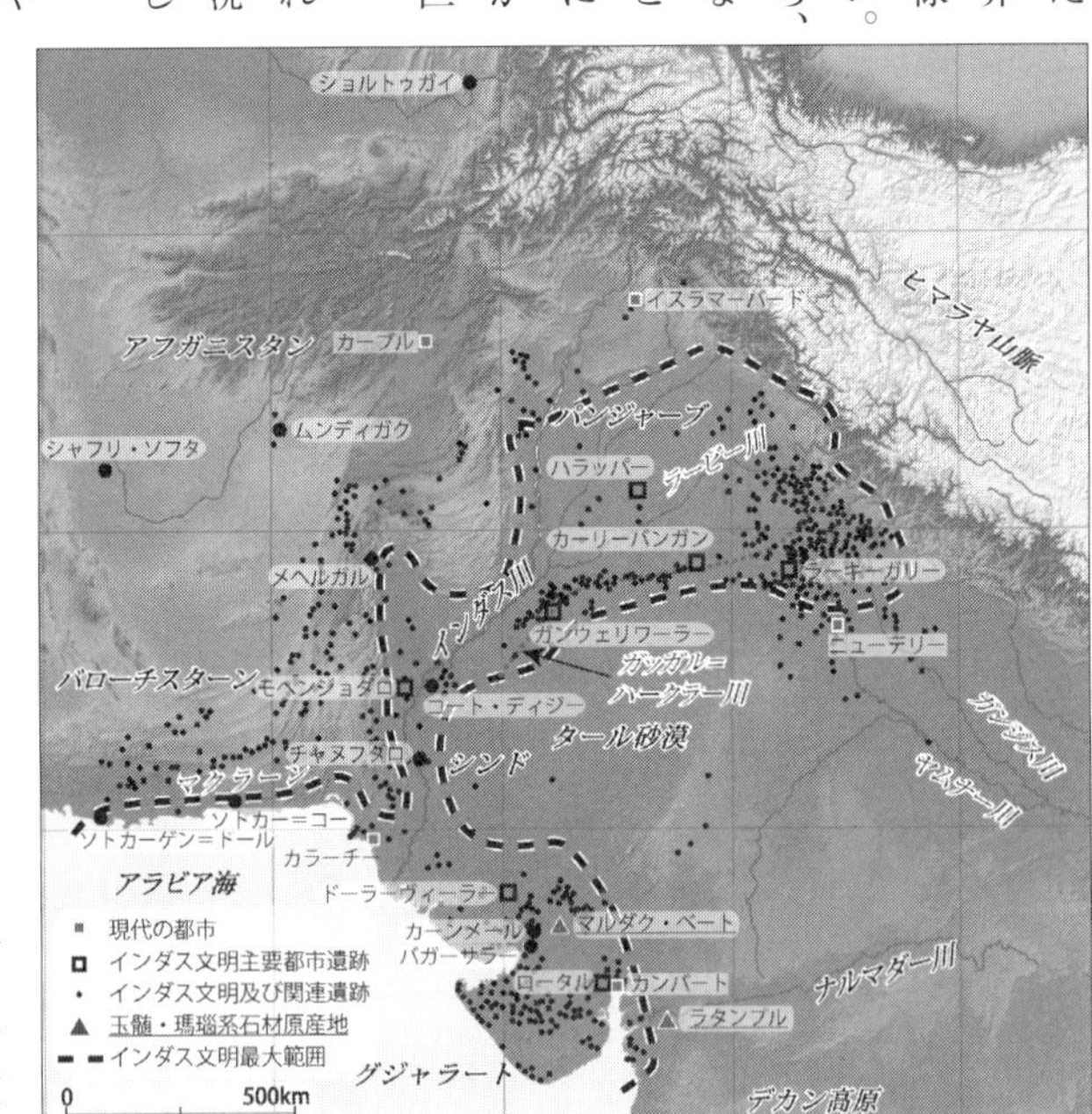

図1　インダス文明分布図［作成：遠藤仁］。

交易：粘土を除くと、こうした原材料の多くは沖積土からなるインダス平原ではなく、周辺の山岳地帯で産出する。印章の素材となる凍石や、麦類を製粉する臼石に用いる砂岩や珪岩なども同様である。これらを採掘し都市の職人のもとまで運び、完成した製品を再び各地に卸す交易活動が、文明にとって最重要事項であったはずである。なかでも良質の紅玉髄を用いたビーズは、「インダス・ブランド」の特産品として遠くメソポタミアにまで輸出された。物と人の往来とともに情報が運ばれ、その活性化が文明に統一をもたらしていたと考えられる。

この交易活動に必須だったのが、先にも触れた印章である。これらは取引の証として、荷に封をした紐の結び目にあてがった粘土に押捺して使われた。持ち主は大きな責務に従事していたことになる。

信仰：人びとがどのような信仰と世界観を有していたかは、印章や土器に描かれた各種動植物や水牛の角をもつ人間の姿をした「有角神」の文様、地母神とされる土偶、またわずかに残された墓などから断片的に垣間見る

02

02 ドーラーヴィーラー城塞部北門。この都市では石灰岩が多用された。

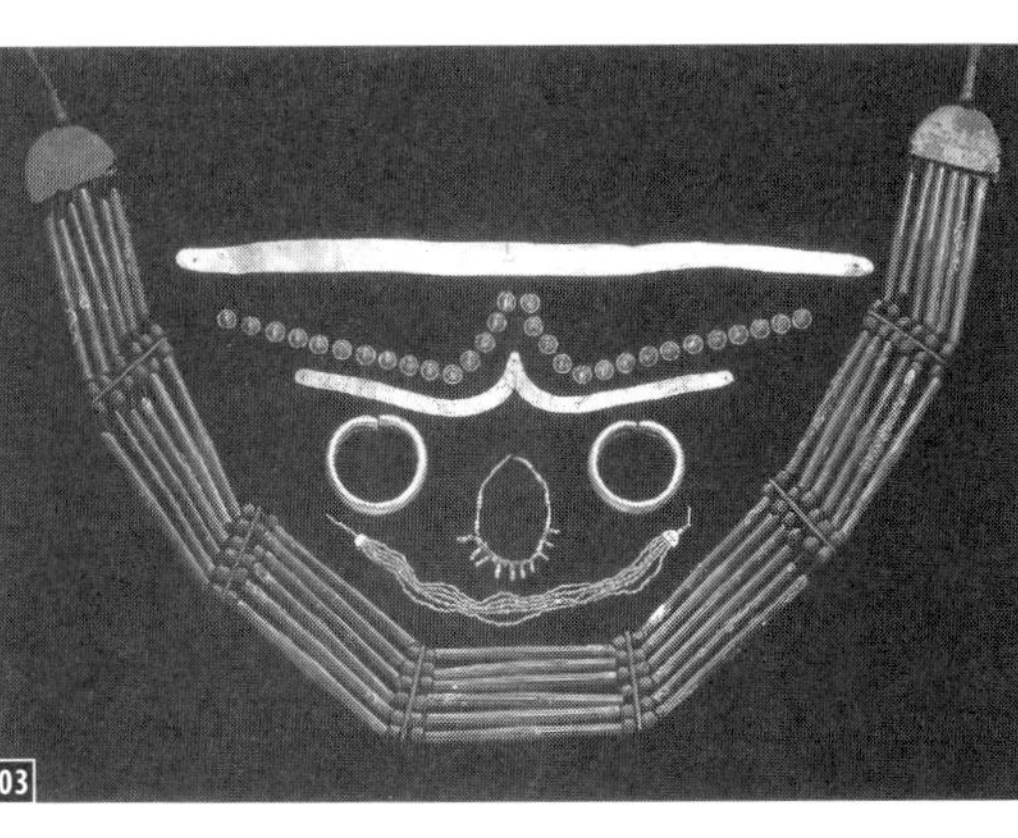

03 紅玉髄製ビーズの首飾り（下）と金製品。「世界四大文明 インダス文明展」絵葉書［撮影：柿間俊彦］。

ことができる。菩提樹とも密接に関わる有角神は動物たちを従えて表されることもあり、獣主の側面をもつのちのヒンドゥー教のシヴァ神の祖形ともされている。こうした「神」と人間とを仲介する神官（ないし王）がいたに違いない。

また葬法を文明全体で見渡すと、木棺に納めた土葬や火葬後の遺灰の埋葬、土器のみを埋葬した「象徴的埋葬」のほか、数例ながら切り放した頭蓋骨の埋葬なども知られている。この事実は、出自や文化的背景を異にする多様な人びとが共存していたことを物語る。

生業：食料生産の基盤は麦類と一部ではシコクビエやモロコシなどの雑穀、そして牛、水牛、羊、山羊の肉とおそらくは乳製品にあった。麦類は製粉して釜などで焼き、パンにして食べていた。そして文明末期には、東方から稲の栽培も一部に伝わった。また牛は素焼きの土偶の牛車や「犂」が発見されているだけでなく（おもちゃまたは儀礼用か）、出土した関節骨の摩耗具合や地面の轍跡などから、犂耕や荷車に使われていた可能性が高い。つまり麦・雑穀・稲と牛を中心とする家畜の乳文化に基づく今日の南アジア型生業が、この文明下で萌芽を迎えていたのである。

南アジア史上におけるインダス文明：4000年前ころから衰退の一途を辿ったこの文明は、都市・村の多くが放棄され終焉を迎える。その原因はいまだ明らかではないが、需要の変化による交易網の断絶をはじめ、各地で発生した複数の要因が複合的に重なったと考えられる。統一のたががはずれ、人びとは地方ごとに独自の村落文化を存続させていった。インダス文明が築き上げた社会体制は崩壊したが、その下で育まれた生業、準貴石類の加工や冶金術は、細々と、しかし確実に次の時代に受け継がれていったのである。

やがて3500年前ころ、牛の遊牧に生活の基盤を置くインド・アーリヤ語族がおそらくは幾重もの波のごとく長期間にわたり北方から来住した。放棄された多くの都市や村の跡を目にしたはずである。彼らが伝える聖典『リグ・ヴェーダ』に登場する「都市（砦）の破壊者」と呼ばれるインドラ神のイメージは、そこから生まれたのかもしれない。青銅に代わるよりすぐれた鉄器と2輪戦車が開発され、インダス文明の末裔の村落文化を吸収しつつ、2600年前ころには東方のガンジス川流域に新たな文明が栄えていく。それこそが、のちのヒンドゥー教社会の直接の祖先ともなっていくのである。

（小磯　学）

【付記】ニューデリーの国立博物館のインダス文明室には、90年以上にわたる発掘調査の出土品が多数展示されている。また遺跡は僻地にある場合が多いものの、とくにグジャラート州のドーラーヴィーラーやロータルは有名観光スポットとして有名になっている。

36 古代・中世のヒンドゥー寺院

――神々の集う殿堂

インドでは前3世紀からほぼ千年にわたって石窟の寺院や僧院がつくられ続けたこともあり、構築寺院が建てられるようになるのはグプタ朝時代の5世紀ころからである。現存の寺院で最初期に属するものとしては、中央インド・デーオーガルのヴィシュヌを祀ったダシャーヴァターラ寺院があり、方形の祠堂のみの簡素な構造をとっていたことがわかる。その後発展をたどったヒンドゥー寺院が今日一般的にみられるまでの様式を完成するのは、南インドで8世紀ころ、北インドで10世紀ころと考えられている。ここではそれぞれの様式の発展の歩みをたどるが、代表的な例として、南インドのマハーバリプラム（マーマッラプラム）、カーンチープラム、パッタダカル、北インドではブヴァネーシュヴァル（ブバネーシュワル）、カジュラーホーを訪ねてみよう。ブヴァネーシュヴァル以外はいずれもユネスコ世界遺産に登録されている。

マハーバリプラムは、タミル・ナードゥの州都チェンナイの南約58キロメートルに位置し間近にベンガル湾を望む遺跡である。6世紀から9世紀にかけて当地を外港として支配したパッラヴァ朝の諸王によって石窟やさまざまなタイプの構築寺院が建設された。多くの石窟のなかでは、マヘーンドラヴァルマン（在位600～630年ころ）の時代に開かれたマヒシャースラマルディニー窟が彫刻で注目される。シヴァ神妃のドゥルガーがライオンに跨り、水牛の姿をした悪魔（マヒシャースラ）を打ち倒す動きが巧みに浮き彫りされている。ヒンドゥー教彫刻の傑作の一つである。

つづくナラスィンハヴァルマン1世の治世（在位630～668年ころ）には、「五つのラタ」と称される岩石寺院が建設されている。一つの大きな岩盤を刳りぬいて五つの寺院として構成したもので、『マハーバーラタ』の英雄パーンダヴァ五人兄弟の名がつけられている（四男・五男で一つのラタ、今一つは五人の共通の妻の名のラタ）。長男のダルマラージャ・ラ

01 マハーバリプラムの石窟寺院。ビーマ・ラタとアルジュナ・ラタ［提供：インド政府観光局］。

タと三男のアルジュナ・ラタは階層構造でピラミッド型の屋根（シカラ）をもち、この形が後に構築寺院に取り入れられてドラヴィダ様式のシカラとして発展することになる。マハーバリプラムは別名をマーマッラプラムともいうが、それはこのナラスィンハヴァルマン1世の称号マーマッラ（偉大な戦士）にちなむものである。

8世紀に入ったナラスィンハヴァルマン2世（在位700〜728年ころ）の時代に、ドラヴィダ様式の構築寺院が実現する。首都カーンチープラムのカイラーサナータ寺院とマハーバリプラムの海岸寺院（ジャラシャヤナ）である。前者は回廊と小さいながらも門塔（ゴープラム）を備えた南インド寺院建築の基本形を定めたものとして、その歴史的価値は大きい。ドラヴィダ様式の構築寺院はほどなくしてデカン地方でもつくられるようになった。前期チャールキヤ朝の王都パッタダカルに、第8代ヴィクラマーディティヤ2世（在位733〜744年）がパッラヴァ朝に対する戦勝を記念して建てたヴィルーパークシャ寺院とマッリカールジュナ寺院である。カーンチープラムから連れてこられた建築家によって建てられたとするJ・F・フリート以来の説が広く知られていたが、近年は疑問が呈されている。[*1] しかし大局的にみてパッラヴァ朝のドラヴィダ様式建築の影響が及んだことは間違いないところである。またこのパッタダカルには、のちに北インドのナーガラ様式に発展するシカラの祖形を持つ寺院も建てられていて、南北の両文化の出会いの地としてその歴史的価値が認められている。

北インドのナーガラ様式を成立させた寺院建築の展開を追う上で欠かせないのが、オディシャー（旧名オリッサ州）の寺院群である。州都ブヴァネーシュヴァルには、ヒン

＊1　議論の詳細は、石川寛、2011、「デカン南西部カルナータカ地方の建築家・彫刻家・石工たち」『東洋学研究』第48号、東洋大学・東洋学研究所。

ドゥー教建築の宝庫ともいうべき多くの寺院がある。7世紀後半に建設されたと考えられるパラメーシュヴァル寺院は、グプタ朝時代の最初期の寺院の方形の本殿を継承しつつ、その上に大きなシカラをのせる。本殿につなげて平屋根の前殿を設け、ナーガラ様式寺院の祖形ともいえる構成をとる。

10世紀のムクテーシュヴァル寺院では、前殿の屋根がピラミッド型となり、本殿には砲弾の形をした高さ10・5メートルのシカラを架ける。ここに至って本殿と前殿の組み合わせによる　基本形が完成し、ナーガラ様式が成立する。

ナーガラ様式がさらに発展すると供物殿（ボーグマンディル）、歌舞殿（ナタマンディル）なども備えるようになるほか、規模の拡大に合わせてシカラの高さも増していく。11世紀のリンガラージャ寺院になると高さは48メートル、12世紀のプリーのジャガンナート寺院では60メートルにも達する。後二者はヒンドゥー教徒でなければ寺内に入ることは許されないので、外側からしか見られないのが残念である。

ナーガラ様式の頂点に立つと評価されることが多いのが、マディヤ・プラデーシュ州カジュラーホーの寺院群である。9世紀から14世紀にかけてこの地域を支配したチャンデッラ朝の諸王によって多くの寺院が建てられ、現在でも25の寺院が当時の姿をとどめている。

なかでも最高峰の名を与えられているのが、ヴィディヤーダラ王（在

02 カンダーリヤー・マハーデーヴァ寺院［提供：インド政府観光局］。

03男女の抱合像（ミトゥナ）［出 所：Wikimedia Commons］。

位1004～1035年ころ）によって建設されたカンダーリヤー・マハーデーヴァ寺院である。二つの前殿の奥に本堂（祀堂）を構えるより複雑な構成をとり、本殿の上には高さ30メートルのシカラが聳え立つ。前殿と本殿の中間に蛇腹形に設けられたつなぎ壁があり下から上までびっしりと彫刻が埋め尽くす。主神のシヴァとそれに伺候する天女たちの群像を中心に、宮廷生活の反映と思われる男女の抱合像（ミトゥナ）や女性の艶めかしい肢体の種々相が表現されている。像の解釈には諸説あるが、ヒンドゥー教徒が追求すべき四大目的（チャトル・ヴァルガ）の一つカーマ（性愛）の実現と王国の繁栄が密接不可分の関係にあると考えられていたことは間違いなかろう。神と人間とが渾然一体となるヒンドゥー教の世界観が見事なまでに具現した寺院であるといえよう。

（石川　寛）

37 西インドの石窟寺院

――岩山に埋もれていた聖なる空間

岩山を彫り刻んで造られた「お堂」、それが石窟寺院である。いわば洞穴の中に出現した宗教空間であり、洞窟寺院と呼ばれることもある。インドには、前3世紀からほぼ千年にわたって、デカン高原を中心に数多くの石窟寺院が造営された。ここでは三つの世界遺産でもある石窟を訪ねてみよう。仏教美術の最高の達成ともいわれるアジャンター、仏教・ヒンドゥー教・ジャイナ教の三つの石窟が共存するエローラ、神秘的な雰囲気を漂わせるヒンドゥー教のエレファンタである。

アジャンターの最寄りの都市はマハーラーシュトラ州のアウランガーバード。ムガル帝国の6代皇帝アウラングゼーブの時代に発展した都市であるが、そこから北東に車を

01 アジャンター石窟寺院、19窟［提供：インド政府観光局］。

走らせること約2時間で到着する。駐車場で電気自動車に乗り換えて遺跡の入口まで行くと、第1窟まではもうすぐだ。東側から、1窟、2窟と番号が付されているが、これは便宜的な呼称で窟の開かれた年代順ではない。全体で30ほどの石窟のうち、8窟、9窟、10窟、13窟、15窟が古く、前1世紀から後1世紀にかけて造られ前期窟と呼ばれる。9窟と10窟が堂の奥中央にストゥーパ（仏塔）を祀るチャイティヤ（祀堂窟）、あとの四つは僧たちが修行生活の場とした、簡単な寝台と机を備えたヴィハーラ（僧院窟）である。いずれも簡素で、後代に付加されたものを除けば装飾も少なく、わずかに絵の施された柱がみられるばかりである。仏像は未だ作られていない。対照的なのが5世紀から7世紀にかけて造られた後期窟である。規模が数段大きくなり、チャイティヤ、ヴィハーラともに色鮮やかな壁画・天井画と数多くの彫刻で飾られている。

見どころは多いが、ここでは1窟と19窟に注目しよう。前者は僧院窟であるが、内陣奥にブッダの像を祀っていて僧房と祠堂の機能を併せ持つ。奥室入口の左の壁に描かれた蓮華手菩薩は、インド仏教絵画の白眉といわれる輝きを放つ。体軀をゆるやかなS字型にくねらせた姿はトリバンガと呼ばれ、左右対称をほんの少し崩した古代ギリシアのコントラポストにも比肩する優美さである。19窟は、17窟とともに当地を支配したヴァーカータカ朝下の地方有力者が造営したことを記す碑文がある。19窟はチャイティヤだがストゥーパの球体はもはや形だけのものとなり、その前面を大きく仏立像が占める。崇拝の中心がストゥーパから仏像へと変化したことを明らかに告げている。

次にエローラ石窟に足をのばそう。6世紀から10世紀にかけて当地を支配したカラチュリ朝、ラーシュトラクータ朝など複数の王朝によって造営が続けられ、全体で34の石窟が開かれた。1窟～12窟が仏教窟、13窟～29窟がヒンドゥー教窟、のこり34窟までがジャイナ教窟である。最大の見どころは、16窟のカイラーサナータ寺院である。ラーシュトラクータ朝第2代クリシュナ1世（在位756～774年）の治世に約20年の歳月をかけて造られたといわれる。通常の石窟とは異なり、上部もくりぬいて屋根の形に掘りあげ地上の構築寺院と同じような姿に仕上げられている。幅47メートル、奥行84メートルと一つの岩からなる構築物としては世界最大の規模を誇る。カイラーサナータとはヒマーラヤの北側に位置するカイラーサ山に住まいをなすシヴァ神の別称であり、この16窟も内陣奥の聖所にシヴァの象徴としてのリンガを祀る。南インドの統一を目指すラーシュトラクータ王が、北インドのカイラーサ山を南インドに象徴的に移動させて、シヴァ神に南インド征服への加護を祈ったとする興味深い解釈もある[*1]。

アジャンターと比較してエローラの特徴として気づくのは、その規模がさらに大きくなったことである。10窟、15窟は二階部分があり、11窟、12窟はさらに三階まで造られ

＊1　Keay, John, 2010, *India: A History*, Harper Press.

02エローラ石窟寺院、16窟［提供：インド政府観光局］。

ている。10窟はチャイティヤだが、二階入口の内側のバルコニーからは、祠堂奥の仏像が見下ろせる構造となっている。前1世紀に拡張されたサーンチーの仏塔では、ストゥーパは信者が仰ぎ見る存在であったのに対して大きな変化といえる。仏教思想の展開との関連が問われるべきであろう。ジャイナ教窟は、ヒンドゥー教窟に比べればその彫刻の静かで落ち着いた表現が際立つ。わずかに残る天井画も注目される。

最後にエレファンタ島に船で向かうことにしよう。ムンバイー沖の北東約9キロメートルに位置する島まで約1時間、岸から125段の階段を登りつめると石窟の入口にたどり着く。大小三つの石窟のうち中心の石窟には、これでもかこれでもかとばかりにシヴァ神の種々相が彫刻として表現されていて、その迫力に身がすくんでしまう思いがする。中でも眼を奪われるのが巨大な三面のシヴァ神の胸像（サダーシヴァ）で、正面に世界の維持者としての静謐な表情、向かって左は破壊者の憤怒の姿、右は創造者の温和な面立ちが表わされている。さらに左脇には、両性具有のシヴァ（アルダナーリーシュヴァラ）、右脇に天上界からのガンガー（ガンジス）川降下を受け止めるシヴァ（ガンガー

03 エレファンタ石窟寺院、三面のシヴァ神［提供：インド政府観光局］。

ダラ）が控えていて圧巻である。

島はかつてガーラープリー（石窟の島）と呼ばれていたが、15世紀にここを占領したポルトガル人が、島にあった大きなゾウの彫刻にちなんで「ゾウの島（エレファンタ）」と称してから、それが一般的な呼称となった。

6世紀にカラチュリ朝の王クリシュナラージャによって造営されたとするW・スピンクの説が広く紹介されているが、島から発見された同王の貨幣から推測したもので、確たる証左とは言えない。なぜならクリシュナラージャの貨幣はデカン地方の各地で発見され、時代も6世紀を越えて使用されていたことが判明しているからである。造られた時代は6～8世紀の範囲で見解が分かれ、その担い手についても諸説がある。詳しくはかなり大胆な見方を提示している筆者の論考[*2]をご覧いただければ幸いである。

（石川　寛）

*2　2006、「エレファンタ石窟考――造営の年代と担い手についての試論」『東京女学館大学紀要』第3号。

38 北インドの華麗なイスラーム建築

――ムガル帝国の墓廟と城塞

私がムガル帝国時代でもっとも好きなイスラーム建築は、なんといってもデリーの中心部にある第2代皇帝フマーユーンの墓廟である。方形のムガル式庭園の中心に赤砂岩と白大理石を組み合わせて造られたドーム状の墓廟を、私は何回訪れただろうか。左右対称の建物はあまり好みではないのだが、この墓廟はすべてにおいて天的な調和性が保たれていて、目に心地いいのだ。

ムガル帝国は1526年にデリー近郊のパーニーパットの戦いでローディー朝を倒したバーブルによって創始されたが、彼はわずか4年後に亡くなり、まだ年若いフマーユーンが皇帝の座についた。ムガル帝国の基盤が整えられていない時期に、フマーユーンは西に東に転戦するなか、1539年、インド東部で勢力を拡大しつつあったシェール・ハーン（のちのシェール・シャー）と戦い、敗北を喫する。フマーユーンはその後アフガニスタンなどで勢力を回復し、1555年シェール・シャーの跡継ぎとなった息子を破ってようやくムガル帝国を再興した。しかし、翌年の1月24日夜半、書庫の螺旋階段で転落し、頭蓋骨が砕けたことが原因で数日後に47年の生涯を終えたといわれる。数十年前、工事中の地下の玄室に蠟燭を持って入らせてもらったことがあるが、何か怨念のようなものを感じて身震いしたことを覚えている。私はいつごろからか、デリーから日本へ帰国するときには、最後の日にここに立ち寄って、その凛としたたたずまいのシルエットを眺めるのが習慣になった。フマーユーンは戦（いくさ）はうまくなかったかもしれないが、私にとって最高の文化遺産を残してくれた。

フマーユーン廟の次に私が好きなのは、何と皮肉にもフマーユーンの宿敵であったシェール・シャー（スール朝の創始者、在位1539〜1545年）の墓廟である。デリーとコルカタを結ぶ幹線道路アジアハイウェー1号線沿いのサーサーラームという場所にある。シェール・シャーはフマーユーンを倒して一

01 フマーユーン廟。赤褐色と灰白色とモスグリーンの絶妙な色合いをお見せできないのが残念。

02 湖に浮かぶシェール・シャー廟。

時的にムガル帝国を簒奪したつわものであった。西はインダス川流域から東はベンガル地方にいたるまでを短期間で統治下においた手腕を見ると、彼はフマーユーンよりもはるかに戦上手だったと思われる。しかし、彼も火薬庫の暴発という不慮の事故で亡くなっている。墓廟は大きな人造湖のなかに造られた方形の基壇に八角形の廟が建つ形で三層になっており、その上に円型ドームが載っている。湖畔から橋を渡り、階段を上って廟の入口の前に出ると、基壇と廟本体が少しずれているのがわかる。これは建築家のミール・アリーワル・ハーンが基壇を造ったあとに、基線がメッカの方角とずれていることに気付いたが、基壇はそのままにして廟の方角を修正したためだと考えられている。それがかえってこの廟に無類の美しさを与えている。現地ではこの建築家は責任を取って湖に飛びこみ自死したという悲しい話が伝わっている。

フマーユーンとシェール・シャーの話はまだ続く。現在デリーの観光地の一つとなっている「プラーナー・キラー」[*1]（古い城塞）は、フマーユーンが帝都の中核をなす城塞として建設していたものを、シェール・シャーがフマーユーンを駆逐したあと、事業を継

＊1　デリーには、のちに第5代皇帝シャー・ジャハーンによって「ラール・キラー」（赤い城塞）が造られたので、こちらは古いほうの城塞と呼ばれている。

続して完成させたもので、結果的には両者の合作となった。シェール・シャーの死後、フマーユーンはデリーを奪還してこの城塞に戻ってくることができたが、先述したように書庫で事故死する。その建物の名がなんと「シェール・マンダル」（シェールの館）なのである。この二人はよほどの因縁で結びつけられていたのかも知れない。

ムガル帝国第3代皇帝アクバル（在位1556～1605年）は「アクバル大帝」と呼ばれたように、ムガル帝国の版図を広め、統治体制を確立させた強大な皇帝であったが、建築に関しても優れたものを残している。父フマーユーンの墓廟を建造し、建国以来デリーに置いていた首都機能を、1558年にデリーから南に約180キロの位置にあるアーグラーに移し、1565年、城塞の改修工事を終えた。赤砂岩で豪快に造られた城門や外壁に対し、謁見の間などの宮廷は大理石や貴石で精巧に組みあげられていて、ムガル朝期の城塞建築の典型となっている。1971年にアーグラー城塞を訪れたとき、城門からスロープを上っていくと左の壁に、Here stood the eunuck と書かれた掲示板があった。今はもうないが、「ここに宦官立てり」という文字を目にしたとたん、一気に中世の世界に引きずり込まれる思いがした。

アクバルはアーグラーの西約40キロにあるファテープル・スィークリー（勝利の都スィークリー）に別の城塞も造った。丘の上にあって、インド最大級の楼門であるサリーム・チシュティー聖廟門や、内部のパンチ・マハル（五層閣）などがあり、アーグラーにやってくる観光客のほとんどはここにも足を伸ばす。確かに広く、美しいといえばそうなのだが、私は個人的にはあまり長くいようという気分にならない。アクバルはこの都を1574年から約十年のあいだ居城としたが、水利が悪く放棄されたという。歴史を感じさせないことが興味のわかない理由かも知れない。

フマーユーンとシェール・シャーの時代から約1世紀のちに、フマーユーン廟の影響を受けて建てられたといわれるのが、タージ・マハルである。「インド旅行の目的は何といってもタージ・マハルを見ることだ」という人がいるが、確かに、「タージ・マハルを見ずしてインドを見たと言うなかれ」と断言できるインドの至宝である。タージ・マハルは第5代皇帝シャー・ジャハーン（在位1628〜1658年）が、1631年に亡くなった妻のムムターズ・マハルのためにヤムナー川畔に建てた墓廟である。1632年に着工し1653年に完成したという。南側の大楼門をくぐると、気品にあふれた白亜の霊廟が目に飛び込んでくる。大楼門から霊廟までは噴水のある池がつづき、その脇に幾何学的に設計された庭園が配置されている。霊廟の内部に入ると、中央に王妃の大理石の棺が置かれ、のちに亡くなった皇帝シャー・ジャハーンの棺がその横に寄り添うように安置されている。[*2]

シャー・ジャハーンは、愛妃の白大理石の墓廟と

03

03世界遺産タージ・マハル。シンメトリーの美しさは類をみない［撮影：岡田征彦］。

＊2　これらの棺（模棺）は参拝用のもので、実際の棺はこの部屋の真下にある地下の玄室に安置されている。

対になるように、自分の墓廟をヤムナー川の対岸に黒大理石で建設しようとしていた、という話も伝えられているが、実際の歴史は残酷であった。シャー・ジャハーンが重病で倒れると四人の息子たちは熾烈な後継者争いを展開した。その結果、三男のアウラングゼーブが第6代皇帝（在位1658～1707年）につき、父をアーグラー城内のタージ・マハルの見える部屋に幽閉したといわれる。タージ・マハル建設のために莫大な国庫が投入されたのを、息子の次期皇帝は到底許せなかったのだろう。インド版の「傾国の美女」の墓廟を見に行くなら、満月の夜とその前後2日間のみ夜間入場が許可されるときが最高である。月光に照らされて魔法の絨毯で中空に浮かび上がったかのような夢幻の宮殿のなかに、今も皇帝と王妃が語り合っている姿が見えるような気がする。

シャー・ジャハーンはタージ・マハル着工後すぐに現在のデリーの街造りにも力をそそいだ。[*3] ムガル帝国の首都は軍隊の駐屯地のように皇帝の居場所に従って、デリー、アーグラー、ラーホールを転々としていたが、しばらく整備されていなかったデリーに、シャー・ジャハーンはラール・キラー（赤い城塞、レッド・フォート）とインド最大の礼拝堂の一つジャーマー・マスジッドを建立した。ラーホールは現在パキスタン側にあるが、もともとこれらの三都は京都、大阪、江戸のように緊密に結びついて帝国を支えていた。三都の城塞の造りは近似しており、さらにデリーのジャーマー・マスジッドとアウラングゼーブによって建てられたラーホールのバードシャーヒー・マスジッドは、大理石の化粧面の量が少し異なるだけで、建築プランはほぼ同じである。[*4] パキスタンにもムガル期の建築物が数多く残っているので、興味のある方は是非足を伸ばしてほしい。

＊3　1639～1648年に建設され、シャージャハーナーバード（シャー・ジャハーンの都）と命名された。

＊4　現在、それぞれの城塞では夜に「音と光のショー」(Sound and Light Show)が開催されている。大音響とともに城壁にプロジェクション・マッピングで映し出される光景は圧巻。季節により開催時間が変わるので要チェック。

最後に、第6代皇帝アウラングゼーブについてもう少し触れておこう。彼は父シャー・ジャハーンと反目していたが、ヒンドゥー教に対する政策は同じであった。例えば、私の留学先であったヒンドゥー教の聖地バナーラスではシャー・ジャハーンの時代にヒンドゥー寺院の破壊がはじまったが、アウラングゼーブはその政策をさらに促進し、死の直前の1679年まで続けたといわれる。現在バナーラスには4000を超すヒンドゥー寺院があるが、ほとんどは17世紀以降に再建されたものである。アクバルが進めた宗教融和政策をくつがえしてシャー・ジャハーンやアウラングゼーブが行った暴挙は、ヒンドゥー・ムスリム間に深い禍根を残すこととなった。

それにしても、王族や武将の墓廟がまるでインド版「王家の谷」のように数百も残るアーグラーと、墓に埋葬するという習慣を持たないヒンドゥー教徒が多く住むバナーラスという、まったく異なるベクトルを持つ都市が一つの国に共存しているという事実は、あらためてインドという国の栄華と悲哀を感じさせるとともに、とてつもない包容力をも感じさせるのだ。

（宮本久義）

【参考文献】
▪神谷武夫、1996、『インド建築案内』TOTO出版。
▪宮原辰夫、2016、『インド・イスラーム王朝の物語とその建築物――デリー・スルターン朝からムガル帝国までの500年の歴史をたどる』春風社。

39 ラージャスターン地方の城砦・城郭都市

——中世から続くインドの町

インドは、古い城砦が数多く残っている。「～ガル（～garh）」という名の都市がインドには数多くあるが、それらはいずれも城砦をもつ都市である（「ガル」は城砦の意）。

近代以前には世界中のどこでも城砦が築かれていたが、その大部分は近代化の過程で破壊されたり、あるいは廃墟になったりしており、現在見られるものでも、日本の場合のようにごく最近になって町のシンボルとして再建されたものが少なくない。ところがインドの場合、王家の多くがイギリス植民地時代に藩王国として存続し、最近まで継続して城砦を利用していた。そのため現存する城砦の多くは今でも王家の私物である。こうした城砦およびその宮殿は観光の目玉の一つとされており、王家の重要な収入源とし

てリゾートホテルにされていることもある。なかでもラージャスターン地方はほぼすべての王家が藩王とされた経緯もあって、とくに巨大な城砦がよく残っており、チットールガル、クンバールガル、ランタンボール、アーンベール、ジャイサルメール、ガーグローンの六つの城砦は、２０１３年に「ラージャスターンの丘陵城塞群（Hill Forts of Rajasthan）」として世界遺産に認定された。

ラージャスターンでは8世紀以降、ラージプートと称する土着の王族が支配層として君臨し、デリー・スルターン朝やムガル帝国、イギリスの支配にも、時に服属し、時に頑強に抵抗した。その抵抗の拠点となったのがこれらの城砦である。ラージャスターンはパキスタンに接する西部にはタール沙漠が広がっているが、中央部に北東から南西にかけてアラーヴァリー山脈が走り、そこから東方に向かって丘陵・山岳地帯が広がっている。そのため、主に東部を中心に、防衛上有利な山城がさかんに建設された。前述の世界遺産のうち、前四者は山城に分類される。山城と言っても、多くの場合詰めの城であった日本の山城とは違って、単なる砦ではなく同時に王都でもある。そのため内部には華麗な宮殿や王妃・王女たちの後宮、豪奢な宮廷生活を描いた美しい壁画、さらに壮麗な寺院

01 チットールガル。大規模山上城砦。

がいくつも配置されており、城砦の見どころになっている。ブーンディーの宮殿の壁画はとくに素晴らしい。

ところで、ラージプートの城砦にはいくつかのタイプがあり、比較的初期（8〜13世紀）に建設された山城は、比高（平地部から城砦部の高さ）百数十メートル以上で山頂部数平方キロメートルに及ぶ広大な範囲を城壁で囲んだ大規模な山上城砦である。宮殿や寺院郡、工房なども内部に抱え、都市機能を完備している。難攻不落の城砦が多く、代表的なものとしてチットールガル、ランタンボール、ジャーロールなどが挙げられる。これらは落城させるのが難しいため、籠城戦で何度も敵を跳ね返したが、デリー・スルターン朝やムガル帝国など強大な勢力の兵糧攻めによって落城することもあった。その際には、場合によってはジャウハルと称するラージプート特有の最後の攻撃が行われた。敵の軍門に下ることを不名誉とする彼らは、王家の女性や子どもが自殺した直後、最後の一人が死ぬまで敵陣への突撃を行ったのである。これらの城砦にはこのような悲劇が伝承として語り継がれており、そうした話を城砦に付属する博物館などで聞いてみるのもよいだろう。

16世紀以降に建設あるいは改築された山城には大規模山上城砦はなく、山上に籠城用の城として小規模な城砦を配し、要塞化した宮殿を山腹ないし山麓に建設、さらにその下に商工業区からなる市街（城下町）が広がり、これら全体を城壁で囲んだ城郭都市が見られるようになる。典型的なものは、アーンベール、ブーンディー、バーンガルなどであろう。アーンベールはジャイプル王国（アーンベール王国）の旧都であり、16・17世紀にカッチワーハ家によって建設され、ブーンディーはブーンディー王国の王都であり、やはり17世紀からハーラー家（チャウハーン族の一支族）によって城郭都市が建設された。バーンガルはアーンベール王家の家臣の拠点で、やはり16世紀後半に建設された城郭都市である。18世紀には打ち続く飢饉のために放棄され廃墟となったが、近年インド考古局によって宮殿・市街地が復元された。16・17世紀の城郭都市の姿を見ることができる、ラージャスターンではほとんど唯一の遺跡である。かなり不便なところにあるが、一度は見ておきたい。ちなみにインド人のあいだでは人気のスポットなのだが、その理由の一つは、夜には幽霊が出る心霊スポットとしても知られているからである。

これら城砦の歴史で面白いのは、16・17世紀以降、宮殿部が山麓に降りてきて城下町全体を城郭化する点で、日本でも全く同時代の戦国期から江戸時代初期にかけて、同じような動きが見られることであろう。その一方で、近世日本の城のシンボルとも言える天守閣に相当する建物が、インドの城砦には存在しない。チットールガルには巨大な塔（スタンバ）が二つもあるが、これが天守閣に相当するかどうかは難しく、しかもこのような塔はほかの城砦には見られない。このように日本の城と比較しながらインドの城砦を訪れるのも、とても刺激的であろう。

こうした山城以外にも、平地に濠で囲んだ城砦（ビーカーネール）や河川の分岐点に建

02 バーンガル。市街部から宮殿城砦を眺める。

設された城砦（ガーグローン）、ジャイサルメールのように沙漠のオアシス都市に築かれた城砦、ジョードプルのように市街に隣接する小山をまるごと要塞化した城砦、アラーヴァリー山中に巨大な山上城砦を築いたクンバールガルなど、さまざまなタイプがある。とはいえ、交易路の統制と敵軍の動きのチェックの必要から、見通しの利く山岳・丘陵地帯辺縁部や小高い場所に造られている点ではほぼ共通している。いずれの城砦でも最上部からは市街区全体と地平線まで広がる平原が一望でき、その眺めはまさに絶景である。

以上お話ししてきた城砦・城郭都市の形態や立地状況は、googlemapやgoogleearthなどの航空写真から鮮明に見ることができるので、訪れる前に一度チェックすることをお勧めしたい。乾燥地帯なので、日本のように城が樹木によって覆われていないため、城砦の形が手に取るようにわかる。スマートフォンを片手に城砦を訪れれば、知的刺激に満ちた、ガイドブックの情報とはまた違った次元の発見があること、請け合いである。

（三田昌彦）

【参考文献】

- 神谷武夫、1996、『インド建築案内』TOTO出版。
- Konstantin S. Nossov, 2006, *Indian Castles 1206-1526: The Rise and Fall of the Delhi Sultanate*, Oxford: Osprey Publishing.
- G. H. R. Tillotson, 1987, *The Rajput Palaces: The Development of an Architectural Style, 1450-1750*, New Haven: Yale University Press.

:ラージャスターン州の城砦・城郭都市

	創建期（拡張期）	タイプ＊	城砦規模（km）	城郭規模（km）	比高（m）
ァーナー	4 世紀（11 世紀以降）	大規模山上城砦	2.5 × 1.0	―	130
ソトールガル	7 世紀（9 ～ 16 世紀）	大規模山上城砦	5.0 × 0.7	―	140
ァーロール	10 世紀（12 ～ 13 世紀）	大規模山上城砦	1.7 × 0.7	―	430
ソタンボール	11 世紀（12 世紀以降）	大規模山上城砦	2.0 × 0.7	―	190
ーグローン	12 世紀以前（15 世紀以降）	河川城砦	0.8 × 0.1	―	20
ュメール	12 世紀	大規模山上城砦	0.7 × 0.3	―	370
・イサルメール	12 世紀（16 世紀以降？）	丘陵城砦＋城郭都市	0.4 × 0.3	1.2 × 1.2	40
ーンディー	14 世紀（16 世紀以降）	山上城砦＋山腹宮殿＋城郭都市	0.6 × 0.3	1.4 × 1.1	170
ーンベール	？（16 世紀以降）	山上城砦＋山腹宮殿＋城郭都市	0.7 × 0.1	2.0 × 1.0	190
バールガル	15 世紀	大規模山上城砦	3.0 × 2.0	―	―（山中の城砦なので）
ードプル	15 世紀	丘陵城砦＋城郭都市	0.5 × 0.1	3.0 × 2.0	100
カーネール	16 世紀	平地宮殿城砦＋城郭都市	0.4 × 0.3	1.7 × 1.5	10
ンガル	16 世紀	山腹宮殿城砦＋城郭都市	0.1 × 0.2	1.0 × 1.7	40
イプル	17 世紀	平地宮殿城砦＋城郭都市	0.4 × 0.2	？	20
イプル	18 世紀	山上城砦＋平地宮殿＋城郭都市	1.2 × 0.2	4.0 × 2.2	150

の分類はあくまで著者独自のものである。

03 メヘラーンガル城の遠景、ジョードプル［提供：Unsplash］。

コロニアル遺産を旅する

——植民地の過去とその今を訪ねる

インドの「コロニアル遺産」

写真01は2007年時点のインド政府観光局の『インド観光案内』の表紙である。四隅の図はいわゆるインドの「四大都市」、デリー、ムンバイー、チェンナイ、コルカタのシンボル的な建築物であるが、これらはすべてイギリス統治下でつくられたコロニアル建築である。これらの都市が発展した時代を思えば自然なことかもしれないが、コロニアル建築が政府観光局の案内の表紙を飾ったということはやはり興味深い。イスラーム建築であるタージ・マハル同様、植民地期の遺産もまた、〈インドなるもの〉を構成する重要な要素であると広く認められていることを示すように思われるからだ。

インドには2020年現在30件の文化遺産があるが、そのうち四つがいわゆる「コロニアル遺産」にあたる。ゴアの教会群と修道院群（1986年登録）、インドの山岳鉄道群（1999年にダージリン・ヒマーラヤ鉄道の名で登録されたあと、2005年にニルギリ山岳鉄道、2008年にカールカー＝シムラー鉄道が拡大登録）、ムンバイーのチャトラパティ・シヴァージー・ターミナス駅（旧ヴィクトリア・ターミナス駅）（2004年登録）、そして同じくムンバイーのヴィクトリアン・ゴシックとアール・デコの遺産群（2018年登録）である。

ゴアの教会群と修道院群はポルトガル支配の遺産である。このヴェーリャ・ゴア（オールド・ゴア）地区は、16〜17世紀には大いに栄えたが、オランダとの戦いや疫病で17世紀半ばには衰え始め、1759年に政庁がノーヴァ・ゴア（現在のパナジー）に移されたあとは衰退の一途を辿った。今はいくつかのキリスト教建築が「東方一の貴婦人」と称えられた「黄金のゴア」の繁栄の一端を伝えている。

ほか三つのイギリス植民地時代の遺産は現役で活躍している。二つがムンバイー（旧ボンベイ）にあり、また二つが鉄道遺産である。2020年現在、世界遺産には六つの鉄道遺産があるが、そのうち二つをインドが占めていることになる。

二つの鉄道遺産——山岳鉄道群とCST

01 中央はタージ・マハル、右上から時計回りにコルカタのヴィクトリア記念堂、デリーのインド門（インディア・ゲイト）、ムンバイーのインド門（ゲイトウェイ・オブ・インディア）、チェンナイの中央駅。

三つの山岳鉄道が走るのは、ダージリンとニルギリという茶葉の二大産地であり、またダージリン、ウータカマンド（ウダカマンダラム、別名ウーティー）、シムラーの三つの「ヒルステーション」である。ヒルステーションとはイギリス人が冷涼な山岳地帯に形成した避暑都市である。ダージリンはベンガル管区の、ウーティーはマドラス管区の、そしてシムラーはインド帝国の「夏の首都」として機能した。

インドの鉄道は基本的に1676ミリの広軌だが、これらの山岳鉄道は狭軌で、とくに狭い610ミリのゲージを走るダージリンの機関車は「トイトレイン」の愛称で知られる（コラム5参照）。美しい山岳地帯をゆく鉄道はどれも魅力的だが、脱線や落石の事故や森林火災問題も起きている。2015年のカールカー・シムラー鉄道の脱線事故では死者も出ており、保守対策が急がれる。

インドは総延長6万7000キロメートルを超える鉄道を擁する鉄道大国である。1853年にボンベイと近郊のターネーを結ぶ最初の路線が開通したあと、急速に拡大した。鉄道は、インドのさまざまな一次産品、とくにデカン高原の綿花をボンベイに集積しイギリス本国に輸出する仕組みとともに発展し始めた。つまりボンベイは名実ともにインドの鉄

02 正面から見たCST。

道とその発展の起点となったといえよう。その中心に座すのが、鉄道オフィスとターミナル駅の複合ビルであるヴィクトリア・ターミナス（以下、VT）、現在のチャトラパティ・シヴァージー・マハーラージ・ターミナス（以下、CST）駅舎である。

近代建築の宝庫ムンバイーと「世界一美しい駅」

1862年にボンベイ管区知事となったヘンリー・バートル・フリアの都市計画により、ボンベイはネオ・ゴシック建築が特徴的な都市となった。このヴィクトリア朝様式の建築群は、これに対抗するかのようにインド人富裕層らが1930～50年代に発展させたアール・デコ建築とともに、2018年に世界遺産に登録された。これに先立ち2004年に世界遺産となった1888年竣工のCSTもまた、中世イタリア風のヴィクトリアン・ゴシック様式をベースにしている。斜め向かいに立つ同じフレデリック・ウィリアム・スティーブンス設計の市行政庁舎（1893）にインド・サラセニック的意匠がやや目立つのに比べると、CSTは一部のドーム屋根以外はゴシック建築らしさが際立って見える。しかし、とくに細部

03 入口にはインドを表す虎とイギリスを表すライオンが並び、壁を飾る紋章には象と機関車が並ぶ。

には、さまざまな折衷的意匠が満ちており、各所を飾る動物像やレリーフやステンドグラスには、ガーゴイル（雨樋を兼ねた怪物の意匠）やアカンサス（ハアザミ）とともに、孔雀や象といったインド的なデザインも数多く見られる。イスラーム風の透かし彫りやアーチも美しい。これらはイギリス人の監修のもと、ボンベイのサー・ジャムシェードジー・ジージーバーイー美術学校の教員や学生が作成したという。「世界一美しい駅」とも称されるこの独特の建築は、インド人自らの技術と創意の関与の上にこそ実現したのであった。

コロニアル遺産の現在

１８８７年のヴィクトリア女王の在位50周年を記念して「ヴィクトリア・ターミナス」と名付けられたこの駅は、１９９６年に「チャトラパティ・シヴァージー・ターミナス」にその名を変えた。地名などを西洋語彙からインド名に切り替える動きは数多いが、ムンバイーでは、市や州の政権へのシヴ・セーナー党の参与の影響のもと、95年に都市名が変更されたあと、96年にＶＴが、99年に国際空港が、２０００年にプリンス・オブ・ウェールズ博物館が、それぞれチャトラパティ・シヴァージーの名を冠するようになった。シヴァージーは17世紀にイスラーム勢力と戦いマラーター王国を建てた人物名、チャトラパティはその称号である。シヴ・セーナーの名はこのシヴァージーの軍隊を意味する。２０１４年にシヴ・セーナーがインド人民党（ＢＪＰ）とともに州政に返り咲いて以降は、さらに多くの名称変更が進んでいる。17年にはシヴァージーの名のあ

04 ガーゴイルのもと、今日も多くの人が行き交う。

とに尊称「マハーラージ」が加えられ（ただしCSTの世界遺産登録名は変更されていない）、18年にはエルフィンストーン・ロード駅が女神の名にちなみプラバーデーヴィー駅となった。21年にはムンバイー・セントラル駅を19世紀の実業家で慈善家のジャガンナート・シャンカルシェートの名にちなんで改名する動きもある。これらの動きにはヒンドゥー・ナショナリズム、とくにマラーティー・ナショナリズムが深く関わっており、批判の声もある。

コロニアル遺産の継承にはやはり何らかの反動や困難が伴うのかもしれない。2005年にモンモーハン・スィン首相（当時）がオックスフォード大学での演説でイギリス支配の遺産の価値に一定の評価を示した際には、国内に賛否両論が巻き起こった。イギリス支配がインドに残した最大の遺産の一つが鉄道であり、CSTはその記念碑的建造物であるが、ムンバイーには今もこれをVTと呼ぶ人も多いという。それは植民地支配の過去への無頓着さを示す訳ではなく、毎日数十万人の市民の移動を支えているこの駅が「ヴィーティー」の略称のもとに愛されてきたという単純な事実を示しているように思われる。インドにはさまざまなコロニアル遺産があるが、複雑な歴史と背景を持ちながらも、インドの日々を形作る存在として人びとに受け止められたものは、これからもインドのランドスケープを構成する不可欠な要素として生き続けていくだろう。

【参考文献】

- 櫻井寛、2008、『鉄道世界遺産』角川書店。
- 神谷武夫「インドのユネスコ世界遺産」『神谷武夫とインドの建築』http://www.kamit.jp/02_unesco/unesco.htm（2021年3月31日アクセス）
- UNESCO, Nomination file of Chhatrapati Shivaji Terminus (formerly Victoria Terminus), http://whc.unesco.org/uploads/nominations/945 rev.pdf（2021年3月31日アクセス）

コラム
08

世界に広まった仏舎利塔

インドに行く楽しみの一つは建築物を見てまわることだ。人里離れた山麓に作られた古代の石窟寺院や戦乱の絶えなかった中世の堅固な城塞は、見るもののロマンをかきたてる。そのような多くの建造物のなかで、どこか異質のものがある。それは仏教の開祖ブッダの遺骨、すなわち仏舎利を納めたストゥーパと呼ばれるものである。何が異質かというと、遺体を埋葬する習慣はキリスト教やイスラームにもあり、それが尊い聖者や聖遺物の場合には教会や墓廟に手厚く祀られ信仰の対象になることもあるが、仏教の場合はブッダの遺骨が際限なく細分化されて世界各地に運ばれ、礼拝されていることである。

初期仏教の『大般涅槃経』によれば、ブッダが入滅すると在家の信者たちが遺体を荼毘に付し、遺骨を八分して埋葬し塔を建立したという。その後、紀元前3世紀にマウリヤ朝第3代のアショーカ王が仏舎利を掘り起こし、インドの各地に8万4000の塔を寄進した。マディヤ・プラデーシュ州のサーンチー遺跡群にはそのうちの8基が建立されたと伝えられており、3基が現存している。サーンチーは1818年にイギリスの軍人によって発見され、イギリス考古局長官のジョン・マーシャルによる指揮のもと発掘調査が行われた。私が最初に訪れた1971年にはまわりにホテルもなく、実に閑散としていた。以前お会いしたインド考古学の泰斗V・S・ワーカンカル博士（1919〜1988年）は、このあたりに点在する多くのマウンド（小高い丘）は仏教遺跡である可能性が高いので、予算があったらボーリングしたいと語っていた。

大塔（マハーストゥーパ）と呼ばれる第1塔は、直径約36メートルの円筒形の基壇のうえに覆鉢（ふくはち）と呼ばれるドーム状のものが乗った建造物で、覆鉢の上の平らな部分に仏舎利の容器が置かれていたと考えられている。さらにその上には傘蓋（さんがい）といって、貴人

サーンチーの第1ストゥーパの東塔門に彫られた精巧な仏伝図。

を炎熱や風雨から守るために頭上にかざされた傘が象徴的に据えられている。基壇の周囲には欄楯（らんじゅん）（柵）がめぐらされ、四方の入口には日本の鳥居に似たトーラナという門が立つ。アショーカ王が最初に建立したときは直径が約半分くらいだったそうだが、その後何世紀もかけて増広された。東西南北のトーラナの支柱や3本の梁には仏伝図やブッダの前世を説く本生図のレリーフが隙間のないほど描かれていて、インド工芸美術の最高峰の一つに数えられている。

アショーカ王の生涯については諸説あるが、そのうちの一つによると、サーンチー近郊のヴィディシャーの都で出会った女性デーヴィーと結婚して3人の子供をもうけた。そのうちのマヒンダ王子（アショーカ王の弟説もある）とサンガミッター王女はアショーカ王の命によってスリランカに派遣され、仏教を広めたといわれる。いわゆる南伝仏教で、スリランカのかつての王都アヌラーダプラには高さ74メートルの巨大な仏塔が聳えている。ここにはブッダの成道の地ボードガヤーの菩提樹の小枝が、サンガミッターによってインドから運ばれて植樹されたという伝承がある。スリランカには別のルートでブッダの歯がもたらされたといわれ、王都がアヌラーダプラ、ポロンナールワ、キャンディなどに移るたびに仏歯も移動し、それぞれの都で手厚く祀られた。現在は最後の王都キャンディの仏歯寺に安置され、スリランカ最大の祭りであるペラヘラ祭（7～8月）のとき、象の背に載せられて巡行する。

さらに東南アジアに伝播した仏教とともに饅頭型の仏舎利塔は、ミャンマーのヤンゴンにある高さ約100メートルのシュウェダゴン・パゴダや、インドネシアのボロブドゥールまで形を変えて広がっていった。一方、北伝仏教はシルクロードを経由して中国に伝播した。中国ではストゥーパの音写の「卒塔婆（そとば）」あるいは「塔婆（とうば）」を略した「塔（とう）」と呼ばれ、西安市の大慈恩寺境内に建てられた大雁塔など、中国建築の影響を受けて楼閣型のものが発達する。大雁塔は玄奘三蔵がインドから持ち帰った経典や仏像などを保管するために652年に建立された。その後、火災や地震でたびたび倒壊したが、修復されて現在も昇ることができる。

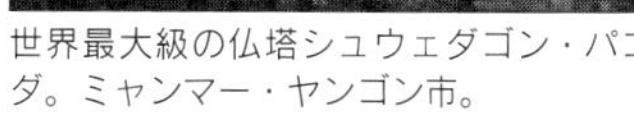
世界最大級の仏塔シュウェダゴン・パゴダ。ミャンマー・ヤンゴン市。

そして朝鮮半島を経て日本に到着し、7世紀初頭の法隆寺に世界最古の木造五重塔が建つことになる。二重から三、五、七、九、十三重塔と階層を重ねていくのは、かつてインドで貴人にかざされたの傘蓋が変形したもので、崇敬の念が極まった証である。現在では、アメリカのアリゾナ州セドナやイギリスのロンドンをはじめ世界各地に平和の願いが込められた多くの塔が建っている。ブッダは今でも仏舎利の姿で全世界を駆け巡っているのだ。

（宮本久義）

第Ⅸ部

インドの伝統文化を旅する

41 カラリパヤットゥに出会って

――インドの伝統武術体験記

大学1年生の春休みを利用して一か月インド旅行に行ったのが、インドとの最初の出会いである。チェンナイでインド舞踊を鑑賞するのが旅の目的であった。ところが滞在中、幸運にもカラークシェートラ芸術学校の先生の個人レッスンを受けられる運びとなり、三週間インド舞踊の基礎を指導してもらった。この貴重な体験が、後々のインド文化への興味をさらに強くしていった。

大学卒業後はいったん就職したが、数年後、将来について再び真剣に考える絶好の機会を与えられ、当時興味を持っていたヨーガやアーユルヴェーダを学びに緑豊かなケーララ州を目指したのが、二度目の渡印であった。

ケーララ州に到着し、縁があって、カリカット（コジコーデ）という胡椒の貿易都市で有名なアラビア海に面した街に滞在することになった。この街のヨーガ学校でインストラクターコースに参加して、毎日新しいことを学び、充実した日々を送っていた。ケーララの人たちは外国人を歓迎する気持ちが強く、愛情にあふれた心でもてなしてくれ、お節介なほどに面倒を見てくれた。こちらの欲しい情報はすぐに集めてくれ、リクエストすれば、すぐにサンスクリット語の学者による個人レッスンをアレンジしてくれたり、料理教室をお膳立てしてくれたりと、全てのリクエストに快く対応して動いてくれた。そのなかで私の興味を一心に引いたのが、マッサージを受けられる場所として現地の友人が紹介してくれたカラリパヤットゥの道場であった。「カラリパヤットゥ」（以下、親しみをこめて「カラリ」）というケーララの伝統武術に出会ったのは偶然であった。日本にいる時には耳にしたこともなかった言葉だが、ケーララに根付いた風習や文化に触れるうち、カラリに出会うことは必然だったのかもしれない。

「アーユルヴェーダのマッサージでここほどベストなものはない」と友人に連れていかれたのが、カラリの道場に併設されたトリートメント・センターであった。

カラリはケーララ州に伝わる武術だが、武術だけではなく、関節や筋肉、骨格系の疾患を治療するマルマ治療と呼ばれる医術も持ち合わせている。カラリではこのマルマの知識を最

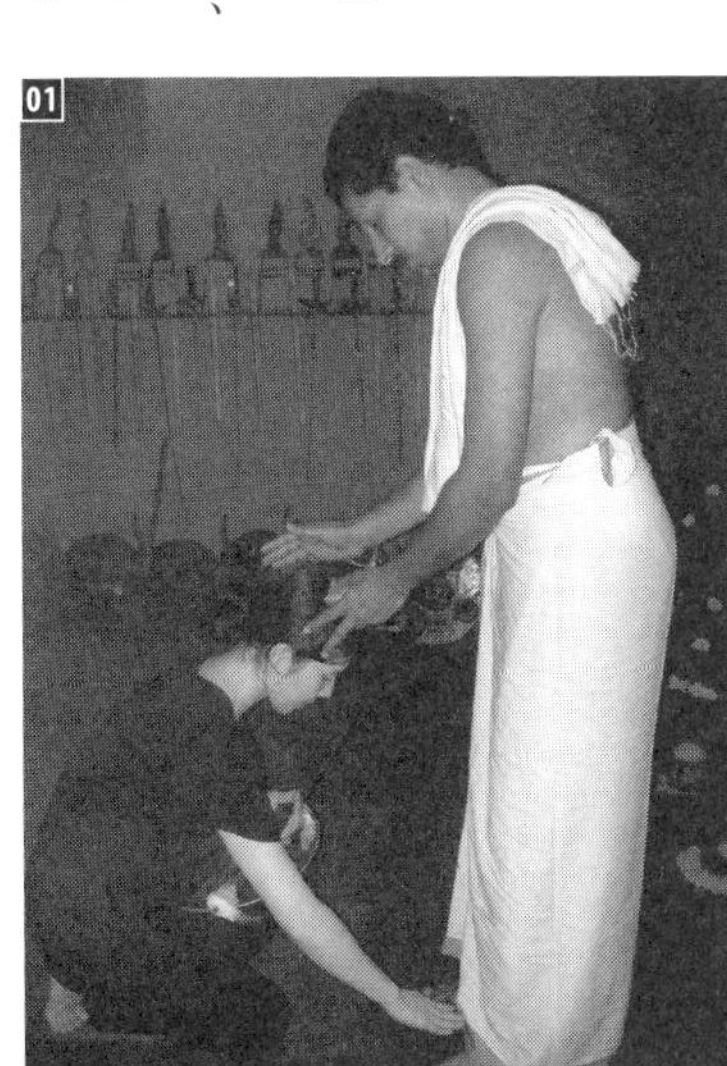

01 カラリ道場での礼拝（プージャー）。

大限に利用した秘技が、戦術と医術を通して師匠から弟子に伝承されている。戦術法を通して身体で覚えたマルマの知識は揺らぐことがなく、またカラリの身体訓練で鍛え上げられたボディ・バランスの整った身体を使って行うマッサージは、圧力の具合といい流れの速さといい、文句なしに気持ちのよいマッサージである。

さて、この日、友人に連れられて初めて訪れた道場は、朱色の壁に大きな木製の観音扉が印象的な建物で、その雰囲気はいかにもケーララ的で、それだけで私の心は躍っていた。このとき、カラリの師（グルッカル）であるスニル氏に出会い、ここから私のカラリ人生が始まった。マッサージのセッションやプログラムについて説明を受けながら、診察室の壁に飾ってある数々の道場生たちの写真に目を奪われていた。写真はポーズを撮っているもの、武器をもって高くジャンプしているものなど、どれも素晴らしく、初めて来た場所にも関わらず、勝手に翌日から毎日ここに通っているつもりになっていたのを今でも覚えている。ちょうどそのとき、夕方の道場生たちの練習が行われている時間帯だったので、カラリを見学してから帰ることになり、初めて目の前で見たカラリのポーズやキックなどの動きに鳥肌がたち、その場で道場に入門することを決めて、翌日から道場に通い始めていた。ヨーガの先生には事後報告になってしまったが、カラリの練習とヨーガのクラスを並行して進められるようにヨーガの先生は快く時間割を変更してくれた。翌日からカラリの朝稽古に加わり、その日から一度も休むことなく道場に通い詰めた。カラリの動きをしているときはとても集中でき、練習はきついこともあったが、神聖で厳かな道場内の雰囲気や、先生の丁寧な指導に後押しされ、自分の限界以上に力が発揮できる、そんな不思議なパワーが道場にはあった。

その後、インド北西部のアーユルヴェーダ大学に数年間留学したが、在学中、夏休みを利用してはケーララ州に南下してカリカットに滞在し、道場に通い続けた。毎年、道場に足を踏み入れたときには、懐かしさでいっぱいになった。大好きな道場に戻って先生や道場仲間に会った途端に、留学生活で張りっぱなしだった緊張の糸が緩み、こみ上げてくる涙が抑えられなかったのを今でも覚えている。

そして、道場で練習して汗をかいているとき、体の内側からエネルギーが溢れ出てくるのを感じ、「やはり私はカラリが大好きなのだ」と再確認し、カラリを本格的に学ぶ決心をしてアーユルヴェーダの大学を中退した。道場との付き合いは19年ほどになるが、マッサージの手技を含め、これまでに多くの学びを得、そして何よりも、道場とのあいだに築き上げた信頼関係は、かけがえのない財産である。

カリカット市は、ケーララ州の北部に位置しており、マラバール地方と呼ばれている。この地方でとくに注目すべきは食文化であり、ココナッツやお米をふんだんに使った料理に特色がある。また、カリカット市には、いたる所にジュース屋さんがあり、4、5月は多種類のマンゴーが豊富に出回るので、この時期は贅沢なマンゴージュースが味わえる。マンゴーを丸ごと2、3個絞ってジュースにするので、とても濃厚な味がする。ほかのお薦めはアボカドのジュースで、アボカドにミルク

02 カラリ武器術オッタの構え。

と砂糖を加えてあり、こちらも贅沢なジュースである。しかし、暑い日中に街中を歩いて喉が渇いたときにはココナッツウォーターがお薦めである。控えめでほのかな甘味がちょうどよく、さっぱりした自然の水、という感じである。

ケーララはどこまでも続く海岸と生い茂った椰子の木の緑が印象的だが、のどかな水田地帯でもある。またスパイスの産地でもあり、胡椒の取り引きで古くから商業都市が栄えていたことでも有名である。そして、内陸部の高地もお薦めで、カリカットの街から高地へ登ったところには、ワイナードと呼ばれる涼しい高原のリゾート地がある。ケーララの内陸部にはこうした高地があって、海辺とは全く違った風景が広がり、同じケーララ州でもこんなに空気と景色が違うのかと驚くほどである。街では椰子の木や水田の緑がまぶしいが、ワイナードでは茶畑の緑や、コーヒーやゴムの木が林立して生い茂る緑が印象的である。また、高原なので一年中過ごし易く、空気が澄んでいてとても清々しい気分が味わえる。どこか日本の信州の高原によく似ていて、ここにいるあいだ、思わずインドにいることを忘れてしまうほどである。

ケーララの話をしたらきりがないほど、私はケーララの土地と文化が大好きである。そして、カラリパヤットゥというケーララの伝統文化との出会いが、私の人生をより豊かなものにしてくれたことに心から感謝している。

（浅見千鶴子）

03

03ケーララ州の生い茂る椰子の木とバックウォーター。

42 伝統医療アーユルヴェーダ

——食べる、過ごす、命と向き合う

インドでは今日、いわゆる「近代医療」だけでなく、数えきれないほど多くの癒しや治療術が行われている。なかでも、外科的な処置より薬草を主原料としたオイルマッサージや内服薬による治療が中心とされる伝統医療アーユルヴェーダは、血液に対するケガレの観念と相まって根強く支持され、人びとの健やかな生活を支えている。一言にアーユルヴェーダといっても、世襲的に細々と継承される土着のものや、呪術的な治療をおこなうもの、大学教育を経て国家資格を与えられる体系化されたものまで多岐にわたる。本章では、こうした広くて深いアーユルヴェーダの世界への入口として、「インドを旅する」旅行者が近づきやすいであろうアーユルヴェーダ・リゾート施設について紹介していきたい。

外国人向けのインドの観光ガイドブックには、必ずと言ってよいほどアーユルヴェーダの頁がある。施術台に女性が横たわり、気持ちよさそうにマッサージを受ける写真を見たことがある読者も多いことだろう。また、実際にインド旅行中にホテルやスパ施設等でアーユルヴェーダの施術を受けた経験のある読者もいるかもしれない。インドを訪れる外国人旅行者が増えるのにともない、アーユルヴェーダの施術を提供する日帰りのマッサージ施設や、施術だけでなく食事やヨーガのレッスン等も受けることができる宿泊・滞在型のアーユルヴェーダ専用リゾート施設が南インドを中心に数多く建設されてきている。

宿泊型のアーユルヴェーダ施設には、アーユルヴェーダ医師が常駐しており、ゲストは毎日医師の診察を受ける。アーユルヴェーダでは、患者一人ひとりの体質を重視するため、こうした施設でもゲストに対し、医師の診断にもとづき個別に配合された薬草オイルを使用した施術や内服薬、食事を提供する。特定の症状に対し同じ薬草を摂取しても、体質によって効き目があったり、逆に症状を悪化させてしまうこともあるため、医師の診断は重要なのである。

医師が診断をして薬を提供するだなんて、病院のようだと思われるかもしれない。しかし、こうした施設はアーユルヴェーダの診療を専門としながらも、薄暗い病院とは趣

01 アラビア海を臨む高台にあるアーユルヴェーダ・リゾート施設の庭。

を異にするリゾートホテルの体裁をたもち、その多くが海に面した海浜リゾート地区にある。なかには、プライベートビーチや、プールを兼ね備えた施設もある。

施設に滞在すると、マッサージ等の施術を受けるだけでなく、「アーユルヴェーダ的」な生活として、禁酒・禁煙、菜食、早朝のヨーガなどを行うことが求められる。アーユルヴェーダでは、病気は患者自身が主体的に治療に参与し治療すべきだと考えられている。そのため、ゲストは施術や食事を受動的に受けるだけではなく、常に身体の内部に意識を集中し自身の身体を観察するようアドバイスを受ける。つまり、アーユルヴェーダを「受ける」というより、アーユルヴェーダを実践するのである。アーユルヴェーダの実践とは、いったいどのようなものだろうか。アーユルヴェーダ・ツーリズムが盛んなケーララ州の臨海地域にある宿泊型アーユルヴェーダ施設についてみてみよう。

インド最南端に位置するケーララ州は、温暖で過ごしやすい気候から外国人に人気があり、アラビア海を臨むビーチ地区には、リゾートホテルが建ち並ぶ。こうした施設には、多くの外国人が五日から二週間ほど滞在し、アーユルヴェーダを実践していく。施設での一日は、ビーチを望む開放的なテラスでの早朝ヨーガから始まる。ヨーガは空腹の状態で行うことがよいので、朝食前が最適なのである。ヨーガが終わると朝食の時間である。こうした施設の多くは朝昼晩、アーユルヴェーダのレシピにもとづき調理されたヴェジタリアン料理がビュッフェスタイルで提供される。アーユルヴェーダでは、命は3種のエネルギーの調和から成り立ち、その調和が崩れた状態が病だと考える。そして食物や薬草を、このエネルギーと親和性をもつ「熱／冷」、「軽／重」、「乾／湿」など

20の性質に分類し、摂取した食物の性質がそのまま身体に作用するとされる。また、人間の身体もこうした性質をもち、時間帯や季節、ライフステージによって常に変化し続けると考えられている。したがって、朝は、身体が冷たく乾燥した状態から日中に向けて体温が上昇していく時間帯のため、消化をつかさどる「熱」の性質が弱いことから、内臓に負担をかけない「冷」「湿」の性質の食物を少量とることが理想とされる。こうしたことから、施設での朝食は「冷」「湿」の性質をもつ食材が並ぶ。また、各料理には、使用される食材の効用や性質について詳しい説明があり、医師から特定の診断を受けた患者は摂取を避けるよう注意書きがあるものもある。そして、ビュッフェ台に並ぶ料理をゲスト自身が身体を考慮し、量や種類を取捨選択することも、アーユルヴェーダの実践なのである。

朝食が終わると、アーユルヴェーダ医師による診察の時間である。医師は、滞在者一人ひとりに診察を行い、体質や体調を調べる。そして、診断結果にもとづきその日に行う施術や処方薬を決め、生活について細かいアドバイスを行う。食事時に滞在者が食事をする席には、医師直筆の処方箋と一緒にゲストに合わせ配合した薬草の内服薬が置かれ、食事や生活についてのアドバイスが書かれる。

朝食の消化が進み内臓が落ち着く昼前になると、施術が始まる。施術は、薬草オイルマッサージや薬草風呂や蒸し風呂、鼻洗浄など、薬草を使用した施術が中心である。なかでも、もっとも人気なのはシローダーラーである。シローダーラーとは、仰向けに横たわった患者の眉間に、人肌に温めた薬草オイルを継続的に垂らし続ける施術である。この施術は、過剰なストレスによる不眠や情緒不安定、頭痛などに効果的だと言われている。こうした症状は、「熱」の過剰に由来するとされ、「冷」の性質をもつオイルで熱を冷ますことで身体内のバランスを回復することができるというのである。しかし、シロー・ダーラー後は身体が極度に「冷」の状態になるため、身体を冷ます洗髪や、身体を急激に「熱」にする直射日光に当たることは避けねばならず、トマトやパイナップルなど、「熱」の性質をもつ食物も摂取すべきでないとされる。

こうしてみてくると、アーユルヴェーダの宿泊施設では、禁止事項や厳しい制限がたくさんあることに気がつく。早朝からヨーガのために起床し、食事はヴェジタリアン、アルコールやタバコは禁止され、診断結果によっては食事制限や入浴まで制限されてしまう。しかし驚くべきことに、ゲストはこうした細かい制限に積極的に従い、心身の健康を回復・向上しようと主体的に取り組む。アーユルヴェーダ医師から説明された自身の身体の状態や性質について熱心に理解しようと努め、それに合わせて食事や過ごし方を作り上げていくのである。その光景は、楽しんでいるようにさえ見える。アーユルヴェーダとは「命の知恵」の意味である。アーユルヴェーダを通じて旅行者たちは、自身の命にまっすぐ向き合っているのかもしれない。

（梅村絢美）

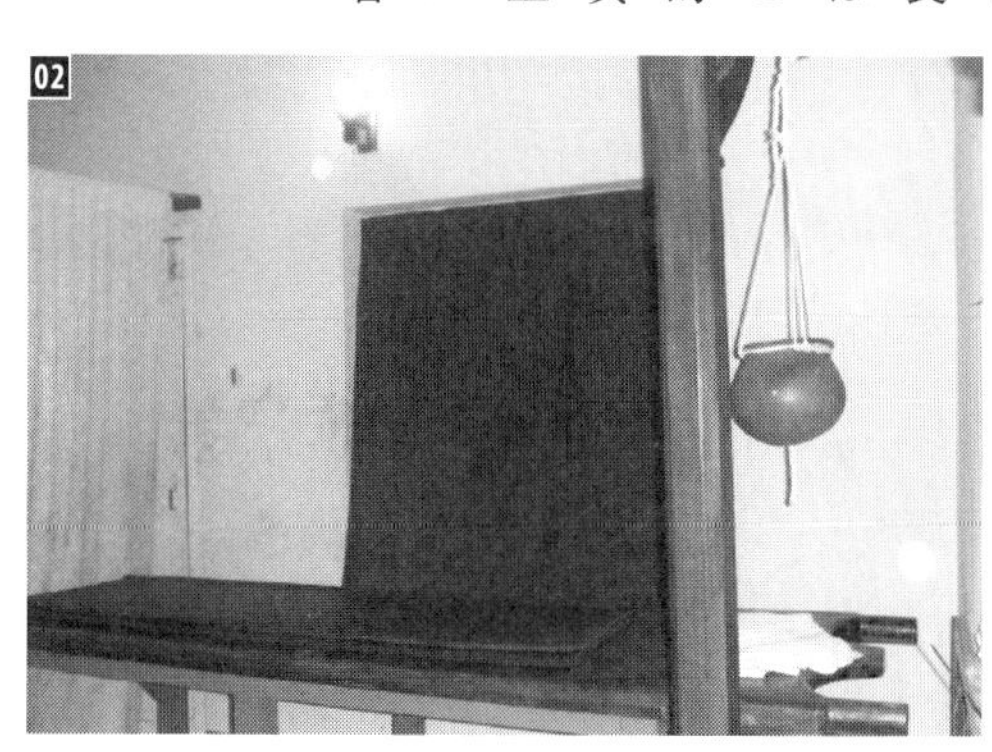

02 シロー・ダーラーの施術台。ベッドに仰向けに横たわった患者の額に、天井から吊るされた壺から薬草オイルを継続的に垂らす。

43 カルナータカ音楽の聖地へ

――「チェンナイ詣で」のすすめ

初めて南インド古典音楽のコンサートを観た時のことは忘れない。会場に響いていた音、観客の反応。それらは僕に強烈なインパクトを残した。

2001年末、僕はチェンナイ（旧マドラス、タミル・ナードゥ州）を代表する音楽ホール「ミュージック・アカデミー」のステージ上にあぐらをかいて座っていた。もちろん僕は観客だ。インドの古典音楽のコンサートでは、ステージの上を観客に開放することがある。音楽家を間近に観られる、いわゆる「かぶりつき」の席であるが、不思議なことに料金は一番安い。観客でありながら観客に見られるという、こんな奇妙な席があるのも実にインドらしい。

初めてのコンサートに胸をドキドキさせているうちに幕が上がった。目の前数メートルの距離に音楽家たちが座っている。何という贅沢だろう。ステージ中央のボーカリストが朗々と歌い出すと、バイオリンと太鼓の音がすぐさまあとに続く。よどむことのないメロディーと理知的でタイトなリズムが会場を満たす。厳しい修行を積み、幼少のころから何度も繰り返し音楽を身体に染みこませてきたのだろう。彼らが出す音は、喜びにあふれているように感じた。初めて聴くけど、すごくいい。

ふと客席を見渡してあっ気にとられた。お客さんが全くじっとしていない。曲に合わせて手をヒラヒラと動かしたり、リズムに合わせて手を打って拍子をとっている人もいる。挙句の果てには、自分が知っている曲を一緒に口ずさんでいる人もいる。「いったい何なんだ、これは?」まるで、幼稚園の音楽鑑賞会のような状態ではないか。いい年をした大人が、音を聴いて楽しくなって、キラキラと目を輝かせている。いや、もいい。何だかいいぞ。音楽に対する愛が感じられて実に素敵だ!

よくよくみると観客のなかには音楽家に対して合いの手にも似た感嘆の声をあげている人もいる。ステージ上の音楽家同士でも「お、やるな!」「次は、コレでどうだ!」と言わんばかりにアイコンタクトをしながら声をかけ合い、音と戯れているのである。「古典音楽」と聞いてイメージするような、お堅い雰囲気は微塵もない。観客は、コンサート

01 「ミュージック・アカデミー」でのコンサートの様子。

の最中でも音楽に対してリアルタイムに反応し、音楽家と一緒にコンサートという「場」を作り上げていく存在なのだ。ブレることなく、自分たちのやり方で音楽を楽しむ人びとの姿に僕は衝撃を受けた。

これが僕の「チェンナイ詣で」の始まりだ。あの時「ミュージック・アカデミー」のステージ上でいったい何が起こっていたのか？　それを知りたくて、チェンナイに通ううちに、いつの間にか20年の月日が流れていた。

南インドの古典音楽は「カルナータカ音楽」と呼ばれ、ヒンドゥー教の司祭階級であるブラーフマン（バラモン）出身の音楽家を中心として育まれてきた。音楽を志す者は師の家に住み込み、身のまわりの世話をしながら何年もかけて師の音楽や「人となり」を学び、音楽家としての素養を身につける。カルナータカ音楽は、そんな厳格な伝達システムの中で楽譜にされることなく、師から弟子へと脈々と受け継がれてきた文化の「粋」ともいえる。そんな「由緒正しき格式のある」古典音楽を、南インドの人びとは自分たちらしく「大らかに奔放に」楽しんでいる。そのギャップが痛快だった。一口に古典音楽といっても、インドの古典音楽と西洋の古典音楽は全く異なるものだ。そして当たり前のことながら、それを楽しむ観客のあり方もやはり異なるのだ。

カルナータカ音楽は、元をたどれば個人の「祈り」が音楽的に高度に発達したものである。現在コンサートで歌われている曲も、聖人であり詩人でもある音楽家が、神に対する賛辞や自己の献身を歌として表したものが、数百年の時を越え現代にまで伝えられているものである。そのため直接的に祈りを表現する「言葉」で歌うボーカリストの方が、器楽奏者よりも圧倒的に多く、人気がある。

コンサートの編成は通常、ボーカリストとメロディー伴奏を受け持つバイオリン奏者、それにリズム伴奏をする横長の両面太鼓（ムリダンガム）、トカゲ皮の小さなタンバリン（カンジーラ）、素焼きの壺（ガタム）、そして口琴（モールシン）といった個性あふれる打楽器群からなる。この打楽器の豊富さもカルナータカ音楽の魅力の一つ。コンサートのメインとなる曲の最後には必ずパーカッション・ソロがあり、観客も一緒に手を打ちながらスリリングなフレーズや算術的なリズム分割の妙を楽しむ。

カルナータカ音楽を体感したい人には、やはりチェンナイに行くことをお勧めしたい。一年中音楽が鳴り止まないチェンナイであるが、毎年12月半ばから1月初旬までの期間は特に「ミュージック・シーズン」と呼ばれ熱狂的に盛り上がる。市内にある数十か所以上にも及ぶコンサートホール、ヒンドゥー教寺院、結婚式場、学校の講堂等を会場として、連日朝から晩まで多くの古典音楽や舞踊のコンサートが開催されるのだ。観たいコンサートがあまりにも多くて、この身が一つしかないことを恨みたくなるほどだ。

しかも驚くことに、こういったコンサートは全て観光客のために特別に開催されているのではない。現地の人びとが自分たち自身が楽しむために行っているものなのだ。観光客のために演られる芸能は時に活力を失い凡庸なものとなってしまうことが多いが、「ミュージック・シーズン」はそうではない。現地には深く音楽を理解し楽しむ趣味人、好事家のようなウルサい人間

02 客席で自由に音楽を楽しむ！

が多く存在する。40年、50年とカルナータカ音楽を聴き続けている人びとが、「昔の大御所はこのように歌った」だの、「あの曲の歌詞の発音が少しおかしい」などと愛情たっぷりに批評してくれるのである。そんな厳しい目と耳に日々さらされているため、音楽家のレベルも非常に高くなっていく。

21世紀の今、チェンナイは南インド中から多くの音楽家を集める「カルナータカ音楽の聖地」と言っても過言ではない。チェンナイで名を成すということが、カルナータカ音楽を志す者のステータス。誰もが出演を夢見るホールが「ミュージック・アカデミー」なのだ。欧米に住み、カルナータカ音楽を習うＮＲＩ[*1]（Non Residential Indians）のなかには、豊かで便利な欧米での生活を捨て、音楽家としてのキャリアを求めてチェンナイに移住する人もいるほどだ。

そして、聖地を目指すのは音楽ファンも同じ。「ミュージック・シーズン」には南インド中から、まるで巡礼者のように上質の音楽を求める人びとが集まる。なかには欧米や南インド系の移民の多いシンガポール、マレーシア、遠く南アフリカ共和国からやって来る人びともいる。われわれ日本人もそれに加わらない手はない！　チェンナイの人びとは自分たちが誇りとする音楽に、外国人が興味を持ってくれることを非常に喜んでくれる。僕もコンサートのあと「お前は日本人か？　カルナータカ音楽に興味を持ってくれて嬉しいよ！」と、いったい何度声をかけられたことか。そういった人びととの温かさもまた、チェンナイの魅力なのである。

年に一度の「チェンナイ詣で」、あなたもいかがだろうか？

（井生　明）

＊1　在外インド人。インド国籍を持つが国外に居住するインド人。

44 インド古典舞踊を観る、楽しむ

――感情を共にする醍醐味

「インド舞踊」というと、インド映画に出てくるあの派手なダンスを想像する人も少なくないが、ここでいう舞踊は、いわゆる「古典舞踊」と言われるものである。「古典舞踊」といっても、何百年も前から続いている舞踊というものはなく、19世紀まで寺院や王宮で踊られてきた舞踊が、20世紀初頭に「伝統舞踊」として復興されたものが、「古典舞踊」と呼ばれるものである。地域によって異なる舞踊が発展しており、タミル・ナードゥ州のバラタナーティヤム、オディシャー（旧名オリッサ）州のオディッシー、北部のカタック、ケーララ州のモーヒニヤーッタム、アーンドラ・プラデーシュ州のクチプディ（クチプリー）、マニプル州のマニプリーなどがある。ここでは、タミル・ナードゥ州の州都、チェンナイのダンス・フェスティバルを中心に見ていく。

12月、1月のあいだ、チェンナイでよく読まれている英字新聞、*The Hindu* や *The Times of India* には、連日舞踊および音楽コンサートのプログラムが記載されている。ときには一面に、前日のパフォーマンスの写真が掲載され、コメントが載っていたりする。12月半ばから1月半ばは、タミルの暦ではマールガリ月と呼ばれ、音楽と舞踊のシーズンである。1928年に設立されたミュージック・アカデミーがクリスマス週間を中心にコンサートを始めて以来、徐々に期間が拡大していった。コンサートを主催するのはサバー（協会）と呼ばれる団体で、会員の会費や企業のスポンサーシップを受け、フェスティバルを企画している。ミュージック・アカデミーに続いて、いくつかのサバーができ、現在ではビジネスマンも学校やホールを借りてサバーとなっている[*1]。

コンサートのプログラムは、当日新聞で見るほか、南インドの古典舞踊と音楽の情報サイト、カッチェリバズ（kutcheribuzz.com）や各サバーのサイトで事前に確認できる。サバーによっては、午前から午後、夕方にかけてプログラムが目白押しである。日中の舞台には出演者がギャラなしで出るため、売り出し中のダンサーが出ることが多く、無料で鑑賞できる。夕方の部では人気ダンサーが出演するため、チケットを購入して観る。チケット代は、席によって100～2000ルピーほどする。もし長期滞在して何度も同じ会場に足を運ぶ予定であれば、その会場のサバーの会員となった方がチケット代が割安になる。

観客は、ダンサーや出演者の親戚、友人、舞踊家、そして舞踊愛好家（なかでも審美眼

＊1　サバーの詳細な場所に関しては、マチコ・ラクシュミー氏の著書参照。

をもつ人は「ラスィカ」と呼ばれる）である。サーリーやサルワールなど、普段よりもおしゃれな民族衣装に身を包み、鑑賞にやってくる。演目の紹介では、簡単にストーリーが説明される場合と、そうではなくて旋律（ラーガ）とリズム（ターラ）と、歌詞の出だしの箇所だけがアナウンスされる場合がある。曲名がないためそのような紹介がなされるが、舞踊愛好家の多くは、それだけで何の曲であるかを理解する。

インド舞踊のパートは、大きく分けて純粋舞踊（ヌリッタ）と感情表現（アビナヤ）に分かれる。ボーカルの歌う歌に合わせ、怒り、恋愛、憐みなどの感情（ラサ）を、手振りや顔の表情で表現する。ストーリーの概略とハンドジェスチャーの意味を知っていると、セリフはなくともいかなるシチュエーションであるかが分かる。ダンサーは、ラサを観衆に伝え、観衆と気持ちを一体化させるように努める。私が最も感動したパフォーマンスの一つは、C・V・チャンドラシェーカラ[*2]のクリシュナ神への献身の情があふれる踊りだった。彼が絶えず私の方を見ているように感じたため、あとでそのことを話したら、私の存在など全く気付いていなかったそうだが、「あなたはわたしのサフリダヤ（感情を共にした人）だ」と言われた。

01 C・V・チャンドラシェーカラ（チェンナイ、2011年）。

＊2 カラークシェートラでバラタナーティヤムを習得する。バローダ大学のパフォーミングアーツ学部長と舞踊学科長を歴任。国家勲章（Padma Bushan）を受賞。

そのほか心に残ったパフォーマンスは、パドマー・スブラマニヤム[*3]によるヴィシュヌ神の女性信徒アールワールをテーマに踊ったものだ。チャンドラシェーカラもパドマーも70代、60代だったので、純粋舞踊の場面では若いダンサーのようなキレがない。しかし、感情表現においては、観ているものを吸い込むような力をもっている。インド舞踊は体だけでなく、心で踊るものだと感じた。

次は、ダンス・フェスティバルに観客としてではなく、出演者として参加する方法だ。まず自分のプロフィールとパフォーマンスのＤＶＤを出演したいサバーに送る。サバーの選考委員は、それらのデータを基に、ダンサーの師匠に話を聞いたりして出演者を選ぶ。シーズン中に大きなサバーで公演するのは、かなり競争率が高い。１９８０年代は日本人も含め、インド系でない外国人のダンサーも出演することがあったが、現在では少なくなった。それは、舞踊を習う人が増え、ステージで披露しようとする志願者が増えたためだ。インド国外に住むインド系移民（「ＮＲＩ」と呼ばれる）のなかではとくに、舞踊はインドの伝統文化が身に着くとして人気の習い事の一つであるが、ある程度のレベルに達すると、インドで踊るということがステイタスとなるため、インド公演が目指されるようになるのである。

02 パドマー・スブラマニヤム（チェンナイ、２０１２年）。

＊3　ヴァルヴール・ラーマイヤ・ピッライにバラタナーティヤムを学ぶ。寺院彫刻のカラナ（舞踊のポーズ）を舞踊に取り入れ、独自のスタイルを生み出す。国家勲

ダンス・フェスティバルはチェンナイだけでなく、タミル・ナードゥ州ではほかに、マハーバリプラム（1～2月）やチダンバラム（2～3月）でも行われる。また、それ以外の州では、カジュラーホー・フェスティバル（2～3月）、コナーラク・フェスティバル（2月）、ケーララのスーリヤ・フェスティバル（10月）などが有名だ。

チェンナイのダンス・フェスティバルは、各々のサバーが自主的に行っているのに対し、そのほかの場所では、各州の観光省が主催となったり、インド政府との共催となっていたりするものもある。またチェンナイではバラタナーティヤムが中心であるのに対し、そのほかの地域では、オディッシー、カタック、モーヒニヤーッタムなど、さまざまな地域の舞踊が踊られる機会が多い。それぞれの舞踊を比べると、音楽、衣装、振り付けが全て異なっており、舞踊という身体表現にも地域によってさまざまなヴァリエーションがあることがわかる。現代では、海外または大都市在住のダンサーのなかでは、インド舞踊をベースにしたコンテンポラリーな作品もつくられている。そこでは西洋音楽やモダンバレエの動きや衣装なども導入されている。「古典」は常に時代のなかで創りかえられ、新たな古典が生まれていく。インド舞踊というフィールドに、インド人、在外インド系、外国人のダンサーおよび舞踊愛好家たちが参加することで、その時代のインド舞踊が展開し、観る人びとの心を魅了し続けるのだ。

（古賀万由里）

章（Padma Bushan）を受賞。

【参考文献】
■マチコ・ラクシュミー、1997、『魅惑のインド舞踊　バラタナティヤムを踊る』出帆新社。
■田中裕見子、2014、『教本バラタナティヤム』アーナンダナタナムバラタナティヤム研究会。

45

南インドの芸能と祭祀

――叙事詩と神霊の異界に誘われて

生い茂るココ椰子の木々が潮風になびき、温暖でのんびりとした雰囲気の漂うケーララ州は、北インドを知る観光客に、それまで目にしたインドとは異なる顔を見せてくれる。穏やかに流れる川をゆっくりと船で進むバックウォーター、海辺に佇む伝統漁法のチャイニーズ・フィッシングネット、白布の腰巻きを身につけた男性の姿や地元で勢力を誇る共産党の赤旗とそのシンボルである鍬やハンマーのモニュメント。こうした自然や街の風情だけでなく、極彩色豊かな装いに身を包んだ演者たちがもたらす芸能や祭礼の空間もまた、ケーララの魅力を存分に伝えてくれるものであり、それらはまさに異界と呼ぶにふさわしい世界といえる。

ケーララの観光地として有名なコチ（コーチン）市では、観光客向けにインドの古典音楽や舞踊を教えるクラスが開かれているほか、州を代表する古典舞踊劇のカタカリや武術のカラリパヤットゥを鑑賞する芸能公演が毎日行われている。簡略化した演目を上演するこれらの公演は、観光客にとって伝統的なインドの世界を手軽に楽しむ最適なものといえる。

カタカリは、『ラーマーヤナ』や『マハーバーラタ』といった、インドの古代叙事詩の世界で語られる逸話を舞台上に再現した舞踊劇である。役柄によって異なるものの、演者は緑を下地に、目の周りを黒で縁取った奇抜な化粧を施し、大きなスカートのように膨らむ絢爛豪華な衣装を身にまとって、変幻自在な顔の表情や抽象的な身ぶり、様式化された動きを通じて物語を表現する。観光客向けの公演では、おきまりの如く上演前の空き時間を利用して、演者による化粧の様子が舞台上で披露される。その後、簡易な衣装をまとった別の演者が登場し、いくつかの基本的な身ぶり（ムドラー）を解説と共に示しながら、観客を叙事詩の世界へと徐々に引き込んでいく。やがて舞台上に置かれた灯芯ランプに火が灯り、後ろに立つ太鼓奏者の演奏と歌手による詠唱が奏でられると、演者の前に広げられた幕が降りて上演が始まる。観客は入場時に配られた解説を時折確認しながら、物語の世界へと浸っていく。

観光地で行われる簡易版の芸能公演は、華やかで騒々しいインドの祭礼

01 観光客向けのカタカリ公演（コチ、2016年）。

や洗練された芸能に触れたい、という欲望をもつ「ディープ」志向の旅人や芸能愛好家の心を十分に満たすものではないかもしれない。そんな気持ちを抱いたならば、毎年8月頃に開催されるオーナム週間祭に足を運んでみてほしい。

州政府が観光振興の一環として力を注ぐオーナム週間祭は、ケーララの収穫祭にあたるオーナム祭の前後を含めて、一週間続けられる州内最大の観光フェスティバルである。もちろん国内外からの観光客も数多く訪れるが、フェスティバルを楽しんでいるのは圧倒的に地元の人びとである。期間中は、州内の主要都市で毎日さまざまな芸能公演が行われている。州都のティルヴァナンタプラム市では、夜になると目抜き通りの木々に照明が灯され、その下には屋台が建ち並ぶ。市内にある複数の劇場では、カタカリやサンスクリット古典劇のクーディヤーッタムが上演され、普段はアーティストとして世界各地を飛び回っている著名な演者たちが舞台に登場する。客席は子ども連れの家族や芸能愛好家で埋め尽くされ、人びとは叙事詩が語る物語の世界に酔いしれる。そこでは、伝統が現在の人びとの生活の中にしっかりと寄り添っていることを肌で感じることができる。

「芸能の宝庫」といわれるケーララにせっかく立ち寄るならば、カタカリのような古典舞踊だけで満足するのはもったいない。ケーララには、そのほかにもさまざまな民俗芸能や儀礼パフォーマンスが数多く伝承されている。なかでも、州北部のカンヌール県とカーサルゴードゥ県のローカルな祠や寺院では、乾期にあたる10月下旬から6月初旬のあいだにかけてテイヤムと呼ばれる神霊を祀る祭儀が盛んに行われており、訪れる観光客を魅了している。

テイヤム[*1]を祀る祭儀は、ココ椰子の緑に囲まれた村のなかの寺院やタラワードゥと呼ばれるかつての合同制大家族の屋敷内の祠で、近隣住民が見守るなか夜を徹して行われる。祭儀の中心となるのは、神霊の役割を担う旧不可触民階層の男性である。彼は祭文を唱えて自らの身体に神霊を呼び降ろしたあと、神霊の種類によってそれぞれ異なる幾何学模様の化粧、赤を基調に奇抜な飾りのついた装束、なかには十数メートルにも及ぶ頭飾りなどを身につけ、祠の前で手渡された鏡のなかに映る自らの姿を見つめることで神と一体化し、参列する人びとに祝福と託宣を与える。ケーララの民俗楽器であるチェンダ（太鼓）やクラル（管楽器）の音色が鳴り響くなか、松明や刀剣を手にしたテイヤム神が自らの起源譚を身体パフォーマンスによって具現化する祭儀の光景は神秘的であり、過去から脈々と続く伝統であると同時に、現代に生きる人びとの世俗的な生の営みでもある。

私がテイヤム祭儀と出会ったのは、20年程前、友人の結婚式に参列するためにはじめてケーララを訪れたときであった。街で市販されているガイドブックを何気なく手にし、そこに写るテイヤム神の姿に興味をもった私は、観光を兼ねてテイヤム祭儀の盛んなカンヌール県に足を運んでみることにした。滞在先のホテルで働くスタッフに声をかけ、テイヤム祭儀がどこで見られるのかを聞いて回っているうちに、一人の若者が新聞を広げて詳細をみつけ、一緒に行ってくれると言った。こうした親切で世話好きな、ときに「おせっかい」でもあるインド人に助けられている観光客は、インド国内の至る所でみ

＊1　テイヤムという語は、サンスクリット語で「神」を意味するダイヴァムが現地語化したものといわれる。テイヤムとして祀られている神霊の数は400以上あるとされ、祖先神、守護神、動物霊などさまざまである。

【参考文献】

▪古賀万由里、2018、『南インドの芸能的儀礼をめぐる民族誌――生成する神話と儀礼』明石書店。

▪竹村嘉晃、2012、「ワンナーン〈ケーララ州〉――神霊を担う不可触民たちの現在」金基淑編『カーストから現代インドを知るための30章』明石書店。

▪竹村嘉晃、2015、『神霊を生きること、その世界――インド・ケーララ社会における「不可触民」の芸能民族誌』風響社。

られるだろう。

カンヌール市の郊外にある祠で行われたテイヤム祭儀には、ヴァイナート・クラヴァンと呼ばれるテイヤム神が現れた。参拝者が抱えるさまざまな悩みに耳を傾け、一人ひとりの手をとりながら祝福と託宣を与える神霊の姿を村人たちと共に眺めていると、突然、側にいる人から自分がテイヤム神に呼ばれていることを告げられた。そして、祭儀の助手をしている若者と主催者家族の一人が近づいてきて、外国人観光客の私をテイヤム神の前まで連れ出した。私の手をとったテイヤム神が何か言葉を発するたびに、周りの村人からは笑い声が起こった。何ともばつが悪い思いをしていると、テイヤム神がわたしの額に手をかざして何か唱えごとをした。その瞬間、穏やかさと安心感に身体が包まれていく不思議な感覚を味わった。神霊の祝福を受けたあと、村人たちの人混みのなかに戻った私は、それまで握りしめていた手を開いてみた。そこには赤い花びらとターメリックの粉と1ルピーがあった。

今日でもテイヤム祭儀の場に足を運ぶと、テイヤム神が足首につけた鈴を踏み鳴らしながら私を呼び寄せることがある。私の額に手をかざす神霊との関係が、私とインドとのつながりを深いものにしてくれているのかもしれない。ケーララの芸能や祭礼には、人びとの生きる喜びや祈りの表現が満ち溢れている。そこでは、信仰とともに暮らす人びとの生の営みに出会うことができる。

（竹村嘉晃）

02 ヴァイナート・クラヴァン・テイヤム（カンヌール、2007年）。

46 タール沙漠の民俗芸能
——北西インドの粋な楽士たち

インドの北西部に位置するラージャスターン州の西部には、パキスタンの国境を越えて広がるタール沙漠が横たわっている。サバクといっても、「砂漠」ではなく「沙漠」である。所々に美しい砂丘も点在しているが、その面積のほとんどは荒れた大地や岩盤が続く乾燥地帯が広がっている。この、一見「何もない」かのように見える沙漠の大地は、実に多様で豊かな芸能の世界を育んできた。そこにはさまざまな楽器を用い、豊富な民謡のレパートリーを駆使しながら演奏し、歌い、踊ることを生業とした芸能集団が数多く存在するのである。

私が彼らの芸能の一端に触れた最初の機会は、1988年に日本で行われた「大イン

01 バルナー村で出会った楽士集団マーンガニヤールの人びと。

ド祭」の芸能ステージである。「砂漠の放浪芸人」として、タール沙漠エリアの楽士集団としてすでに一定の名声を博していたランガーとマーンガニヤールの選抜演奏隊が来日し、ステージを賑わしたのである。彼らの唄う歌謡の旋律の美しさや、弦楽器（サーランギーやカマーイチャー）から生まれる繊細な響き、両面太鼓（ドーラク）の生み出す独特のグルーヴ感にすっかり虜になってしまったことを覚えている。

多様な芸能集団の多くは、ダーン（「旦那」の意）と呼ばれる市井のパトロン世帯や都市部の王の宮廷に雇われていた職業的な楽士集団である。つまり彼らは、王権や沙漠に点在するさまざまなカースト集団の世帯を分けて、世襲的にその関係性を維持し、それらの世帯において必要な際に芸能やパフォーマンスを提供することで生きてきた人びとなのである。こうした芸能や儀礼的なサービスを提供する職業集団は、現地ではカミーンやキスビーと呼ばれることが多い。彼らの多くはパトロン世帯が集住する村の周辺に居を構えているが、パトロン世帯が沙漠のあちこちに点在している場合にはどのような手段を使ってもその地を訪れ、儀礼的な役割を果たすのである。これらの芸能集団は、パトロンの別、儀礼的役割の別、宗教の別、楽器やレパートリーの別によって、細分化されている。

儀礼と芸能に関してももう少し説明しなければならない。インド世界においては、芸能は単にエンターテインメントを意味しない。そこには社会的に重要な役割が埋め込まれているし、人びとの人生において重要な人生儀礼（通過儀礼）において芸能はなくてはならないものなのである。その内容は、出産儀礼、命名儀礼、結婚儀礼、葬送儀礼など多岐にわたり、また人びとの信仰する無数の民俗神（その多くは女神）の季節的な祭礼にも彼らの芸能は絶対的に必要とされる。それぞれの儀礼や祭礼は、彼らの提供する芸能がなければ遂行できないからだ。

こうした定住型の芸能集団が多く存在する傍ら、特定の場所に居をかまえず、沙漠を移動しながら芸能を供する集団も少なくない。たとえば沙漠の伝説的な英雄神を讃える巨大な布絵を広げて、そこに描かれた膨大な神話群を歌って聞かせる「絵解き」芸能を行うボーパーと呼ばれる人びと、木製の人形を操りながら多様な神話を演じるカト・プトリー（人形遣い）の人びと、神と人びとのメディアの役割を果たすとともに、蛇を操ることを生業としてきたジョーギー・カールベーリヤーと呼ばれる集団などが挙げられる。このカールベーリヤーの人びとはインドの動物保護政策によって蛇を使った芸能ができなくなったが、その女性たちが美しい黒い衣装をまとって蛇の動きを模した舞踊を行うことで一躍世界的に有名になっている。

定住／非定住を問わず、このように沙漠にはあまりに多様な芸能集団が存在しており、

02村にやってきた放浪芸人ボーパーの人びと。絵解き芸能の最中。

紙面の都合でそれら全てを紹介することはできない。一説によるとこれら芸能を生業とする集団の数は100を超えるとも言われている。では、彼らに出会い、芸能を味わうにはどうすればいいのだろう。定住型の楽士集団であれば、沙漠に点在する大きな村落には必ずと言っていいほど芸能者がひっそりと生活をしているので、そこを訪れて演奏を聞かせてもらうことも可能だが、放浪する芸能者たちは？

心配無用である。沙漠に存在する主要な大都市（ジョードプルやジャイサルメール、ビーカーネール、バールメールなど）では、これらの芸能集団の多くが外部からやってくる観光客を楽しませるための演奏や舞踊を披露する姿をみることができるのだ。ホテルやリゾート、高級なレストランのステージで彼らの演奏を聞くことができる。なかには90年代以降の「ワールドミュージック」のブームに乗って世界的に活躍する芸能者も増え、大都市で開かれる大規模な芸能フェスなどでも、その才能を遺憾なく発揮している。オーディオCDやDVDなどで彼らの芸能を手軽に楽しめるようにもなった。時代は大きく変わろうとしているのである。近年では複数の芸能集団の出身者によって結成された混成のグループが世界のさまざまな場所でコンサートを開くことも少なくない。日本にも「マハーラージャー」「ムサフィール」「ラージャスターン・ルーツ」などの混成グループが次々と来日している。

しかし残念ながら、こうしたいわゆる「近代化」の結果、本来彼らの芸能が持っていたであろう宗教的・社会的な意味や文脈が失われつつあることも確かだ。より良い演奏、より技巧を凝らしたステージングによって人びとの支持を獲得しようと努めるかたわら、伝統的に彼らの生業であったパトロン世帯における儀礼は行われなくなりつつあり、また彼らの歌や演奏の背景にある膨大な神話群や歴史・社会的な意味や物語も忘却されていっている。

もしあなたがルーツ志向の強い人で、芸能の持つ深い意味世界やパワーが生きている場へと分け入りたいのであれば、やはり都市部から離れ、沙漠に点在する村々を巡り、そこに住む楽士たちに直接会ってみるか、放浪する芸能者たちがいつその村に巡ってくるのか、情報を集めることをおすすめする。そこには、芸能の深遠な世界が親から子へ継承されている様子をまだ目の当たりにすることができるし、素朴だけれど力のこもったパフォーマンスを味わうことができるだろう。

（小西公大）

47

民芸品を求めて旅する

——先住民が作り出すアート

インドを旅行して、何かちょっとみやげになるようなものを買おうとすると、店の棚には実にさまざまな品物が並んでいることに気づくだろう。インドの場合、それらの多くは工業製品ではなく手工芸品だ。サーリーやショールなどの刺繡、染め物、ヒンドゥー神の石像や真鍮像、ブレスレット、お香などなどあげればきりがない。そういったものがひとつひとつ手づくりなのは、インドには伝統的にそういうものを作る職人がいるからだ。

インドのどこへ行っても、このような工芸品を作る職人に会うことができる。わざわざ職人の工房へ出向く必要もなく、例えばシルクのサーリーで有名なバナーラスでは、街の路地裏を歩きまわっているだけで、どこからか機を織る音が聞こえてくる。音のする方へ行くと、そこで職人たちがサーリーを織っている。それほどインド各地のいろいろな場所で工芸品が生産され続けている。僕も旅行するたびに真鍮製の人形や動物、あるいはテラコッタ（素焼き）の像などをみやげ物屋で買って日本に持ち帰っていた。

真鍮製の像は「ドクラ」と呼ばれる人びとが作っている。彼らはインドの先住民で、かつては村々をまわりながら農機具や食器などの修理を行っていたといわれているが、現在では定住し、その技術を活かして真鍮細工を生業にしている。先住民の文化に興味を持った僕は、ドクラに会いにインドの田舎へ行ってみることにした。

ドクラとはわりと簡単に会うことができた。マディヤ・プラデーシュ州や西ベンガル州の田舎を旅して、ドクラはいないかと人びとに尋ねると、すぐにどこそこの村へ行けば会えると教えてくれるのだ。ドクラは村はずれに家をかまえて、そこで真鍮細工を作っていた。ところが意外にも作業場には何の設備もない。

01 蜜蝋で型を作るドクラ（西ベンガル州、2010年）。

真鍮細工は失蠟法で制作される。柔らかい粘土のような蜜蠟で型を作り、それを土で覆う。土が固まったところで、それを熱して中の蜜蠟を溶かして出すと、型通りの空洞ができる。そこに溶けた真鍮を流し込み、真鍮が冷えて固まったら外側の土を壊すのだ。だから、真鍮を溶かす炉のようなものがあるのかと思っていたら、そんなものはどこにもない。彼らは家の前の地面を少し掘って数個のレンガを積み、炭に火を点けるだけなのだ。さすがにそれだけでは温度が上がらないので、手回しの送風機から風を送る。

材料に使う真鍮は古い食器や秤などで、つまりリサイクル真鍮だ。それを土鍋に入れて火にかけて溶かす。西ベンガル州のドクラは、仕上げのやすりをかけるために回転ブラシを使用していたが、電気を使うのはこれだけだ。こんなにシンプルな製造方法だったとは。地べたにぺたんと座り込んで、ラジオを聴きながらのんびりと作っているが、この程度の設備で、魔法のように精巧な細工物が作り出されることにただただ驚嘆するばかりである。

02

02農家が穀物を蓄える瓶（西ベンガル州、2010年）。

西ベンガル州の田舎をまわったときは、農家の軒下にテラコッタの大きな瓶がよく置いてあるのを見かけた。これに穀物を入れて保存する。この瓶はどこに売っているのかと聞くと、農家の女性は笑いながら、自分で作ったのだという。このように農家で使う瓶はその家の女性が作るのが普通なのだそうだ。

これには驚いた。高さが1メートルもあるような大きな瓶を作るのは簡単なことではない。それなりの技術が必要なはずなのだが、西ベンガル州の女性は普通のこととしてそういう技術を持っているのだろうか。

インドではテラコッタの馬がよく飾られている。家の守り神だそうだ。その馬の像を制作しているところも見学することができた。そこでも作っているのは女性だった。土間に座り込んで、その横に水を入れた桶が置いてあるだけの工房である。皿や茶碗ではないのでロクロもない。それで高さが1メートル近くあるような大きな馬の像を作りだしているのだ。

大きなテラコッタの馬は、さすがに地面で焼くわけにはいかないので、室型の窯で焼かれている。しかし、壺などの小さなものを焼く場合はほとんど野焼きに近い。土塁で囲んだ二畳ほどの窪みに木々を積み、その上にたくさんの壺を重ね置きして焼くだけだ。大きな焚き火と変わらないから、たいして温度は上がらないだろうが、テラコッタの場合はそれで十分なのだろう。

壺などを作るときは車輪型のロクロを用いる。棒や手で回転させるが、ロクロに土を盛って重くし、惰性で長く回るように工夫されている。上に板を置き、そこで粘土を成形する。かなりシンプルだが、ロクロがこれで十分なことは僕にも理解できる。

僕には探し続けていたテラコッタがあった。初めて見かけたのはマディヤ・プラデーシュ州だったが、オディシャー（旧名オリッサ）州やチャッティースガル州にもあるらしいと聞いていた。

それは瓦である。日本でいえば装飾瓦のようなものだと思うが、鳥やカエルといった小動物が瓦にのっている。なかなか見つけることができなかったが、西ベンガル州の田舎町にある小さな店で、ついに一個だけそれが置いてあるのを発見した。価格は110ルピー（約220円）。瓦にのっている動物の正体はわからない。顔はネコのようであり、胴体はヘビのようでもある。すばらしい造形だ。

ほかにはないのかと聞くと、こういう瓦はもう使う人もいないので作らなくなった、これが最後の一個だという。もしかしたら、ビハール州にはまだ残っているのではないかとその人はいう。

インドでももう使う人がいなくなりつつある絶滅寸前のテラコッタの瓦。インドには全土に先住民が受け継いできた文化がまだ残されている。しかし、急速に近代化が進むインドでは、そう遠くない将来、消え去っていく運命にあるのだろう。僕はその瓦を大切に日本に持ち帰ったが、残念ながらテラコッタはあまりにも柔らかく、細い部分が折れてしまった。安物ではあるが、僕の大切な、最もお気に入りの一品である。

（蔵前仁一）

03

03西ベンガル州で入手した瓦（2010年）。

コラム 09

古典舞踊・音楽を習う

昨今、外国人がインドの古典舞踊・音楽を習うことは珍しいことではないだろう。数十年間インドと母国を行き来して研鑽を積み、現地のアーティストと互角に肩を並べ活躍している人もいる。周知のようにインドは広大な国であり、東西南北、さらに各地域に独自の芸能文化が根づいている。ゆえに、最初からそれらを区別して選び取るというよりは、訪れた土地で舞踊や音楽に偶然出会い、関心をもち習い始める人が多いのではないだろうか。

さて、都市には個人経営の教室から大手のスクール、高級なサロンまで多様な選択肢がある。また、資格や学位の取得を兼ねて、芸術学校や大学などの教育機関に設置されているコースを専攻し、実技と理論など幅広い知識を学ぶ方法もある。コンサートに通い、憧れのアーティストに直接頼み込んで門下に入り、個人・少人数のレッスンを受ける人も多い。

このように、現在でこそ広く門戸が開かれ、「習い事」として定着している古典舞踊・音楽であるが、こうした状況は20世紀後半になってからのことである。例えば、タミル地方の代表的な舞踊バラタナーティヤムは、元々「シャディル」や「ナウチ」と呼ばれる寺院の奉納舞であり、特定のコミュニティに属するデーヴァダースィー（神の侍女）と呼ばれる女性たちによって担われていた。しかし、英領時代にそのパトロンである王族や寺院が力を失い、また、19世紀末から起こった社会改革運動[*1]の過程で彼女たちの売春行為が問題とされ、伝統は急速に衰退した。それは20世紀前半、当時の知識人たちによって近代的な舞台芸術として「再創造」され、今日では「古典舞踊バラタナーティヤム」として認識されるよう

バラタナーティヤムを学ぶ少女。チェンナイ、タミル・ナードゥ州［提供：Unsplash］。

になった。

芸能を習得するのに理想的な環境として必ず言及されるのが、「グルクラ」（グルは師匠、クラは家の意）である。これは現在では廃れてしまったが、弟子が師の家に住み込み長い年月を共に過ごすことで、専門性の高い技術や知識を受け継ぐという伝統的な慣習である。弟子が師の身の回りの世話や家事を手伝うことで授業料の代わりとしたと聞く。インド文化では一般的に非常に師を敬い大切にするが、とくにこのような内弟子となると師の存在は絶対であり、多少制約的な側面もあったようである。例えば、南インドの著名音楽家マイソール・ヴァースデーヴァチャール（1865〜1961年）のエピソードによれば、彼は師のライバル歌手のコンサートに内緒で行ったばかりに破門寸前となったという。しかし、7年間の修行を終えて帰郷する際は、初めて親元を離れる少女のような気分だった、と語っている。このようにグルクラのもとでは、厳しい師弟関係が見られる反面、家族のような親密な関係も同時に構築されてきたことがうかがえる。そのなかで伝えられるものは、芸能の「型」だけではなく、思想・生き様などを含め精神的側面でもあったのである。

一方、近年の顕著な変化として、インターネット通信を用いたレッスンが急速に普及している。これはビデオ電話を用いて、外国や遠方にいながらインドの先生から舞踊や音楽を習うことができる通信教育である。確かに、自分の空いている時間を活かしてレッスンを受けることができるシステムは魅力的に思える。しかし、先のグルクラにみるように、芸能の習得過程で得られるものは、本来は技術や知識だけにとどまらないのだ。

現地で外国人がインドの古典舞踊・音楽を習う上で、言語の壁、価値観・宗教観の違いといった問題は避けられない。また、滞在期間、資金、母国の生活との折り合いなど、現実的な問題もついて回る。インターネット・レッスンであれば、それらの障害は多少なりとも避けられるのかもしれない。しかし、現地で生活を送りながら芸能と向き合う楽しさは、一度体験してしまうと、さまざまな問題を全て受け入れたとしても代えがたいものである。（小尾　淳）

＊1　デーヴァダースィーは通常の婚姻生活はせず、神に仕える吉なる存在として奉納舞踊を行う一方で、パトロンと性的関係をもつ慣習があった。19世紀後半にイギリスで廃娼運動が大々的に展開すると、インドでも英国の道徳観に基づいて反ナウチ運動が活発化し、デーヴァダースィーはその芸を支える社会的基盤を失っていった。

第X部

インドの現代文化を旅する

48

インド映画の世界を楽しむ

——地元の人と親しくなれる近道はこれ

２０１３年に『きっと、うまくいく』（２００９）がヒットし、再び日本でも注目を集め始めたインド映画。ヒンディー語映画の製作中心地ムンバイーの映画界が、旧名のボンベイ＋ハリウッドで「ボリウッド」と呼ばれることも、すでに常識となりつつある。

２０１３年に公開１００周年を迎えたインド映画は、インドでは常に娯楽の王者として高い人気を誇ってきた。２０１４年の製作本数は１９６６本、全興行収入に占める国産映画の割合は92％と、インド人の自国映画への支持は今でも熱い。ハリウッド映画も公開されているのだが、見に行くのは都市住民の一部にとどまっている。

国民が強く支持していることで、インド映画は単なる娯楽を超えて、インド人の心情やインドの現実を色濃く反映したものとなっている。インドとインド人を知るためには、映画を見ることが一番の近道とも言えるのである。

さらに、映画の話題を出せばほとんどのインド人は胸襟を開いてくれるので、映画はインド人と友達になるためのアイテムとしても大いに役立つ。旅立つ前に『きっと、うまくいく』や『恋する輪廻　オーム・シャンティ・オーム』（2007）、『タイガー　伝説のスパイ』（2012）などを見ておけば、主演俳優の話題で盛り上がれるはずだ。旅行中も、いろんな形で映画に出会ってみよう。

まずは到着した町で、シネコン（シネマコンプレックス。インドではマルチプレックスと呼ぶ）に行って一本見てみよう。何を見るかはお好み次第だが、インドでの映画上映は一部を除いて英語字幕が付いていないため、見応えのある作品でないと、せっかくの映画体験が楽しくなくなってしまう恐れがある。

見応えのある作品をみつけるには、インド人に聞くのが一番だ。ホテルのフロントマン、食堂にたむろしている人、バスを待っている学生たちなど、英語ができる人をつかまえて、「今上映中のインド映画で、一番面白い作品はどれですか?」と尋ねてみるのだ。

この時新聞の映画欄を持っていると、話が早い。たとえば、『タイムズ・オブ・インディア』紙のムンバイー

01 ムンバイーの映画館。

02 チェンナイのシネコン。

版なら、別冊になっている『ボンベイ・タイムズ』のシネマ欄に、現在上映中の主な作品と上映館の一覧が出ている。それのヒンディー語映画のパートを見せて、「滞在中に見たいのですが、どれがオススメですか？」と尋ねれば、みんなすぐさま話に乗ってきてくれる。そのあとは聞かなくても、「この作品を見るなら、一番近い映画館は○○だよ」と教えてくれるはずだ。

シネコンの多くは全国展開しており、ムンバイーやチェンナイではＰＶＲ、ＩＮＯＸなどが知られている。ショッピングモールに入っているものも多く、タクシーでも行きやすい。また、チェンナイには単独映画館の集合体のようなシネコンもあり、その土地独特の映画上映システムがわかったりして興味深い。

シネコンの仕組みは万国共通。題名と時間を指定してチケット（ムンバイーだと２００～３００ルピー）を買い、時間が来て扉が開けば、入って指定座席に座ればいい。日本での上映と違うのは、インターバルやインターミッションと呼ばれる休憩が途中で10分ぐらい入ることで、その時はロビーに出ての飲み食いや、トイレタイムとなる。シネコンのトイレはおおむねどこもきれいで、トイレットペーパーも備えられているから安心だ。

なお、言語を知らないのでストーリーがわからないかも、と心配な時は、事前に英語版ウィキペディアで題名を検索すると、詳しいストーリーをみつけることができる。ただ、結末まで書いてあることも多いため、映像理解力に自信のある人は予備知識なしで映画に臨む方がいいかも知れない。

映画を見たあとも、お楽しみは待っている。見た映画のサントラ盤ＣＤや、劇中で気になった俳優の出演作ＤＶＤを買ったり、映画雑誌を手に入れたり。正規版ＤＶＤの値段は３００ルピー前後で、最新作のほか、１９７０年代や80年代の作品も結構手に入る。ヒンディー語映画のＤＶＤは英語字幕付きなので、映画館で見るよりも内容が理解できてありがたい。

大型書店に行くと、映像ソフトのほか音楽ＣＤも揃うが、インドでは今はもうダウンロードの時代で、音楽も映画もネットを通じて手に入れる人が多い。昔よくみかけた海賊版ＤＶＤも姿を消しつつある。

同じことはスターのブロマイドや映画ポスターにも言え、簡単にネットから画像がダウンロードできてしまうため、わざわざ印刷されたものを買う人は少なくなった。でも、パソコンを持たない人のために、今でもポストカード型ブロマイドやＡ３判大のスターのポスターが屋台の店などで売られている。

また、映画のポスターは、下町の古ポスター屋に行くと、少し前の公開作なら40ルピー程度で販売してくれる。何十年も前の古いポスターもあり、70・80年代に絶大な人気を誇った男優アミターブ・バッチャン主演作などは1枚１００ルピー以上する。

さらに、インド映画ファンの人は、撮影現場を覗いてみたい、スターを実際に見てみたいと思うことだろう。だがこれは、映画関係者とのコネがないと不可能だ。ただ、撮影所がテーマパークになっていて、一部見学できるところはある。そのなかの最大手、ハイダラーバード郊外のラモージ・フィルム・シティには、毎日バスを連ねてツアー客が押し寄せる。普通はセットとショーの見学だけだが、運がいいと撮影現場が見られることもある。

とは言え、撮影の見学は本当はひどく退屈。待ち時間が長く、撮り始めても同じシーンを何度も繰り返すので、これなら映画が完成してから見た方がマシ、と思ってしまう。おまけにスターは遙か彼方。紹介者があれば近寄って、ツーショット写真やサインを頼めたりするが、ただの見学者ではまず無理だ。

それよりも、シネコンや昔ながらの映画館で地元の人たちと一緒に映画を楽しみ、それをネタに彼らとおしゃべりする方が断然楽しい。映画のストーリーを話してくれる人の目はキラキラ輝き、好きなスターを語る時は声に力がこもる。彼らからは、「俺たちは映画を崇めてるんだ」という言葉を聞いたこともある。世界一映画が愛されている国インドで映画を楽しむと、新しいインドの顔が見えてくる。（松岡　環）

03ラモージ・フィルム・シティ。

インドのスポーツ事情と観戦術

——知られざるベスト・マッチを探しに

「メン・イン・ブルー」チーム・インディア

2011年3月20日、チェンナイ、チダンバラム・スタジアム。クリケットのワールド・カップ、インド対西インド諸島。ブルーを基調とするユニフォームから「メン・イン・ブルー」の愛称を持つインド代表の入場だ。切り込み隊長はスーパーヒッター、ヴィーレーンドラ・セヘワーグ。精悍な立ち姿が名前（"王子"の意味）そのもののユヴラージ・スィン。ワイルドなマシンガン若頭、ヴィラート・コーリー（現在ではインド代表のエースにしてキャプテン、人気では当時のサチンの位置に登りつめている）。そしてチーム・インディアを率いるキャプテン、MSDことマヘーンドラ・スィン・ドーニーを露払いに、地鳴りのような歓声のなか、クリケット界の生ける伝説サチン・テーンドゥルカルがあらわれる。つば広の日除け帽に埋もれてしまうような小柄な体軀はまるで歩くキノコ。見返って入場ゲート直上の観客席にバットを掲げる。何千と写真や映像で見たあの人懐こい笑顔を目の前にして声がない。ああ、本物のサチンだ……。

知られざる、インド・スポーツの熱さ

「本物のサチンを見た！」、インドと南アジアの十数億人に自慢できる身震いの体験だが、残念ながら日本には全く響かない。

インドの階層社会では、王侯戦士を除けば体を酷使するのは身分の低い人たちであるとの観念があり、スポーツが文化として受容されにくかった。一方イギリスの支配層は文武両道の価値観を持ち、植民地期にインド王侯や英国式名門校で学んだ社会上層の人びとがエリート向けスポーツに親しむようになった。ホッケー、ポロ、テニス、チェス（インドではスポーツ）……、なかでもクリケットは植民地対英国の試合が民族運動を鼓舞した歴史的背景や現代のテレビ中継がファンを増大させたことで、インドでは特異な人気スポーツになった。しかしサッカーやオリンピックではインド選手の名前をあまり聞かないため、一般にインドのスポーツ事情は知られていない。

01 サチン・テーンドゥルカル。2011年のクリケット・ワールドカップ準決勝（モハリ、PCAスタジアム）。サチンは2013年に現役を引退して、現在はインド連邦議会上院議員［提供：AFP＝時事］。

クリケットには国際協会に認定された実力国だけが戦うワールド・カップや二か国対

抗など多くの国際試合がある。インド代表の国際試合では国民がテレビ観戦にくぎ付けになる。隣国パキスタンやスリランカも世界の強豪で、南アジアのクリケット人気は本家英国でも想像できない熱狂ぶり。人気選手はまるで神様。経済効果は計り知れない。2008年には外国のトップ選手も参加する、短時間の試合形式によるクリケットの世界では初の本格的プロリーグ、インディアン・プレミア・リーグ（IPL）が創設された。IPLの人気は過熱し続け、現在はインドの主要都市に本拠を置く8チームから成り、2020年シーズンは深刻なコロナ禍のインドから開催地をアラブ首長国連邦（UAE）に移すことまでして実施された。試合は常に満員、チケットは争奪戦。テレビだけでなくすべての試合がネットでも中継配信されている。

次の花形スポーツを狙うのは？

今、クリケットに次ぐ人気スポーツはバドミントンだろうか。男女ともに世界で中堅以上の実力を持ち、対日本戦の機会も多い。日本選手らと世界女王を争うP・V・スィンドゥ（日本ではプサルラの登録名で知られる）、インドのバドミントン隆盛の功労者サーイナー・ネーフワールなど特に女子の活躍が際立つ。従って、女子のあいだで人気が高いのもバドミントンの特徴だ。女子人気といえば、日本でも公開された映画「ダンガル」のモデルになって一躍注目されたレスリングのフォーガト姉妹は、実際に吉田沙保里、伊調馨らと対戦している。

欧州リーグなどテレビ放送から火がついたサッカー（インドではフットボール）人気も急

上昇している。インドには植民地期スポーツクラブからの伝統を持つIリーグがあるが、2014年から外国人選手を加えた興行性の高いインディアン・スーパー・リーグ（ISL）がスタート。インドよりも海外のサッカー・ファンの注目を集め、日本人選手も次々参入している。1998年ワールド・カップの予選で日本と対戦したインド代表キャプテン、バイチュン・ブティヤはユース時代には中田英寿とも比較され、イングランド・プレミア2部にも所属したインドサッカーのレジェンドだが、彼の出身地シッキムや北東部諸州では元々サッカーが盛んで、国内有力選手を次々輩出している。アッサム州グワーハーティーにはISLのノース・イースト・ユナイテッド、ミゾラム州にはIリーグの強豪アイザウルFCなどがある。

02 Jリーグを経てインド・サッカーに最初に参加した日本人、和泉新氏（Iリーグ在籍中の2012年）。現役引退後はインド人と結婚し、インド国籍を取得して指導者の道を進んでいる。

観戦するには

クリケットを除く競技では、試合の情報が地元であっても広く告知されているとは限らない。インドでスポーツ観戦するならネットで情報を集め、試合日程を軸に旅程をたてる。インドではオンラインによるチケット予約が一般化したが、テロ抑止などの理由で外国籍のクレジットカードが利用できない、インドの住民登録証番号が必要、などの規制がある（規定は頻繁に変わるので注意）。またクリケットでは試合会場での当日券販売がないのが一般的である。生観戦は外国人旅行者には結構ハードルが高い。ただしインド独特の事情で、クリケット以外のスポーツでは、地元の有力者や学校にチケットを配る方法で観客を動員することも多く、現地の人づてに思いがけずスポーツ観戦が実現してしまうこともあるだろう。いずれにせよ、スポーツ会場は不便な場所にあることも少なくない。ホテルのフロントなどを通じ信頼できるタクシーの送迎を確保する。会場に待機させ、運転手の携帯番号を聞いておく。またクリケットを除く屋外競技では女性客が少なく、セクハラの危険もあるので女性だけの観戦は避けたい。

リスクを避けた確実な観戦にはやはりテレビ中継だ。インド人宅でのテレビ観戦も楽しいが、試合に没頭するなら衛星マルチチャンネル完備のホテルがベスト。スポーツ中継は客の需要があるので中堅ビジネスホテルで十分だ。クリケットの国際ワンデーマッチ（ＯＤＩ）は6～8時間。ハーフタイムに食事に出る余裕はないのでスナックやルームサービスを確保しておく。国際試合やＩＰＬ中継ならばラウンジやレストランのテレビに宿泊客が集まって盛り上がっている。そのなかに解説したくてたまらないクリケット通がいれば、ルールや選手について手ほどきを受けながらの観戦、これができたら最高だ。

（関口真理）

50 一粒で二度、三度おいしい現代美術の旅

――インド・アートシーンの最前線

インドの現代美術を堪能するなら、いつ行くのがいいだろうか？　何度目かのインド旅行のあとで、初めてそんなことを考えた。一度目は5月だっただろうか、あまりの暑さに嘔吐した甘酸っぱい記憶がよみがえる。その次は下痢になって数日間ホテルから一歩も動けなかった。お腹を壊すのはいつものことなので仕方がないが、猛暑で吐くのだけは勘弁だ。そんなことを考えて、次からは涼しくなる12月から2月に行くようになった。

実際、この時期のデリーに来てみると、それまでのインドが嘘のように快適だ。大気が汚れているからなのか（こう書くと全然ロマンチックじゃないけれど）、幻想的ともいえる

濃い霧が街を包み、たまに車が横転していることもあるらしいが、それ以外にとくに問題はない。そしてここが一番重要なのだが、現代美術の愛好家たちも涼しい季節に動きたいと思うらしく、この頃になると堰を切ったようにいくつもの展覧会が開催されるのだ。その中心となるのが、1月末から2月初めのデリーで開催される「インド・アートフェア」なのである。

「インド・アートフェア」は、会場内の小さく仕切られたブースのなかで、それぞれの商業ギャラリーがお抱えアーティストたちの作品を紹介したり、そこで商談したりする、いわゆる現代美術の大見本市だ。今ではどの国でも大規模に開催されるようになったが、インドでは2008年からデリーで継続的に開催されてきた。このアートフェアに初めて行ったときのことだ。インド各地の主要ギャラリーが軒並み出店していて、それを見て回るだけでも十分楽しいのだが、各ブースでは若いスタッフには任せてられないとばかりに、飛行機に乗って駆けつけたギャラリーのオーナーやディレクターたちが自ら接客していて、そのテンションの高さ、そして目力の強さに圧倒されてしまった。

こうした人びとの色めき立った雰囲気は、アートフェアの臨場感をいやが上にも増幅させる。し

01 インド・アートフェアの様子。

かし、そういったのがちょっと怖いという心優しい日本人のあなたには、もしギャラリーお抱えのアーティストたちが近くにいれば、彼らに話しかけることをお勧めする。おそらくはギャラリストたちより少し穏やかに対応してくれるだろう。そして、アーティストと会話できるこの一時は、作品制作の裏側や苦労話を聞きだす絶好のチャンスでもあるのだ。

アートフェアをたっぷり堪能したら、つぎは会場を飛び出して、外に広がる現代美術ワールドにも足を踏みいれてみよう。この時期のデリーでは、アートフェアに訪れる美術関係者や愛好家たちの注目を引こうと、商業ギャラリーだけでなく、美術館や非営利のアートスペースでも力のこもった展覧会が連日開催されている。とくに夜になると、いくつもの会場でオープニング・パーティーやイベントが催されていて、すごい人と熱量なのだ。実際、アートフェアを挟んだ一週間は、インド中の現代美術関係者が驚くべき密度でデリーに集中している。それゆえ、いろんな会場に顔を出していれば、どういった人たちがアートシーンを支えているかを皮膚感覚として感じとることができるのだ。またこの種のイベントは招待券がなくても簡単に入れるので、運がよければ連日タダ酒タダ飯にありつける。それはさておき、インド現代美術界の熱気や臨場感を味わいたければ、美術関係者が色めき立つこの時期を目指して、デリーに行くべしなのである。

さてさて、ここまでデリー、デリーと馬鹿みたいに連呼してきたが、インド現代美術の深遠なる世界はこれだけでは到底味わいつくすことができない。ほかの地方都市にも

02 アーティストによってデザインされた奇抜なファッションショーなど、さまざまなイベントがデリーの夜を彩る。

面白いアーティストやアートスポットは目白押しなのだが、一般的に言えることは、現代美術は都市化した環境である方が刺激的で面白いし、その活動をサポートする美術学校や商業ギャラリーの存在も非常に重要になるということだ。それゆえ現在ではムンバイー、コルカタ、バンガロール（ベンガルール）、ヴァドーダラーでも現代美術が盛んなのだが、なかでも絶対にはずせない中心地がムンバイーなのだ。

政治機能が集中するデリーとは違い、ムンバイーはインドの名だたるコングロマリット（複合企業）が本拠地を置く一大商業都市だ。雰囲気もどこか開放的、そして洗練されていて、あえて言うなら港湾都市の横浜や神戸に似ているが、ファンキーなおばちゃんが闊歩する大阪や、濃厚濃密な名古屋では決してない。それはともかく、この街にはインドを代表する名門美術学校などもあるため、才能のある若手アーティストがつぎつぎに輩出されている。また近年ではコロンビア大学建築学部の大学院が多目的スタジオを開設したことでも、この街のポテンシャルを窺い知ることができるだろう。観光地として有名なインド門やタージマハル・ホテルの近くには、まさにインド現代美術を牽引するいくつもの商業ギャラリーがあるので訪れてみてほしい。はじめは入りにくいと思うが、ヨネスケ師匠になったつもりで勇気をもって突撃してもらいたい。

字数も残り少なくなってきたが、最後にもうひとつ12月以降のアートシーズンで見逃せない、とっておきの展覧会を紹介したい。それはインド南端のケーララ州で開催され

03 ムンバイーのアートギャラリーで開催されていた写真展。

る「コチ＝ムジリス・ビエンナーレ」というインド最大規模の現代美術展だ。ケーララ州のコチといえば、とくに現代美術が盛んなわけでも、経済的に豊かなわけでもない典型的な地方都市である。それが大都市のデリーやムンバイーを差しおいて、国際ビエンナーレを開催するから面白いのだ。もちろん展覧会を実現するまでの道のりは相当厳しかったようで、直前まで開催が不安視されていたそうだ。しかしアーティストたちが中心となって事務局を運営し、準備に奔走した結果、2012年12月に第一回展が盛大に開催された。しかも何会場にも分かれた広大なスペースや野外展示場には、インドの名だたるアーティストたちの渾身の作品が展示され、インド最大と呼ぶにふさわしい展覧会となったのだった。つづく第二回展も2014年に無事開催され、国際的な注目度も高まってきている。多くの人にぜひ足を運んでもらいたいのだが、実は注意すべきことがある。それは開幕直後の12月に行っても、未完成の作品が多いかもしれないということなのだ。ぼちぼち展示ができあがる様子を見るのも一興だが、やはり完成した全作品を見たいという人には、2月くらいに行くのが安全だ。そう、つまり「インド・アートフェア」にあわせて計画を立てれば、一粒で二度も三度もおいしい旅行になるというわけなのだ。デリーやムンバイーに続いてケーララを旅してきたあなたなら、ゆるやかな時間が流れるこの土地で、インドの懐の深さをきっと体感するに違いないだろう。

（中尾智路）

04　「第一回コチ＝ムジリス・ビエンナーレ」で屋外展示されたシュリーニヴァーサ・プラサードの作品。

51 華麗なるインドのハイ・ファッション

——パリ、ニューヨーク⇔デリー、ムンバイー

ファッション・ウィークが大盛況

インド最大級のファッション・ウィークと言われるデリーのインディア・ファッション・ウィーク（ＩＦＷ）とムンバイーのラクメー・ファッション・ウィーク（ＬＦＷ）には、デザイナーの新作コレクションが集う（それぞれアマゾン・インディアと化粧品会社のラクメーが筆頭スポンサー）。ここに参加することはトップ・デザイナーの証しだ。ＦＷの期間中は新聞やニュースメディアが連日、どのデザイナーのファッション・ショーがあって、どのセレブがどんな装いで会場に現れたかをトップで大扱いにする。ほかに大事件が発生してさえそのスタンスが変わらないのにはちょっと呆れるが、それだけ国民の注

目が集まり、経済効果が高いのだろう。

活況ぶりを羨んだほかの都市も次々と新たなファッション・ウィークで追随するものだから、「ファッション・デザイナーの数よりファッション・ウィークの数の方が多いかも……」と皮肉られもする。

経済成長と共同歩調のファッション業界

インドのファッションというとサーリーや染織品など伝統の手仕事品のイメージがあるが、ここで言うファッションとは、インド人デザイナーや企業ブランドによって生み出されるハイ・ファッションとファッション・ビジネスのこと。インドのファッション業界は１９９０年代以降のインドの経済発展と歩調を合わせ、顧客である豊かなミドルクラス（中間層）の拡大に乗って急成長を遂げ、今やインドが大々的に海外に売り込む優良分野になっている。スシュミター・セーン、アイシュワリヤー・ラーイ、プリヤンカー・チョープラーなどが、国際的美女コンテストで世界一の栄誉に輝いてインドのプライドをかき立てるとともに、映画界に進出して抜群の知名度を持つセレブになった。娘がモデルや映画スターで成功し、露天商の父親が一財産をなしたといったサクセスストーリーがあり、インドの少女たちが熱に浮かされたようにモデルを目指すブームも起き、インド女性の生き方のビジョンを変えたとまで言われた。

そのミスコン美女やトップモデルが纏ったのが、伝統的染織品をふんだんに使いつつ

01 インディア・ファッション・ウィークに当時最年少でデビューしたマサバ・グプタのメゾン1号店（デリー）。マサバの両親はクリケットと映画界のスター。

洋装のセンスを入れてデザインされた民族衣装と西洋ドレスの折衷のようなモードだったのだ。この新しいインディアン・モードは鮮やかな色彩と装飾、個性的なデザインから、パーティーやリゾート着として外国人のバイヤーをも引きつけた。インド人デザイナーは国内のＦＷだけでなく、パリやニューヨークといった世界のトップ・コレクションにも参加するようになった。政治家や財界人も首脳サミットや国際経済会議で、インド映画の舞踊シーンのそのままの豪華絢爛なファッション・ショーを披露して、海外への売り込みをバックアップしている。

インド人デザイナーは、インドの伝統意匠や染織を取り入れた欧米ブランドのプロジェクトや、１９８０年代に創設された国立のファッション・デザイン学校などから輩出されている。インドでは実際にファッションを作り出す織物や仕立の職人は社会的身分が高くないとされている。逆にファッション・デザイナーは、デザインの創造に特化したアーティストとして、セレブな扱いを受けている。旧王家の「王子」やＩＴ技術者からの転職、映画スターの娘など、本物のセレブ出身デザイナーもいる。

トレンドは世につれ

デザイナー・ブランドが注目され始めた１９９０年代はじめ、インドのハイ・ファッションの代表格は、インドの上質な手仕事を取り入れた洋装だった。ざっくりした風合いの手紡ぎ綿布や、全面に同系色の繊細なチカ

02 トップ女優カリーナー・カプールのダイエットとファッションを特集して爆発的に売れた『ヴォーグ・インディア』。

ンやカンタ刺繍がほどこされた白生地をストレートに裁った、非常にシンプルなシャツドレス、ワイドパンツやフレアスカートなど。コム・デ・ギャルソンやラルフローレンで売られていても不思議ではない、そんなデザイン。それが当時の価格で何千、何万ルピーしていたのだが、デザインが洗練され過ぎて、高価な割には「これインドのファッションなの？」と少しもありがたいと思ってもらえなかった。おそらく当時の顧客が古典的な富裕層に限定されていたからだろう。

ところが経済力を持って勃興した新しい顧客、ミドルクラスのテイストは違っていた。派手な色彩、過剰な装飾、重厚な外見……、ミスコン美女が纏ったような、豪華な洋風民族衣装。生活レベルの上昇から、結婚式を筆頭に祝い事やパーティーといった晴れの場にカネをかけるようになり、機会も増えた。花嫁だけでなく家族や招待客が高価な既製服を身につけ、その需要がブランド・ファッションの市場を押し広げて行ったのである。

トップ・デザイナーとショップ事情

今やインドのデザイナーは星の数ほど存在する。有名なＦＷに出ていることがブランド評価のひとつの基準になるが、刺繍職人の工房に間借りする無名の若手デザイナーを発掘するような楽しみも捨てがたい。メディアへの露出度の高い代表的なデザイナーを紹介しておく。

ビジュアルのユニークさやパフォーマンスで作品以上に本人が有名なローヒト・バル、

重厚でゴージャスなハイ・ファッション正統派の「老舗」サティヤ・ポールとタルン・タヒリアーニー、伝統デザインの取り込みに定評がありミスコン代表の衣装でも知られるリトゥ・クマール、ボリウッド映画のコスチュームやスターの御用達といえばマニーシュ・マルホートラ、ポップ、キッチュ、ゴシックなどエッジなセンスで日本でも人気の高いマニーシュ・アローラー。また、インドのデザイン学校出身でネパール人のプラバル・グルンのようにインド市場をスルーして洋装専門で世界展開する例もある。グローバルに活躍するグルンは、インド路線に参入したANA（全日本空輸）のユニフォーム・デザインを手掛けている（2015年に採用）。

トップ・デザイナーは主にデリーやムンバイーに旗艦店を置き主要都市の高級モールにショップを出す。有力デザイナーを集めたセレクトショップもある。ただし高価なデザイナーものに簡単に手が届かないのはインド人も同じ。大きなショッピング・モールの婦人物コーナーでは、インディアン・フュージョンと総称されるアパレルブランド・アイテムが大人気だ。高級ブランドの風情を取り込んだ印洋折衷のパンジャービー・ドレス、チュニック、パンツなどだが、ファブ・インディアのようにシックではなく、極彩色や装飾過剰気味なところがいかにもインド好みなのだ。global desi、haute curry、Biba、Wあたりがメジャーなところ。広い売り場を埋め尽くす品数の多さは壮観で、欲しいものを選ぶには相当に苦労する。

（関口真理）

コラム 10

郵便局で切手を買う

１９８６年2月27日、私はカルカッタ（現コルカタ）GPOを訪れ、生まれて初めてインドの郵便局で切手を買った。GPOとは、英語のgeneral post officeの略で、郵便物の集配機能が完備した、地域のメインの郵便局のことである。インドの多くの都市でランドマークになっているので、インドを旅する際にはよく耳にする言葉かもしれない。郵便局にはほかに、郵便引き受け窓口業務などだけを行う小規模なものが都市部にたくさんある（２０１０年時点でのインドの郵便局数は約15万５０００、世界最大の郵便ネットワークを誇る）。インドの近代郵便制度は19世紀初頭に始まり、１８５４年に、郵便切手による料金前納、全国均一料金などが導入されて、ほぼ完成をみた。切手や全国均一料金の制度が地球上に誕生したのが１８４０年のイギリスなので、インドにおける近代郵便確立は世界でも早い部類に属する。

ランドマークになっているという点で、カルカッタGPOは特筆に値する。１８６８年完成、コリント式円柱と優雅なドームを持ち、植民地建築を代表する歴史遺産が、今も現役の郵便局なのだ。完成１００年時にはインド切手の図案にも採用された。小学生時代から切手収集を続け、１９８６年の最初の訪印時にはすでに独立インドの切手の大方をコレクションに収めていた私にとって、カルカッタで何よりも行ってみたい場所であった。日本では手に入りにくい普通切手のシートを手に入れるチャンスも魅力的だった。

カルカッタ GPO を描くインド切手（1968 年）。

しかしその思いは、切手販売窓口に押し寄せている殺気立った購入客を前にして、一気にしぼんでいった。コミュニケーションにまだ不安があったこともあり、列に並べないまま佇んでいると、様子を見かねた紳士が私を助けてくれた。「収集用の切手ならば郵趣窓口で買うのがよいですよ」「郵趣窓口」（philatelic window）とは、数年分以上の記念切手など多くの切手をストックし、収集家向けに販売する専門窓口で、大きなGPOに設置してある。一般窓口の混雑は現在もあまり変わっていないので、郵便に使うための切手の購入でも、郵趣窓口の利用はお勧めである。

かくして、私の最初のインド郵便局での切手購入は、カルカッタGPOの郵趣窓口で始まった。それ以来現在まで、インドの郵便局めぐりを続けている。この最初の旅で学んだもうひとつは、普通切手は、むしろ小さな郵便局のすいている時間帯を見計らって購入するのがよいことだ。ちなみに私がインドの郵便局で普通切手を買うのは、何度も印刷される普通切手の場合、一見同じ切手が、印刷方式や用紙、切り離す穴の間隔や形式などに関して少しずつ変化するため、変化がないか、局員にお願いしてシートを丸ごと見せてもらってチェックし、丸ごとあるいは重要な部分を切ってもらって入手するためである。このような面倒なお願いは、混雑したGPOの一般窓口ではなかなか言い出しにくいものだ。

さてここまで「郵趣」という言葉を説明なく使ってきた。切手を中心に近代郵便に関するものを収集する趣味のことを郵趣、英語でphilatelyと呼ぶ。集めるのは切手だけでなく、葉書や封筒、実際に運ばれた郵便物、郵便局のパンフレットなどさまざまで、これらを総称して郵趣マテリアルと呼ぶ。インドは世界的郵趣家を輩出してきた国でもあり、そのような方との出会いも、私の郵便局めぐりの副産物である。これらの方々から学んだことを受けて、現在の私は、インド地域（現パキスタン、バングラデシュ、英領インド、仏領インド、葡領インド、藩王国を含む）の切手および1947年分離独立や1971年のバングラデシュ独立の郵便史に関する郵趣マテリアルを専門的に収集している。

（黒崎　卓）

第XI部

旅のおみやげ

52 染織布を味わう

――インド特産の衣類と出会う旅

旅先で困るのは重たい荷物である。仕事柄、本と布の荷造りにどれだけ頭を悩まされてきたであろうか。私は、調査用の衣服以外、余分な衣類はもっていかない。お気に入りの衣類を現地調達して身につけることが習慣となっている。インドならではの、手紡ぎ糸や手織りによる質のよいショールやブラウス、布地などが日本よりも多くの場所で安価に売られているからである。また、インドの気候に合わせた衣類を身につけることで、快適に過ごすことができるとともに、多彩な染織技術によって生み出された布地の特性を体感できる利点もある。

せっかくインドの地に足を踏み入れたのだから、インド特産の衣類を手に入れてみてはいかがだろうか。私は、1997年からインド西部の染織調査をおこなってきた。ここでは、私の体験を中心に、衣類からインドを味わう方法について紹介してみたい。

バーザールを味わう

その土地へ着いたら、まずは地元のバーザールへいってみよう。インドのバーザールは、基本的に職種ごとに形成されている。そのため、衣服や布地関係をたずねてゆけば、ずらりと並んだ同業種の店舗から、お気に入りの一枚をみつけることができるだろう。例えば、インド西部グジャラート州の最大都市アフマダーバードでは、マネークチョークがお薦めだ。アフマダーバードはインドのマンチェスターともいわれるほど、繊維産業の盛んな地域である。マネークチョークは、街の中心を流れるサーバルマティー川の東側の旧市街に位置し、多種多様な布地と衣類を扱う商店が軒を連ねている。

お薦めの一つは、インド西部の特産である、木版捺染や絞り染め、ミラー刺繍による布地や衣類である。男性であればクルター、女性であればカミーズとよばれる上衣をさがしてみよう。共に頭からかぶる形態をし、裾や襟、袖口がゆったりしているので、空気が通りやすく暑い時期を過ごすには最適だ。これらの多くは、薄地で軽いため、早く乾燥し、旅行中には重宝する一枚となるだろう。

地元の人びとと共に、布地や衣類の品定めをするのは、現地の人びとの流行や嗜好をうかがうことができる絶好の機会だ。ただし、バーザールに並んでいる衣類には、縫製が甘いものもあるので、購入前には縫い目を必ず確認しよう。

好みの服を仕立てる

服のサイズが合わない、お気に入りの形態がみつからない、といった場合には、布地を購入してオーダーメイドに挑戦してみてはいかがだろうか。インドで自分好みの衣類を仕立てることは、とっても簡単なのである。布地を購入した店でお薦めの縫製屋を教えてもらえばよい。そこへ布地を持ち込み、身体の採寸をしてもらい、希望の服をつくってもらおう。地域によって物価はことなるが、シャツ一枚であれば１００～２００ルピーの代金で早ければ翌日にでも仕上げてくれる。日本からもってきた服でお気に入りのものがあれば、それを渡して同じパターンで作ってもらうことも可能だ。力量のある職人の場合、雑誌などの切り抜きからも簡単にパターンをおこしてくれる。貝ボタンやくるみボタンなど、せっかくインドで注文するのだから、細部までこだわってみよう。

01 既製服や仕立て用布地を軒先に並べるバーザールの衣類屋（アフマダーバード、２０１０年）。

ショッピングを楽しむ

旧市街での買い物に疲れたら、その土地の新市街へ行ってみよう。例えば、アフマダーバードは西部に新市街があり、現地の中間階層の人びとでにぎわう大型ショッピングモールが数多く立ち並んでいる。ここでのお薦めは、ファブ・インディアやウエストサイドだ。ファブ・インディアは、当時ニューヨークの百貨店のバイヤーだったジョン・ビッセル氏によって１９６０年に創設された。もともとは天然繊維や天然染料を中心としたローカルな染織技術によるホームファブリックのブランドであったが、現在は、男女問わず子どもから大人まで、日常着からおしゃれ着といった幅広い品揃えのチェーン店となっている。デリーやムンバイーなどの大都市、空港内をはじめ73都市で176店舗、さらにはイタリアやシンガポールなど海外にも販路を展開している。

ウエストサイドは、インドのタータ財閥が運営するファッションブランドで1998年に創設された。国内72店舗では、「Western」をテーマにTシャツやジーパンなどを販売しているが、お薦めはもう一つの「Indian」をテーマにしたラインである。鮮やかな色彩でペイズリー文様などをアレンジしたクルターやスカート、ショールなどはサイズのバリエーションも多く、お薦めである。両者とも、インドの染織技術や文様などを基底に、ファッショントレンドを組み入れながら現代ファッションとしてつくられていることが特徴である。

生産地を巡る旅

これらの衣類を頼りに、気に入った布地の生産現場を訪れてみてはいかがだろう。バーザールではお店の人に布地の産地を尋ねれば、教えてくれるだろう。ショッピングモールなどの店舗では、商品価値をあげるために産地や染織技法が衣類の商品タグに明記してあることが多い。それらの情報をもとに、思い切って染織の現場まで行ってみることを旅の楽しみにしてみてはいかがだろうか。決められた観光ルートではなく、信頼できるドライバーやガイドと一緒であれば、技術名や土地名だけを頼りに周遊してみるのも、ひと味違うインドの楽しみかたといえる。

例えば、インドのバーザールやショッピングモールで衣類を探した場合、木版捺染布をよくみかけるだろう。産地の一つであるインド北西部ラージャスターン州ジャイプル近郊のサンガネールやバグルーでは、現在ファッション向けの布地製作のための木版捺染工房がいくつも存在している。木版印捺の現場をみることができるだけではなく、産地では各工房が製作した商品も置いているため、都市よりも安価で布地や衣類を入手することができる。

さらに興味があれば、印捺している布地の産地を訪れてみよう。例えば、サンガネールなどでもちいられている布地に、コーターと呼ばれるものがある。手紡ぎの木綿糸を用いて、織り目に隙間をあけながら手織りした布で、ジャイプルから南へ約240キロメートルに位置するコーターと呼ばれる街の特産品だ。軽くて柔らかく、肌触りがよい特徴ある布地に印捺することは、商品価値をあげるための職人の戦略で、インドの染織布の産地ではよくみられる手法である。

商品としての染織品は、糸づくり、織り、染め、刺繍といったように分業作業によって成り立っていることが多い。そして、一枚の布地が、インド各地の染織技術によって構成されていることもある。お気に入りの布地や衣類ができあがる製作行程を巡る、といった新たな旅行計画をたててみてはいかがだろうか。

（上羽陽子）

02 服地用の木版印捺の作業風景（バグルー、2013年）。

53 西インドの骨董巡り
――生活に溶けこむ手仕事と時間の流れに思いを馳せる

さらさらと乾いた砂の地面に、柱のような鉄の塊を突きさす。金槌で叩いてさらに埋め込むと、しっかりと固定され鉄を叩いていく台となる。

インドの西の国境近く。タール沙漠の中央にある、ジャイサルメールの街の一角。「鉄（ローハー）」という語から派生したローハールというヒンドゥーのコミュニティが、道の脇の簡素な作業場で熱した鉄を叩きながら、敷いたビニールの上には、制作したナイフやら杭やおたまなどを、「いちおう売っています」という風に、のんびりと並べている。

よくみると作る人によって出来映えにちがいはあるけれど、どれも無骨なかたちで、それがとても愛きょうがあるようにもみえる。近くを通るたびにしゃがみこんで、作業風景や無骨な塊をながめていた。なにかほしいのだけれど、自分には用途がみつからないものばかり。

料理のときに油をすくうためという、ちいさなアルミのおたまをいくつか購入した。ひっかけられるように柄の先が曲がっていて、深めの入れ物からもたっぷりすくえるように、柄が直角にくっついている。端がぎざぎざしたままの部分は、あぶないので、もう少しヤスリで削ってよというと、大きな金属ヤスリで大雑把に削ってくれる。細かいところはあとで自分でした方がよさそうだ。

数年前、三度目のインドではじめて訪れたこの西の地域にすっかり魅了され、それ以来、グジャラートやラージャスターンばかりに訪れるようになった。独特な民族衣装も、その場にいると自然で、どこをみても絵になる光景。

地域の中心の街には、観光客や近くの村から買い出しに訪れる人びとで、いつでも賑やか。うつくしい布も、素朴な生活用品も、細かい手仕事の銀細工や骨董品のどれも魅力的。そんな街や村をまわっては、なにか気になるものを少しずつ集めていた旅だったが、お店をはじめて仕入れという名目ができ、気兼ねなく買えるようになった。新しいものや古いもの、布や小物など、自分がわくわくする感覚を基準に集めていく。

ジャイサルメールは2年ぶり。着いてすぐ、知り合いの家に食事によばれた。あたらしい建物がどんどんできている街にありながら、いまだに土でできていて屋根のない家。同じく土でできたかまどに、あつめてきたとげのある細い枝をくべて、器用にサブジー

（野菜のおかず）とローティー（無発酵パン）をつくってくれた。マサーラー（スパイス）を入れてあったのが、30センチくらいの年季の入った木の箱。今まで見たほとんどのマサーラー入れは、金物のものばかりだったので、古い木の箱が土の家とその家族となじんでいて、うつくしくみえた。一瞬、おかねをはらって譲ってもらえるか交渉してみようかという考えが頭をよぎったが、こうして使われていくのがいちばんいい形だとおもい、やめておいた。

数日後、商店街を歩いていると、骨董屋の店頭で、おなじような木製のマサーラー入れが重ねて置いてあるのをみかけ、これはこれはと、すぐ購入。中の仕切りが六つのものや三つのもの。蓋はスライド式になっている。どれも時間をかけていい色合いになっている。ほかにも木のおたまや真鍮のチャパーティー入れなどを選んだ。骨董品は一期一会。おなじ種類のものでも、なぜか魅かれるものとそうでないものがある。値段のつけかたは、街によっても店によってもさまざまだから、気に入ったら納得する値になるか交渉する。

01 料理時にとり出しやすいよう、よく使うマサーラー（スパイス）を入れる仕切りのある容器。

ラージャスターンでは、どの街でもよく骨董屋をみかける。店の青年曰く、昔は古いものに価値があるとおもわなかったが、ここ10～20年で外国人観光客がくるようになって売れるとわかって店をだした、そうな。たしかに、インド人は新しいもののほうが好きそうだ。

ゆったりと骨董をみてまわりたくて、ブーンディーという街へ向かった。

州都のジャイプルから、バスで南に6時間。トーンクーロードを通り、コーターへの道の途中にある。バスの窓から湖や高台のお城と、ところどころ青く塗られた街が見えてきたら、ブーンディーに到着だ。

前回は、数週間すごしたジャイプルでの仕入れの息抜きに、なんの情報もなく訪れたのだったが、長居したくなるような街だった。予想外に骨董をいくつも購入してしまい、金属だらけでバックパックがすごい重さになったのだった。

ラージャスターンの観光ルートから外れているため、観光客もそれほど多くない。歩いてまわれるほどよい大きさの街と、お城の存在感。内部の壁や天井の精密な画もすばらしく、こうもりがぎっしり天井にいる階段は不気味だったが、手があまりはいりすぎていない素朴さもよい。お城の麓からの一本道にいくつか骨董屋があり、散歩がてらにふらっと見てまわることができる。

02ブーンディーパレス。ブーンディーの街を見わたす丘の斜面に、城と並んで建てられた宮殿。現在は一般公開されている。

フッカーという真鍮性の水タバコの入れ物を購入した。水タバコを嗜むインド人をみたことがないが、フッカーはラージャスターンの骨董屋でよくみかける。煙をなかの水に通してから吸うので、穴が二つ付いている。自立するものや、ぶら下げておくのか持ち手がついているもの。マンゴーの形につくられたものなどさまざま。100年から500年前のものとのこと。どこまで信用できる数値なのかは微妙だが、ある程度は古そうだ。一輪挿しにしてもすてきだろうなと想像しながら選んでいく。カボチャみたいな縦に筋が入ったものは、ムガル帝国の時代のデザインだという。では16世紀から19世紀ということか。こうして骨董屋の店主と会話しながら、選んでいくのはたのしい。

店主がコレクターで、売ってくれないこともある。ペンダントなどのアクセサリーにつくりたくて、古いシルバーのコインを探していた。金属を型押ししてつくってあるだろう古いコインは、きれいな丸の形をしていない。小さなコインの表面に、文字や絵で情報も刻まれているので、見る人が見れば、地域や年代がわかるはずだ。その店の店主は、ひとつひとつきれいにパックしてあるコインを見せてくれた。孔雀が描かれているものがかわいくて欲しいというと、非売品だった。モーリヤの時代のものらしい。帰ってから調べると、モーリヤときこえたものは、マウリヤ朝のことだったようだ。それなら、2000年以上前のもの！　それは貴重だ。歴史に詳しくはないけれど、知っていくとよりおもしろいだろうなとおもう。骨董品は、実感のない大昔から、今の自分をつなげてくれる、たしかなもの。誰かが時間をかけて制作し、誰かと生活を共にしていて今ここにある。そんな流れに思いを馳せる。

（にしはらみき）

54 良いタブラーの音色をもとめて

――インドで楽器を探す旅

インドには驚くほどさまざまな楽器がある。弦楽器一つとっても1本の弦を爪弾くだけの素朴なエークタールから100本近い弦を撥で叩いて演奏するサントゥールまで幅広い。打楽器だって両面太鼓のパカーワジやムリダンガム、壺を叩いて音を出すガタムなどさまざまな種類のものがある。インドはまさに楽器の宝庫といっても過言ではない。そのなかでもとくに我々に馴染み深いものといえば、シタール（スィタール）とタブラーであろう。60年代後半、ビートルズがインド音楽に傾倒したことがきっかけとなって日本にもインド音楽が輸入された。それは西洋人から見た「東洋の神秘的イメージ」が付加されたインド音楽であった。バックパッカーとしてインドへ行く若者たちはこぞってシタールやタブラーを購入し、グル（師匠）に習ったテクニックを日本で披露しては、我が物顔でインド音楽の精神性について語ったものだった。

時代は変わった。インドで活躍する一流音楽家の日本公演により、本場のインド音楽を聴く機会も増えた。インドにいって贔屓の音楽家のライブや毎年行われる音楽祭に足を運ぶこともできる。さらに望むのならばインドに長期間滞在しグルに習うことだって可能だろう。最近ではユーチューブで貴重な歴史的演奏が視聴できるし、スカイプでインドの先生にレッスンを受けることもできる。このような状況下で、インド音楽はたんに「エキゾチックな音楽」としてではなく、普遍性をもった音楽文化として理解されはじめている。この章ではそのようなインド音楽への認識の変化を踏まえ、クオリティーの高いタブラーを探す旅へのガイドラインを示したいとおもう。

まずタブラーはタブラー職人から直接買うのが良い。大きな町の楽器屋にはほかの楽器と一緒にタブラーが置かれていることも珍しくはない。しかし、ほとんどの場合そのような楽器は使い物にならない。必ずタブラー工房に出向いて、どのようなタブラーが欲しいかを職人に伝え、誂えてもらうべきである。有名なタブラー工房はコルカタ、バナーラス、ムンバイー、デリーなどの都市に集中している。それぞれの場所で作られるタブラーには特徴があり、音色も異なる。

コルカタのタブラーの音の特徴は非常にクリヤーで美しく、技巧的な演奏に向いているといわれる。代表的な工房はシャーマル・ダースが運営するナーラーヤン・バーディヤー・バーンダール やムクタ・ダースの運営するリズムなどである。両者ともにインド中のタブラー奏者から注文を受けて楽器を製作しているだけに、そのクオリティーはお墨付きだ。そのため彼らからタブラーを買うにはある程度のコストと時間がかかるので、事前にしっかりと交渉をしておくべきである。私はナーラーヤン・バーディヤー・バーンダールで購入したタブラーを主に使っているが、非常に音がスイートできめ細かく、太鼓の革が長持ちするという印象をもっている。

バナーラスにはタブラー工房がひしめき合っていて、それなりにクオリティーが高いが、そのなかでもイムティヤーズ・アリー、アンワルなどが良いタブラー工房として知られている。バナーラスのタブラー工房のよさは気楽に色々と教えてくれることである。革の張り替え方や門外不出であるはずのスィヤーヒー（音色を決める革の中央の黒い部分）の塗り方まで教えてくれるところもあるので、楽器について詳しく知りたい場合や製作に興味がある場合は一度足を運んでみてはいかがだろうか。

01 コルカタの老舗のタブラー工房、ナーラーヤン・バーディヤー・バーンダール。
02 ナーラーヤン・バーディヤー・バーンダールの工房内の様子。

ムンバイーのタブラーはコルカタのものと比較すると、ボディーがだいぶ重くしっかりしているという特徴がある。音も厚みと伸びがある大音量で、迫力がある。ムンバイーはパカーワジという大型の両面太鼓の影響が強いパンジャーブ・ガラーナー（流派）の中心地なので楽器もパカーワジを意識した大柄で頑丈な作りのものになっている。有名な工房としてはハリ・ダースやソームナートなどがある。前者は世界的に有名なタブラー奏者であるザーキル・フセインをはじめとする多くの一流プレイヤーに使われているタブラーを作っている。筆者は一つだけハリ・ダースのタブラーをもっているが音が大きくて伸びがあり、叩いていて気持ちよい。

03 タブラーを仕上げるイムティヤーズ・アリー。

デリーは最古のガラーナーである、デリー・ガラーナーの発祥の地であるがタブラーの工房がそれほど多くはない。私の知る限りはゴーパル・ダースの工房やマンスールの運営するタブラー・タラング・ミュージカルストアなどがある。どちらも安定したクオリティーの高いタブラーを作っている。

私は以上にあげたほとんどのタブラー工房に実際出向き、楽器を購入

04 私が愛用するタブラー。よい音のするタブラーを演奏する時ほど幸せな時間はない。

してきた。インドでは日本とは違ってなかなか自分の思い通りに楽器が手に入るわけではない。タブラーにしても注文しておいたものがなかなかできなかったり、高値を要求されたりするのは日常茶飯事である。最初からこれという楽器に巡り合うことはなかなか難しい。楽器にはそれぞれに個性があり、相性もある。良いと言われて買ってみたものの、どうも手に馴染まなかったりすることもある。さらにタブラーを日本に持ち帰ってきてから革が破れてしまうと自分で張り替えなくてはならない。慣れればそれほど難しい作業ではないが、最初は革がずれてカッコ悪いタブラーができあがったりする。タブラー職人のようにはなかなかできるものではない。

しかしこのように悪戦苦闘しているうちに、不思議とよい楽器をみつけるための勘を身につけていくものだ。だからどんな失敗も、よい楽器に巡り合うためのみちのりだと思って楽しむのがよい。インド音楽の楽器の習得のように、楽器探しも長い長いゴールのない旅路なのだ。

（井上春緒）

【参考文献】

- 田中多佳子、2011、「インド音楽の世界――楽器にみる人々のこだわり」鈴木正崇編『南アジアの文化と社会を読み解く』東アジア研究所講座。
- Roda, Peter Allen, 2013, *Resounding objects: musical materialities and the making of Banarasi Tablas*, New York University.

55

「輝けるインド」を見に行く

――ショッピングモールに集う人びと

インドでショッピングモールの建設ラッシュが始まったのは、2000年代に入ってからである。2001年に全インドで3店舗しかなかったモールは、2013年5月の時点で570店舗に急増している。この急激な増加率はインドの経済発展を象徴し、またショッピングモールという新しい消費形態が、この10年でインド社会に定着したことの表れでもあるだろう。従来インドで買い物といえば、外出前から買うものが決まっており、同性同士が連れだって近隣の商店に出かけるというものであった。多数の商店をまわり、店員と値切り交渉を重ね、商品を購入する。それがモールの登場によって、都市住民に新しい消費活動スタイルが導入されることとなった。

新興国における金融市場を専門とする奥雄太郎氏によれば、東南アジアではモールは「涼みながら散歩できる場所」として位置づけられているが、インドでも同様の機能でモールが受容され始めているという。確かにモールは、外部の決して快適とはいえない気候や道路状況などと比較すると、非常に快適な空間である。モールは外国ブランドに触れる場でもあり、またフードコートや映画館といった娯楽機能を持つ場所でもある。奥氏によればモールは消費の場とは分けて考えられている。つまり、実際に商品を購入するのは慣れ親しんだ地元の商店においてであり、ショッピングモールはむしろレジャーやエンターテインメントの場として存在するのである。ゆえに週末は家族連れでにぎわい、また多くの若いカップルが親密に時間を過ごす様子を目にすることになる。未だ自由恋愛が制限される社会において、若い恋人たちにとって安全にデートを楽しむことができる場所は非常に少ない。彼ら彼女らにとって、モールは長時間安心して過ごすことができる絶好の場でもあるのだ。

都市在住者を広く魅了する輝かしいモールであるが、そこはさまざまなヒエラルキーが色濃く表れる場でもある。たとえば、モールにやってくる客のあいだの格差である。それは彼らの身なりや消費活動の度合いにだけでなく、モールまでの交通手段にも明白に表れる。混雑したバスを乗り継いでくる者から、地下鉄、リクシャー、タクシー、自家用車、そして運転手付きの高級車まで、そこには経済格差が歴然と表れる。顧客間だけでなく働く者のあいだにも、その服装や使用言語などからヒエラルキーの存

01 下町のバーザール。小さな商店が軒を連ねる（オールドデリー、2014年）。

在を簡単に感じ取ることができる。その序列に応じて仕事内容には明確な線引きがなされている。たとえば、外国ブランドを扱う店内で顧客の子どもが食べ物をこぼしたとする。ブランド物に身を包んだ親は子守を叱りつけ、スーツを颯爽と着こなした店内のスタッフは清掃係を呼ぶ。泣いている子どもをあやすのは子守の仕事であり、汚れた床をふくのは清掃係の仕事なのだ。

輝かしいモールはまた顧客を選ぶ場でもある。2008年にインドで公開された社会派映画の名作『ムンバイー・メーリージャーン（愛しのムンバイ）』には、ショッピングモールが「持てる者」の象徴として描かれている。映画はムンバイーで実際に起こった列車連続爆破テロを物語の軸にしたフィクションであり、市民がテロの影響をどのように受けたのか、さまざまな社会階層に属する登場人物の日常生活を細やかに映し出す。登場人物のひとりトーマスは路上の珈琲売りで、「持たざる者」を代表している。彼は丸一日路上で珈琲を売り、そのわずかな売上で妻子を養いつつつましく暮らす。そんな彼にとって、

02 国内で最もテナント料の高いモールの一つDLF Emporio。高級ブランドが多く入る（デリー、2013年）。

03モールを訪れた子守と雇い主一家（デリー、2013年）。

ブランド品が陳列され近代的な設備の整ったショッピングモールは憧れの対象であった。休日には親子そろって一張羅に身を包み、慣れないエスカレーターにはしゃぎ高級品に目を丸くしながらモール内をそぞろ歩く。トーマスやその家族にとってそれはささやかな楽しみであったが、しかしきらびやかなモールにおいて「持たざる者」は異分子であり、そこに向けられる視線は厳しい。トーマスはモールの責任者からいわれのない言いがかりをつけられ、一家は暴力的に施設から追い出されてしまう。自尊心が傷つけられたトーマスにとって、ショッピングモールはもはや憧憬の対象ではなく、そこに集う「持てる者」ごと憎しみの対象へと変わってしまった。

インド国内外の不動産調査会社によれば、2010年代半ばにインドのモール数は急増したという。また大型化も進んでおり、2014年に新規開業したモールの店舗面積は前年と比べて倍増、今後も拡大はさらに続くという調査結果も出ている。また大都市に集中していたモールであるが、今後はさらにインド全土に展開していき、2022年度末には100以上のモールが新規開業される見込みである。しかし一方では古くからある小規模モールの閉鎖も相次いでいる。2000年代初頭にデリー近辺ではモールブームがおこり、郊外のグルガオンを中心にモールが乱立した。同じような店舗を有したモールが局地的に開店したことで客は分散し、結果として中小規模のモール内には空き店舗が目立つようになった。2010年の調査によると、グルガオンの複数モールの空き店舗率は15％前後にもなる。とくに地下鉄の駅から離れていてアクセスが悪いモールほど空き店舗が目立つ。そのようなモールの雰囲気は、成功しているモールのそれとは非常に異なるものであり、またやってくる客のタイプもずいぶん違う。そこでは消費活動に励む姿はほぼ見られない。「持たざる者」を代表するような多くの客は、階段や床にじかに座って仲間とおしゃべりを楽しみながら涼をとっていた。そのようなモールには「持てる者」を象徴する輝かしさは見られない。けれど「持たざる者」もまた「輝けるインド」の一員なのだという事実が、彼らの楽しげな姿から浮かんでくる。

デリーの自宅で近所の子ども相手に塾を開いている若い知人は、「持たざる者」に分類される。通ってくる子どもたちもまた同じである。その彼女が子どもたちをつれてピクニックに行くという。デリー門やクトゥブ・ミーナールなどの遺跡をめぐり、最後にデリーで一番人気のショッピングモールの見学がそのコースらしい。彼女ら彼らにとって、きらびやかなモールは遺跡に並ぶ観光名所の場なのだ。トーマスはモールの輝かしさにあこがれ、そしてモールから拒絶されて憎しみを抱くようになった。デリーの持たざる子どもたちはモールに何をみて何を学ぶのか。「輝けるインド」をどう見るのか。ぜひとも聞いてみたい。その際、第二、第三のトーマスが生まれないことを、私は祈っている。

（小松久恵）

【参考文献】
▪奥雄太郎「変貌するインドの消費パターン：ショッピングモールと金融による顧客の『囲い込み』」『知的資産創造』2008年5月号。
▪土屋純、2013、「デリー首都圏（NCR）におけるショッピングモールの発展と外資系小売業の参入」『広島大学現代インド研究　空間と社会』第3号。
▪三尾稔、2007、「郊外型ショッピングモールの登場」『季刊民族学』120号。

コラム11

インド大衆宗教画蒐集譚——キッチュな絵から見えてきたもの

初めてインドの地に足を踏み入れてから14～15年が過ぎた1992年のことである。それまでに私の身体がインドの何物かに侵されてゆき、後戻りできない俗に言う「はまった」状態になってしまっていた。

それはムンバイーのとある骨董屋の埃にまみれた倉庫内でのことであった。主人が解いた紙包みの中から、およそ70～80年程の時を経た、落ち着いた味のある色彩を放つ11点の神様絵が姿を現した。それらの絵は、現在市中で見かける安価な極彩色のものとは明らかに趣が異なるもので、主人の説明によると、石版で印刷されたものだとのこと。私がこれらの絵の虜になるには、ほんの一瞬の時間を要しただけであった。以来南インドを中心に、この「石版印刷の大衆宗教画」を探し求める旅が続いている。

私を魅了した神々や古譚の図像は、現代の色鮮やかでメリハリの効いたオフセット印刷のモノとは異なり、石版印刷による柔らかく包み込まれるような独特の雰囲気を醸し出していた。さらに、そこに描かれた図像の意味や背景を調べていくと、インドの宗教はもとより、歴史、文学、社会、風俗習慣、政治、経済、イギリスとの関係、ヨーロッパ美術、印刷技術、写真技術、演劇、映画等々、同時代のさまざまなジャンルの事柄が関連していることが分かり、より深く知りたい一心で、泥沼へと足を踏み入れることとなってしまった。

当時このような絵はインドの人たちに顧みられることなく、ほぼ打ち捨てられた状態であったため、珍しい図柄のモノを比較的安価に手に入れることが可能であった。また、これらの大衆宗教画の代表的な画家の一人であるラヴィ・ヴァルマーの名前や絵も、当時はほとんど忘れ去られてしまっていた。

その後、インド政府の経済開放政策により、インド社会に生活に余裕がある中産階級の人たちが徐々に増えるにつれ、このような昔懐かしい絵にも注目が集まるようになった。時を同じくして、インドのいたるところでラヴィ・ヴァルマーの神様絵の絵葉書や複製画が販売されるようになると、市場に出て来る石版印刷の大衆宗教画がめっきり減り、あっても同じ図柄のモノばかりになってしまった。そのため価格が高騰し、残念ながら私の蒐集に支障をきたすことになってしまった。

最初に出会った、石版印刷による大衆宗教画 11 枚の中の 1 枚。描かれているのは月神チャンドラで、20 世紀前半ラヴィ・ヴァルマー・プレスで印刷された。

その反動でもあるのだが、20世紀中葉から現代までのオフセット印刷の大衆宗教画にも触手を伸ばすこととなった。それとともに今まで購入してきたモノをさらに詳しく調べることで、その図像が持つ意味や背景について新たな発見をする機会も多くなった。さらに、ガラス絵や粗末なざら紙の上に濃密な色彩で刷られた木版画や、紅茶や綿製品、小麦粉などの商標の中にも、大衆宗教画に描かれているヒンドゥーの神々の姿と類似した図像や構図を見出せることなどがわかってきた。

また、明治時代中期から大正時代にかけて日本で製造され、インドに輸出されていたマッチのラベル（燐票）、昭和時代初期にインドへ輸出されていたタイルや高さ10センチ余りの陶器製神像のなかにも、大衆宗教画に描かれたヒンドゥーの神々を参考にして描かれ、作られたとしか考えられないモノが多数存在していることも判明した。

こうしてさらに好奇心を掻き立てられた私は、これらを含めて蒐集に拍車がかかることとなった。半面、一層収拾がつかなくなってしまったというのが実情である。

以下は後日談である。記憶が少々曖昧であるが、作家の荒俣宏さんがある本のなかで、以下のような主旨のことを書いていた。何かをコレクションする時には、まずコレクションしようと思うモノを良し悪し関係なく手当たり次第集めてみる。そうすることで、幅や高さや奥行、時間の経過も含めそのジャンルの全体像が見えてきて、次第に進むべき方向が定まってくるのだとのこと。

これは後日気が付いたことだが、私の場合、目の前に現れた珍しい図像を、ただ闇雲に、面白がって自分の欲望に忠実に買ってきたことで、図らずも、石版印刷の嚆矢からオフセット印刷の現代までの約１３０～１４０年にわたる大衆宗教画の大きな流れを知ることができ、さらに図像の意味やその背景を含むインドの実像に触れることができたことだと考えている。さらなるインド理解を目指して、残りの人生を大衆宗教画の蒐集と解明に賭けたいと思う。

（黒田　豊）

【付記】その後すべての蒐集品を福岡アジア美術館へ寄贈した。そのため、「月神チャンドラ」は同美術館蔵となった。

旅のおわりに

まずは皆さま、長旅お疲れさまでした。いかがでしたでしょうか。旅に出発し、不思議都市をめぐり、さまざまな宗教や文化にのめり込み、色々な乗り物を駆使しながら、世界遺産を巡ったり食べ歩いたりし、おみやげまでしっかりと購入されたことと思います。なんと濃密で、ディープな旅でしょうか！この本は、断片的でありながら、あまり表立って取り上げられることのないインド世界の魅力が詰め込まれた、稀有なものになったと編者として自負しています。

「旅のはじめに」でも触れましたが、本書はガイドブックのように、網羅的にインドの旅情報を紹介するようなものではありません。インドに深く関わってしまった人びとの主観をベースにした、ある種の「偏り」が顕著な、一風変わった本です。対象をしっかりと描写することより、インドを逍遥するそれぞれの執筆者たちの歩みと発見・体験を重視して記述していただきました。読者の皆さまは、各執筆者たちの同伴者として、インドのあちこちで旅の面白みを追体験していただけたと思います。

コロナ禍で海外旅行はおろか、外出することや人と触れ合うことすらタブーとされるような状況下。このタイミングで本書を世に出すことを躊躇うような瞬間もありました。しかし、本書を手に取っていただき、今だからこそイメージの世界のなかでインドの面白さを実感していただくことこそ、意味があるのではないかと結論づけました。網羅的で淡白な情報だけだったらますますインドが恋しくなってしまうかもしれません。ただ、この本は読者とともにインド世界をめぐる旅物語となることが主旨です。ステイホームでも、想像の世界でインドを周遊できるはず。そのように考え、この時期のリリースを敢行しました。皆様におかれましては、本書のどこからでも結構ですので、易々と想像の範囲を超えてしまうインドの面白さを執筆者とともに歩んでいただければ嬉しく思います。

本書の計画段階からすでに長い年月が過ぎました。明石書店の編集者も退職や異動など3名も変更になりました。この間、大槻武志氏、兼子千亜紀氏、佐藤和久氏には、長いこと編者のわがままにおつきあいいただきましたこと、心よりお礼申し上げます。執筆者の方々にも多大なるご迷惑とご心配をかけつつ、ようやく一冊にまとめあげることができました。本書は、執筆された方々の大いなる忍耐力の賜物と考えております。ここに深謝の意を表します。

最後に、状況が改善し、また堂々とインドに足を踏み入れ、新たな旅物語が次々と生み出されていくような世界が早く到来することを祈りつつ、本書を締めたいと思います。

2021年4月

共編者　小西　公大

インドをより深く知り、旅を面白くするための基本図書

石坂晋哉・宇根義己・舟橋健太編、2020、『ようこそ南アジア世界へ』昭和堂
インド文化事典編集委員会編、2018、『インド文化事典』丸善出版
神谷武夫（著・写真）、1996、『インド建築案内』TOTO出版
辛島昇・坂田貞二編、大村次郷（写真）、1999、『世界歴史の旅　北インド』山川出版社
辛島昇・坂田貞二編、大村次郷（写真）、1999、『世界歴史の旅　南インド』山川出版社
辛島昇ほか監修、2012、『[新版] 南アジアを知る事典』平凡社
金基淑編、2012、『カーストから現代インドを知るための30章』明石書店
小西正捷、1981、『多様のインド世界』三省堂
小西正捷編、1997、『アジア読本　インド』河出書房新社
小西正捷・宮本久義編、1995、『インド・道の文化誌』春秋社
坂田貞二・内藤雅雄・臼田雅之・高橋孝信編、1991、『都市の顔・インドの旅』春秋社
重松伸二・三田昌彦編、2003、『インドを知るための50章』明石書店
菅沼晃編、1985、『インド神話伝説辞典』東京堂出版
鈴木正崇編、2011、『南アジアの文化と社会を読み解く』慶應義塾大学東アジア研究所
田中雅一・田辺明生編、2010、『南アジア社会を学ぶ人のために』世界思想社
橋本泰元・宮本久義・山下博司、2005、『ヒンドゥー教の事典』東京堂出版
広瀬崇子・近藤正規・井上恭子・南埜猛編、2007、『現代インドを知るための60章』明石書店
宮本久義、2003、『ヒンドゥー聖地　思索の旅』山川出版社

三澤　祐嗣（みさわ　ゆうじ）［4］
友人から東洋大学印度哲学科のことを教えてもらったのがきっかけで入学、そこでインド思想に興味を持ちなんとか研究を続けている。大学３年生の時に初めてインドを訪れ、その強烈さに驚いた。ガンガーから皆既日食を見ることができたのは密かな自慢。

三田　昌彦（みた　まさひこ）［39］
インドの歴史に関心をもったきっかけは忘れました。ですが、インドの城砦に関心を持ったのはGoogle Mapの存在でした。当初はこんなものかと思いましたが、どんどん精密になっていき、今までわからなかった城郭構造が手に取るようにわかった時には驚愕した次第です。

＊**宮本　久義**（みやもと　ひさよし）［1, 7, 12, 18, 19, 28, 31, 34, 38, コラム8］
高校生のとき、金縛りのなか「インドに住め」という天の声を聴く。1971年、ベンガル湾を船で横断し、マドゥライの寺院でヒンドゥー教の強烈な息吹に触れる。1978年より運命に導かれるようにガンジス川の岸辺に7年住んでインド哲学、ヒンドゥー教思想を学ぶ。

虫賀　幹華（むしが　ともか）［10］
2014年より5年間、北インドに留学。聖地、儀礼、祭りという観点からヒンドゥー教のいまとむかしについて考えている。留学時に北インド古典音楽に興味をもち、声楽家に弟子入りして現在も修行中。いずれ音楽も研究テーマの一つにしようと目論んでいる。

矢島　道彦（やじま　みちひこ）［15］
ジャイナ教文化の万般に興味を持つ。いま猛威をふるっているウィルスは、ジャイナ教で昔から説かれる‘ニゴーダ’を彷彿させる。宿主を探して輪廻世界に入り込もうとチャンスを窺う微細で未熟な生命体である。目に見えないミクロの世界にも関心を寄せるジャイナ教には脱帽というほかない。

山名　訓（やまな　さとし）［コラム5］
高校時代に「インドの先端には何があるのかな？」と思ったのがきっかけで1995年に初渡印。大学時代はリュックでインドを中心に世界中を歩きまわる。現在、ブータンなどへの旅行会社GNHトラベル＆サービス代表。未だにインドの先端には立てていないのが悩み。

山本　達也（やまもと　たつや）［23］
高校の時に映画「セブン・イヤーズ・イン・チベット」を観てチベットに関心を持つ。「チベットを研究するなら難民社会の方が色々残っているだろう」という不純な動機で2002年ダラムサラに向かうも、現地で不純な動機を打ち砕かれながら研究に従事し、もうすぐ20年が経過。

外川　昌彦（とがわ　まさひこ）［13］
　高校時代からのインド熱が高じ、コルカタに留学。ベンガル農村で住み込み調査を行う。その後も、残されたフロンティアを求めて、バングラデシュの農村地帯を訪ね歩く。インドとは無縁な平凡な家庭だったので、南アジアの辺境から戻ってこない息子に、さぞ両親も戸惑っていたのではと思われる。

冨澤　かな（とみざわ　かな）［40］
　なんとなくインドに惹かれる思いから宗教学を専攻、そこから「なんとなくインドに惹かれる」現象自体をテーマにするようになる。近代インド周辺のオリエンタリズムを関心の核に、インド内外のインド像や「宗教」概念やインドの英人墓地の展開などを研究している。

中尾　智路（なかお　ともみち）［50］
　大学では西洋美術史を専攻したが、福岡アジア美術館との出会いからどっぷりアジアへ。初めてのインドは20年前、ひ弱な胃腸を抱えてインド料理と現代美術に対峙。以来、私たちの常識や感性をゆさぶる表現者たちを求めてアジア各地を調査中。

にしはら　みき［53］
　大陸横断を目指した旅の途中、インドの魅力に捕まり、半年間過ごす。北西インド沙漠の楽士たちに付いて音楽を奏でる巡業をしたり、小さな村を巡り、手仕事に触れる。インドと京都を行き来しながら uskabard を営み10年目。二児の母。長男は3歳で初インド。

沼田　一郎（ぬまた　いちろう）［コラム3］
　日本仏教を勉強するつもりでインド哲学科に入りました。歴史学や法学を横目に見ながら、必修科目だったサンスクリット語から抜け出せないまま今にいたります。インド人と、サンスクリット語で笑いながら世間話するのが目標です。

南風島　渉（はえじま　わたる）［11］
　報道写真記者。広告業界志望だった大学生時代、インド放浪で世界の奥深さと自身の無知を痛感し、報道関係へと進路を変更。通信社写真部に勤務後、おもにアジアの紛争地や人権問題などを取材。著書に『いつかロロサエの森で～東ティモール・ゼロからの出発』（コモンズ）など。

橋本　泰元（はしもと　たいげん）［コラム7］
　1973年、学友と授業を休んで3か月の北インド旅行に初めて出た。1980年からバナーラス・ヒンドゥー大学大学院で約3年間学び、その間、当地が生んだ聖者の文献学的研究を開始して以来、続行。1993年来、東洋大学文学部でヒンドゥー教・文化・言語を教え、毎年のように北インドを中心に旅をし、インドの経験に努めてきた。

舟橋　健太（ふなはし　けんた）［20］
　大学4年生の時に、宿願の初渡印を果たす。以来、何に導かれてかインド研究の道に迷い込み、インド出入国スタンプの数を順調に（？）増やしていく。インドの熱い環境と人びとに翻弄されつつ、喜怒哀楽を前面に押し出して対峙を図る。いずれガンガーの流れに散りゆくことを夢見る。

松岡　環（まつおか　たまき）［48］
　大学院でヒンディー語を勉強中にインド映画にハマる。1975年の初インドでは７本の映画を見、以後毎年、映画を見るためにインドへ通うこと約50回。日本ではインド映画の紹介や字幕翻訳に力を注ぎ、日本人全員を映画でインドにワープさせようと日々努力を重ねている。

松川　恭子（まつかわ　きょうこ）［9］
　大学院入学直前の春、初の海外一人旅でインドを訪れる。その後、紆余曲折を経てゴア州に通うようになる。時々、ゴア料理のシトコリ（酸っぱめのエビカリーをまぜたご飯）とフィッシュ・レシアド（スパイスを挟んだ魚フライ）が無性に食べたくなるが、自分ではあの味が再現できない。

小嶋　常喜（こじま　のぶよし）[26]
中学生のときにオーバーステイのパキスタン人からチキンカレーの作り方を教わり、高校生のときに映画『ガンディー』を観て感動し、大学でインド史を専攻する。インドの大学に6年間在籍して「刑務所」のような寮で過ごしたため、どこへ行っても綺麗で居心地が良いと感じるようになった。

＊**小西　公大**（こにし　こうだい）[2, 3, 25, 46, コラム1, コラム6]
小学校5年生で母にパキスタン、18歳で父にインドに連れて行かれ、以来南アジア世界にはまり込む。大学で文化人類学を専攻し、インドをフィールドとして毎年通い続けて早27年。インド北西部の沙漠エリアを第二の故郷とし、（擬似？）家族と家とラクダを持つ。

小西　正捷（こにし　まさとし）[8]
中学生時代に日本青年館ホールで見たバラタナーティヤムがきっかけでインドに熱い思いを抱き、ICU卒業後、1962年にカルカッタ大学大学院に留学。モノと人とが紡ぎ出すフォークロアの美学に夢中になり、考古学と人類学のあいだを往還しながら、南アジアから西アジアまで飛び回った。東京大学大学院を修了後、法政大学・立教大学で教鞭をとった。インダス文明から歌舞音曲まで、夢中になれるものを探し出すのが大得意。最期（2020年9月、享年82歳）までそのエネルギーを失わなかった。（小西公大代筆）

小松　久恵（こまつ　ひさえ）[30, 55]
高3の担任のインド推しに感化され、大学でヒンディー語を学ぶことを決める。約5年間の留学を通して、デリーっ子ヒンディーと限られたライフラインでも生きていく力を身に着ける。だんだん日和っては来たが、地方図書館で希少な資料に出会うと未だに興奮して時を忘れる。

澤田　彰宏（さわだ　あきひろ）[29]
大学入学後に偶然履修することになったヒンディー語の研修で1997年に初めてインドを旅する。バナーラスでヒンドゥー教の祭りを体験したことで、その文化の奥深さ（わからなさ？）に魅了され、今では聖地の寺院や政教関係などのテーマにも手を出しながら研究を続けている。

澁谷　俊樹（しぶや　としき）[6]
理学部時代、教育思想家クリシュナムールティが建てた学校を見るためインド旅行。コルカタの民家の一室を間借りして、下層民の祭事と生活について研究。専門は文化人類学。研究テーマは、社会変動における「野蛮」、「残忍」、「卑猥」、「下品」の変容。

杉本　浄（すぎもと　きよし）[27]
大学1年生の時に、バックパッカーとして北インドを回る旅に出る。その後、縁あって東インドのオディシャー州の近代史に関する研究を30年近く続ける。あの雑踏と砂埃を懐かしむ今日この頃。インドに戻って史料世界を彷徨いたくもある。

関口　真理（せきぐち　まり）[49, 51]
専門はインド、南アジア近現代史。16歳、ネパール訪問で南アジアに初見参。最近のインド在住中には、NBA（全米プロバスケットボール）とクリケット中継が専門のTVチャンネルがあり（現在は消滅）廃人になりかける。長年愛顧のブランドはリトゥ・クマール。

高倉　嘉男（たかくら　よしお）[5]
2001年から13年までインドの首都デリー在住。ヒンディー語博士。毎週ヒンディー語映画を鑑賞し、ウェブサイト「これでインディア」にレビューを投稿。別名アルカカット。趣味でデリー郷土史を研究。インド全土を隈なく旅行、バイクでのツーリングルートも多数開拓。

竹村　嘉晃（たけむら　よしあき）[45]
遊学先のオーストラリアで仲良くなったインド出身の友人の結婚式に出席するために、30歳手前ではじめてインドを訪れたことがきっかけとなって、インドの芸能に関する研究をはじめるようになる。以来、インド滞在時に発症する暴食癖に悩まされて20年近くになる。

上羽　陽子（うえば　ようこ）［52］
　子どものときからものづくりが大好きで、大学は工芸学科染織コースへ。学生時代に訪れたインド西部の刺繍布に魅せられ、以来25年ほどインドの刺繍、染め、織りなどの現場に通い続けている。最近は、人類の植物利用としてのバスケタリー研究にも手を伸ばしている。

梅村　絢美（うめむら　あやみ）［42］
　幼い頃から祖母の畑を遊び場にして育ち、植物がもつ不思議な力に惹かれる。ヨーガ教室で出会ったアーユルヴェーダに衝撃を受け、南インドやスリランカをフィールドに、人びとが暮らしのなかで実践する養生法に癒されながら文化人類学を人生の肥やしにしている。

小尾　淳（おび　じゅん）［コラム9］
　大学在籍中にインド文化に魅せられ、日本とインドで南インド古典舞踊を学ぶ。その後、タミル・ナードゥ州立音楽カレッジに留学しカルナータカ音楽の基礎を習得すると共に、宗教芸能に関するフィールドワークを開始。南インド芸能研究者として今に至る。

國弘　暁子（くにひろ　あきこ）［21］
　大学１年の夏に初めてインドを旅して己の無力さを思い知る。修行のつもりで大学院への留学を決意。インド政府の導きで降り立った先のグジャラートで、言語をゼロから学びながら社会人類学の修士号を取得。それだけでは満足できず、己の未知なる領域に挑み続けて今に至る。

蔵前　仁一（くらまえ　じんいち）［47］
　27歳で初めてインドへ10日間行き、あまりに世界が違うのに衝撃を受けて逃げ帰る。その後、悪夢にうなされるようになり、それを治すには再びインドへ行くしかないと友人にいわれて、翌年に再びインドへ。以来インドおよびアジア、アフリカの旅に溺れる。

黒崎　卓（くろさき　たかし）［コラム10］
　一橋大学の経済研究所で開発経済学を教え、パキスタンやインドの経済について研究している。ただし経済学を志すよりはるか前の小学校時代、アショーカ王の獅子柱頭を描くインドの妙に素朴な切手に心奪われたところに、南アジア世界との縁は既に始まっていたようだ。

黒田　豊（くろだ　ゆたか）［コラム11］
　1978年初渡印。渡印を繰り返すうちラヴィ・ヴァルマー・プレスの大衆宗教画に魅せられ蒐集を開始。合間にガラス絵、木版画や銅版画等にも触手を伸ばす。この状態が定年後も続いていたが、後期高齢者となる目前に、蒐集品すべてを福岡アジア美術館に寄贈した。

小磯　千尋（こいそ　ちひろ）［32, 33］
　幼少期よりインドに魅かれ、大学生の時に初めてインドを訪れる。ムンバイー空港で熱帯特有のむっとした熱気に触れた途端にインドに住みたいと強く思い、2度に分けて10年マハーラーシュトラ地方で暮らす。ヒンドゥー教のバクティ思想に興味を持ち、巡礼などに参加する。

小磯　学（こいそ　まなぶ）［35, コラム2］
　大学在学中に訪れたインドにハマってしまい、その後今日に至るまで留学・調査・旅で通い続けることに。いまだ飽きることはない……というよりも、行き足りない。地平線の向こうには、まだ見ぬ世界がかならず広がっている。ただグローバル化が進み、そうした刺激も徐々に減りつつあるように感じられる。もちろん、それは誰にも止められないけれど。

古賀　万由里（こが　まゆり）［44］
　大学在学中にインド舞踊に魅せられ、バラタナーティヤムを習い始める。タミル・ナードゥやケーララを旅し、ここなら住めると思い研究を志す。現在は南インドのヒンドゥー文化およびヒンドゥー・ディアスポラを追いかけている。

【執筆者紹介（＊は編者）および担当章・コラム】（50音順）

浅見　千鶴子（あさみ　ちづこ）[41]
2001年に、ヨーガを学ぶためにケーララに滞在中、縁があってカラリパヤットゥの道場に入門。研鑽を重ねながら、現在はニディーシュ師範とともに、日本や海外でカラリパヤットゥの普及活動を行っている。（CVN KALARI JAPAN：www.kalari.jp）

東　聖子（あずま　まさこ）[14]
興味関心はパキスタンとインドに跨るパンジャーブ地方とスィク教徒移民。幼少時にターバンを巻いた人の絵をなぜかよく描いていたが、当時はインドのこともスィク教のことも知らない。ましてや後にそれらの勉強に没頭することになるなど、知る由もない。

阿部　櫻子（あべ　さくらこ）[24]
新潟でインドの民俗画・ミティラー画を見たのをきっかけに、インドの山村の暮らしに興味を持ち、マディヤ・プラデーシュ州の指定部族の村で入れ墨を見るために、彫り師と旅をした。目に見えない“ココロ”を託される“カタチ”に興味を持つ傾向がある。最近はベンガルのバウルに魅かれている映像製作者。

井生　明（いおう　あきら）[43]
カルナータカ音楽を中心にインドの文化や、それを育むたくましくもユーモアあふれる人々に強く魅了され、インドに通い続けるフォトグラファー。インドの芸能や儀礼などを積極的に紹介し、ときにインドの音楽家などの来日公演制作にも携わる。HP：www.akiraio.com

池亀　彩（いけがめ　あや）[17]
学部生の時、優しい助手の方にインドカレーを奢ってもらい、オディシャー州での寺院調査に誘っていただいたのが初めてインドに滞在したきっかけ。以来30年ほどカルナータカ州を中心にマハーラージャーからグルまでインドの「偉い人」を中心に研究中。

石川　寛（いしかわ　かん）[36, 37]
1980年に初めてインドに足を運び、見るもの聞くものあらゆることに圧倒される。帰国してもしばらくは社会復帰もおぼつかない状態。その後何とか持ち直して現在に至る。歴史や文化を勉強しているが、いまだに分からないことだらけ。

石坂　晋哉（いしざか　しんや）[コラム4]
高校生の時、「世界のトップに立った日本人が次に学ぶべきはボトム、つまりインドだ」という本を読み、インドに関心を持つ。1997年にバックパッカーとして初めてインドを旅行。2003年からはガーンディー主義活動家を訪ねてインド各地をめぐる。とくにご縁が深い地は、ウッタラーカンド、カルナータカ、マニプルなど。

井上　春緒（いのうえ　はるお）[54]
高校時代から民族音楽に興味をもち、世界のさまざまな楽器をさわるようになる。海外生活をへて、インド音楽の深さに魅了され、インドの言語や文化、歴史を総合的に深く知りたいと思い、研究の世界へと入る。現在、世界的にも有名なタブラー奏者とタブラーよりも古く、インドでも珍しいジョーリー奏者に師事し、インド音楽の研鑽をつんでいる。

岩井　昌悟（いわい　しょうご）[16]
はじめての渡印は2005年、35歳の時。それまでの17年間ほどの学びのなかでインドが理想化されていてはじめて見たインドに「なんてきたないところ、二度と来るもんか」と幻滅する（ちなみにデリーとかアーグラーとかはきれい）。しかし日本に戻ってしばらくすると「また行ってもいいかも」と思えるのが不思議。

岩谷　彩子（いわたに　あやこ）[22]
インドから世界に離散したとされる「ジプシー」のインド国内における移動を追いかけ、南インドに降り立って以来、訪れるたびに異なる姿を見せるインドに魅了され続けている。人はみな、一生に一度はインドに投げ込まれるべき、との持論をもつ。

【編著者紹介】

宮本　久義（みやもと　ひさよし）

1950年生まれ。早稲田大学第一文学部東洋哲学科、同大学院文学研究科修士課程東洋哲学専攻を経て、1978年より7年間インドのバナーラス・ヒンドゥー大学大学院哲学研究科博士課程に留学。1985年、Ph.D.（哲学博士）取得。帰国後、早稲田大学、東京大学等で非常勤講師を務めた後、2005年より東洋大学文学部教授、2015年から2020年3月まで大学院客員教授。インド思想（特にヒンドゥー教、サーンキヤ、ヨーガの思想）、サンスクリット語等を研究・指導。現在、国際仏教学大学院大学、東方学院において教鞭をとっている。主な著書に『ヒンドゥー聖地思索の旅』（山川出版社、2003年）、『ヒンドゥー教の事典』（共著、東京堂出版、2005年）、『インド・道の文化誌』（共編著、春秋社、1995年）、『インドおもしろ不思議図鑑』（共編著、新潮社、1996年）、『宗教の壁を乗り越える――多文化共生社会への思想的基盤』（共編著、ノンブル社、2016年）など。

小西　公大（こにし　こうだい）

1975年生まれ。東京都立大学大学院社会科学研究科博士課程を修了。博士（社会人類学）。2004年よりジャワーハルラール・ネルー大学に留学。日本学術振興会特別研究員（DC2）、東京大学東洋文化研究所特別研究員、東京外国語大学現代インド地域研究センター研究員を経て、2015年より東京学芸大学教育学部准教授に着任、今に至る。インドにおける指定トライブやムスリム楽士集団等、社会の周縁的存在とされてきた人びとへの参与観察を行い、社会的ネットワーク論やモダニティ論を人類学的方法論によって推進する。現在では境界に生きる人々の芸能・音楽やアート教育の持つ創造性の可能性を研究。主な著書に*Jaisalmer: Life and Culture of the Indian Desert*（共著、D.K. Printworld、2013年）、『フィールド写真術』（共編著、古今書院、2016年）、『萌える人類学者』（共編著、東京外国語大学出版会、2021年）、『人類学者たちのフィールド教育』（共編著、ナカニシヤ出版、2021年）など。

エリア・スタディーズ 183

インドを旅する 55 章

2021 年 6 月 10 日　初版 第 1 刷発行

編著者　宮　本　久　義

小　西　公　大

発行者　大　江　道　雅

発行所　株式会社 明石書店

〒 101–0021 東京都千代田区外神田 6-9-5

電話 03（5818）1171

FAX 03（5818）1174

振替　00100-7-24505

http://www.akashi.co.jp/

組版／装丁　明石書店デザイン室

印刷／製本　日経印刷株式会社

（定価はカバーに表示してあります）　ISBN 978-4-7503-5207-7

エリア・スタディーズ

1 **現代アメリカ社会を知るための60章**
明石紀雄、川島浩平 編著

2 **イタリアを知るための62章**【第2版】
村上義和 編著

3 **イギリスを旅する35章**
辻野功 編著

4 **モンゴルを知るための65章**【第2版】
金岡秀郎 著

5 **パリ・フランスを知るための44章**
梅本洋一、大里俊晴、木下長宏 編著

6 **現代韓国を知るための60章**【第2版】
石坂浩一、福島みのり 編著

7 **オーストラリアを知るための58章**【第3版】
越智道雄 著

8 **現代中国を知るための52章**【第6版】
藤野彰 編著

9 **ネパールを知るための60章**
日本ネパール協会 編

10 **アメリカの歴史を知るための63章**【第3版】
富田虎男、鵜月裕典、佐藤円 編著

11 **現代フィリピンを知るための61章**【第2版】
大野拓司、寺田勇文 編著

12 **ポルトガルを知るための55章**【第2版】
村上義和、池俊介 編著

13 **北欧を知るための43章**
武田龍夫 著

14 **ブラジルを知るための56章**【第2版】
アンジェロ・イシ 著

15 **ドイツを知るための60章**
早川東三、工藤幹巳 編著

16 **ポーランドを知るための60章**
渡辺克義 編著

17 **シンガポールを知るための65章**【第4版】
田村慶子 編著

18 **現代ドイツを知るための67章**【第3版】
浜本隆志、髙橋憲 編著

19 **ウィーン・オーストリアを知るための57章**【第2版】
広瀬佳一、今井顕 編著

20 **ハンガリーを知るための60章**【第2版】 ドナウの宝石
羽場久美子 編著

21 **現代ロシアを知るための60章**【第2版】
下斗米伸夫、島田博 編著

22 **21世紀アメリカ社会を知るための67章**
明石紀雄 監修　赤尾千波、大類久恵、小塩和人、
落合明子、川島浩平、高野泰 編

23 **スペインを知るための60章**
野々山真輝帆 著

24 **キューバを知るための52章**
後藤政子、樋口聡 編著

25 **カナダを知るための60章**
綾部恒雄、飯野正子 編著

26 **中央アジアを知るための60章**【第2版】
宇山智彦 編著

27 **チェコとスロヴァキアを知るための56章**【第2版】
薩摩秀登 編著

28 **現代ドイツの社会・文化を知るための48章**
田村光彰、村上和光、岩淵正明 編著

29 **インドを知るための50章**
重松伸司、三田昌彦 編著

30 **タイを知るための72章**【第2版】
綾部真雄 編著

31 **パキスタンを知るための60章**
広瀬崇子、山根聡、小田尚也 編著

32 **バングラデシュを知るための66章**【第3版】
大橋正明、村山真弓、日下部尚徳、安達淳哉 編著

33 **イギリスを知るための65章**【第2版】
近藤久雄、細川祐子、阿部美春 編著

34 **現代台湾を知るための60章**【第2版】
亜洲奈みづほ 著

35 **ペルーを知るための66章**【第2版】
細谷広美 編著

36 **マラウィを知るための45章**【第2版】
栗田和明 著

37 **コスタリカを知るための60章**【第2版】
国本伊代 編著

38 **チベットを知るための50章**
石濱裕美子 編著

エリア・スタディーズ

39 **現代ベトナムを知るための60章【第2版】**
今井昭夫、岩井美佐紀 編著

40 **インドネシアを知るための50章**
村井吉敬、佐伯奈津子 編著

41 **エルサルバドル、ホンジュラス、ニカラグアを知るための45章**
田中高 編著

42 **パナマを知るための70章【第2版】**
国本伊代 編著

43 **イランを知るための65章**
岡田恵美子、北原圭一、鈴木珠里 編著

44 **アイルランドを知るための70章【第3版】**
海老島均、山下理恵子 編著

45 **メキシコを知るための60章**
吉田栄人 編著

46 **中国の暮らしと文化を知るための40章**
東洋文化研究会 編

47 **現代ブータンを知るための60章【第2版】**
平山修一 著

48 **バルカンを知るための66章【第2版】**
柴宜弘 編著

49 **現代イタリアを知るための44章**
村上義和 編著

50 **アルゼンチンを知るための54章**
アルベルト松本 著

51 **ミクロネシアを知るための60章【第2版】**
印東道子 編著

52 **アメリカのヒスパニック＝ラティーノ社会を知るための55章**
大泉光一、牛島万 編著

53 **北朝鮮を知るための55章【第2版】**
石坂浩一 編著

54 **ボリビアを知るための73章【第2版】**
真鍋周三 編著

55 **コーカサスを知るための60章**
北川誠一、前田弘毅、廣瀬陽子、吉村貴之 編著

56 **カンボジアを知るための62章【第2版】**
上田広美、岡田知子 編著

57 **エクアドルを知るための60章【第2版】**
新木秀和 編著

58 **タンザニアを知るための60章【第2版】**
栗田和明、根本利通 編著

59 **リビアを知るための60章【第2版】**
塩尻和子 編著

60 **東ティモールを知るための50章**
山田満 編著

61 **グアテマラを知るための67章【第2版】**
桜井三枝子 編著

62 **オランダを知るための60章**
長坂寿久 著

63 **モロッコを知るための65章**
私市正年、佐藤健太郎 編著

64 **サウジアラビアを知るための63章【第2版】**
中村覚 編著

65 **韓国の歴史を知るための66章**
金両基 編著

66 **ルーマニアを知るための60章**
六鹿茂夫 編著

67 **現代インドを知るための60章**
広瀬崇子、近藤正規、井上恭子、南埜猛 編著

68 **エチオピアを知るための50章**
岡倉登志 編著

69 **フィンランドを知るための44章**
百瀬宏、石野裕子 編著

70 **ニュージーランドを知るための63章**
青柳まちこ 編著

71 **ベルギーを知るための52章**
小川秀樹 編著

72 **ケベックを知るための54章**
小畑精和、竹中豊 編著

73 **アルジェリアを知るための62章**
私市正年 編著

74 **アルメニアを知るための65章**
中島偉晴、メラニア・バグダサリヤン 編著

75 **スウェーデンを知るための60章**
村井誠人 編著

76 **デンマークを知るための68章**
村井誠人 編著

77 **最新ドイツ事情を知るための50章**
浜本隆志、柳原初樹 著

エリア・スタディーズ

78 セネガルとカーボベルデを知るための60章
小川了 編著

79 南アフリカを知るための60章
峯陽一 編著

80 エルサルバドルを知るための55章
細野昭雄、田中高 編著

81 チュニジアを知るための60章
鷹木恵子 編著

82 南太平洋を知るための58章 メラネシア ポリネシア
吉岡政德、石森大知 編著

83 現代カナダを知るための60章【第2版】
飯野正子、竹中豊 総監修 日本カナダ学会 編

84 現代フランス社会を知るための62章
三浦信孝、西山教行 編著

85 ラオスを知るための60章
菊池陽子、鈴木玲子、阿部健一 編著

86 パラグアイを知るための50章
田島久歳、武田和久 編著

87 中国の歴史を知るための60章
並木頼壽、杉山文彦 編著

88 スペインのガリシアを知るための50章
坂東省次、桑原真夫、浅香武和 編著

89 アラブ首長国連邦（UAE）を知るための60章
細井長 編著

90 コロンビアを知るための60章
二村久則 編著

91 現代メキシコを知るための70章【第2版】
国本伊代 編著

92 ガーナを知るための47章
高根務、山田肖子 編著

93 ウガンダを知るための53章
吉田昌夫、白石壮一郎 編著

94 ケルトを旅する52章 イギリス・アイルランド
永田喜文 著

95 トルコを知るための53章
大村幸弘、永田雄三、内藤正典 編著

96 イタリアを旅する24章
内田俊秀 編著

97 大統領選からアメリカを知るための57章
越智道雄 著

98 現代バスクを知るための50章
萩尾生、吉田浩美 編著

99 ボツワナを知るための52章
池谷和信 編著

100 ロンドンを旅する60章
川成洋、石原孝哉 編著

101 ケニアを知るための55章
松田素二、津田みわ 編著

102 ニューヨークからアメリカを知るための76章
越智道雄 著

103 カリフォルニアからアメリカを知るための54章
越智道雄 著

104 イスラエルを知るための62章【第2版】
立山良司 編著

105 グアム・サイパン・マリアナ諸島を知るための54章
中山京子 編著

106 中国のムスリムを知るための60章
中国ムスリム研究会 編

107 現代エジプトを知るための60章
鈴木恵美 編著

108 カーストから現代インドを知るための30章
金基淑 編著

109 カナダを旅する37章
飯野正子、竹中豊 編著

110 アンダルシアを知るための53章
立石博高、塩見千加子 編著

111 エストニアを知るための59章
小森宏美 編著

112 韓国の暮らしと文化を知るための70章
舘野晳 編著

113 現代インドネシアを知るための60章
村井吉敬、佐伯奈津子、間瀬朋子 編著

エリア・スタディーズ

114 **ハワイを知るための60章** 山本真鳥、山田亨 編著

115 **現代イラクを知るための60章** 酒井啓子、吉岡明子、山尾大 編著

116 **現代スペインを知るための60章** 坂東省次 編著

117 **スリランカを知るための58章** 杉本良男、高桑史子、鈴木晋介 編著

118 **マダガスカルを知るための62章** 飯田卓、深澤秀夫、森山工 編著

119 **新時代アメリカ社会を知るための60章** 明石紀雄 監修 大類久恵、落合明子、赤尾千波 編著

120 **現代アラブを知るための56章** 松本弘 編著

121 **クロアチアを知るための60章** 柴宜弘、石田信一 編著

122 **ドミニカ共和国を知るための60章** 国本伊代 編著

123 **シリア・レバノンを知るための64章** 黒木英充 編著

124 **EU(欧州連合)を知るための63章** 羽場久美子 編著

125 **ミャンマーを知るための60章** 田村克己、松田正彦 編著

126 **カタルーニャを知るための50章** 立石博高、奥野良知 編著

127 **ホンジュラスを知るための60章** 桜井三枝子、中原篤史 編著

128 **スイスを知るための60章** スイス文学研究会 編

129 **東南アジアを知るための50章** 今井昭夫 編集代表 東京外国語大学東南アジア課程 編

130 **メソアメリカを知るための58章** 井上幸孝 編著

131 **マドリードとカスティーリャを知るための60章** 川成洋、下山静香 編著

132 **ノルウェーを知るための60章** 大島美穂、岡本健志 編著

133 **現代モンゴルを知るための50章** 小長谷有紀、前川愛 編著

134 **カザフスタンを知るための60章** 宇山智彦、藤本透子 編著

135 **内モンゴルを知るための60章** ボルジギン・ブレンサイン 編著 赤坂恒明 編集協力

136 **スコットランドを知るための65章** 木村正俊 編著

137 **セルビアを知るための60章** 柴宜弘、山崎信一 編著

138 **マリを知るための58章** 竹沢尚一郎 編著

139 **ASEANを知るための50章** 黒柳米司、金子芳樹、吉野文雄 編著

140 **アイスランド・グリーンランド・北極を知るための65章** 小澤実、中丸禎子、高橋美野梨 編著

141 **ナミビアを知るための53章** 水野一晴、永原陽子 編著

142 **香港を知るための60章** 吉川雅之、倉田徹 編著

143 **タスマニアを旅する60章** 宮本忠 著

144 **パレスチナを知るための60章** 臼杵陽、鈴木啓之 編著

145 **ラトヴィアを知るための47章** 志摩園子 編著

146 **ニカラグアを知るための55章** 田中高 編著

147 **台湾を知るための60章** 赤松美和子、若松大祐 編著

148 **テュルクを知るための61章** 小松久男 編著

149 **アメリカ先住民を知るための62章** 阿部珠理 編著

エリア・スタディーズ

150 イギリスの歴史を知るための50章
川成洋 編著

151 ドイツの歴史を知るための50章
森井裕一 編著

152 ロシアの歴史を知るための50章
下斗米伸夫 編著

153 スペインの歴史を知るための50章
立石博高、内村俊太 編著

154 フィリピンを知るための64章
大野拓司、鈴木伸隆、日下渉 編著

155 バルト海を旅する40章 7つの島の物語
小柏葉子 著

156 カナダの歴史を知るための50章
細川道久 編著

157 カリブ海世界を知るための70章
国本伊代 編著

158 ベラルーシを知るための50章
服部倫卓、越野剛 編著

159 スロヴェニアを知るための60章
柴宜弘、アンドレイ・ベケシュ、山崎信一 編著

160 北京を知るための52章
櫻井澄夫、人見豊、森田憲司 編著

161 イタリアの歴史を知るための50章
高橋進、村上義和 編著

162 ケルトを知るための65章
木村正俊 編著

163 オマーンを知るための55章
松尾昌樹 編著

164 ウズベキスタンを知るための60章
帯谷知可 編著

165 アゼルバイジャンを知るための67章
廣瀬陽子 編著

166 済州島を知るための55章
梁聖宗、金良淑、伊地知紀子 編著

167 イギリス文学を旅する60章
石原孝哉、市川仁 編著

168 フランス文学を旅する60章
野崎歓 編著

169 ウクライナを知るための65章
服部倫卓、原田義也 編著

170 クルド人を知るための55章
山口昭彦 編著

171 ルクセンブルクを知るための50章
田原憲和、木戸紗織 編著

172 地中海を旅する62章 歴史と文化の都市探訪
松原康介 編著

173 ボスニア・ヘルツェゴヴィナを知るための60章
柴宜弘、山崎信一 編著

174 チリを知るための60章
細野昭雄、工藤章、桑山幹夫 編著

175 ウェールズを知るための60章
吉賀憲夫 編著

176 太平洋諸島の歴史を知るための60章 日本とのかかわり
石森大知、丹羽典生 編著

177 リトアニアを知るための60章
櫻井映子 編著

178 現代ネパールを知るための60章
公益社団法人 日本ネパール協会 編

179 フランスの歴史を知るための50章
中野隆生、加藤玄 編著

180 ザンビアを知るための55章
島田周平、大山修一 編著

181 ポーランドの歴史を知るための55章
渡辺克義 編著

182 韓国文学を旅する60章
波田野節子、斎藤真理子、きむ ふな 編著

183 インドを旅する55章
宮本久義、小西公大 編著

——以下続刊

◎各巻2000円（一部1800円）

〈価格は本体価格です〉

南インドの芸能的儀礼をめぐる民族誌
生成する神話と儀礼
古賀万由里著 ◎4800円

世界のAI戦略 各国が描く未来創造のビジョン
マルチメディア振興センター編 ◎3500円

インドの女性と障害 女性学と障害学が支える変革に向けた展望
世界人権問題叢書 102 アーシャ・ハンズ編 古田弘子監訳 ◎4500円

インド・パキスタン分離独立と難民
移動と再定住の民族誌 中谷哲弥著 ◎6800円

発展途上国の困難な状況にある子どもの教育
難民・障害・貧困をめぐるフィールド研究
澤村信英編著 ◎4800円

教員政策と国際協力 未来を拓く教育をすべての子どもに
興津妙子、川口純編著 ◎3200円

東方キリスト教諸教会 研究案内と基礎データ
三代川寛子編著 ◎8200円

テュルクの歴史 古代から近現代まで
世界歴史叢書 カーター・V・フィンドリー著 小松久男監訳 佐々木紳訳 ◎5500円

南アジア系社会の周辺化された人々
下からの創発的生活実践 関根康正、鈴木晋介編著 ◎3800円

ガンディー 現代インド社会との対話 同時代人に見るその思想・運動の衝撃
世界歴史叢書 内藤雅雄著 ◎4300円

議論好きなインド人 対話と異端の歴史が紡ぐ多文化世界
アマルティア・セン著 佐藤宏、粟屋利江訳 ◎3800円

開発なき成長の限界 現代インドの貧困・格差・社会的分断
アマルティア・セン、ジャン・ドレーズ著 湊一樹訳 ◎4600円

正義のアイデア
アマルティア・セン著 池本幸生訳 ◎3800円

インド現代史【上巻】 1947-2007
世界歴史叢書 ラーマチャンドラ・グハ著 佐藤宏訳 ◎8000円

インド現代史【下巻】 1947-2007
世界歴史叢書 ラーマチャンドラ・グハ著 佐藤宏訳 ◎8000円

バングラデシュ建国の父 シェーク・ムジブル・ロホマン回想録
世界歴史叢書 シェーク・ムジブル・ロホマン著 渡辺一弘訳 ◎7200円

〈価格は本体価格です〉